Е. Пыльцына

Всё о современном аквариуме

Все виды аквариумных рыб и уход за ними

ИД Владис

РИПОЛ
КЛАССИК
2009

ББК 28.6
  П 94

Пыльцына Е.
П 94 Всё о современном аквариуме.
Все виды аквариумных рыб и уход за ними. Ростов н/Д: Владис: М.:
РИПОЛ классик, 2009. — 608 с., с ил.

ISBN 978-5-9567-0608-4 (Все о современном аквариуме)
ISBN 978-5-9567-0609-1 (Все виды аквариумных рыб и уход за ними)

Следуя рекомендациям этой книги, вы сможете сделать правильный выбор аквариума и его жителей, познакомитесь с большинством видов распространённых аквариумных растений, рыбок, а также других аквариумных животных.

ББК 28.6

ISBN 978-5-9567-0608-4
(Все о современном аквариуме)

ISBN 978-5-9567-0609-1
(Все виды аквариумных рыб и уход за ними)

История аквариумистики

В сознании людей вода с давних времен относилась к одной из наиболее загадочных стихий, в пучине которой обитали сказочные русалки и водяные, сирены и гигантские «многорукие» кракены, змееподобные монстры и т. п. Неспроста к числу древнейших эзотерических символов, активно влияющих на человеческую жизнь, принадлежит зодиакальный астрологический знак — Рыбы. В разных уголках Земли возникают многочисленные могущественные морские боги (Ану, Эа, Нептун, Ватеа, Океан и др.) и богини (Атаргатис, Афродита, Кабира, Иштар и т. д.). Не остались в стороне и церковные ортодоксы. Расширяя сферу своего влияния, священнослужители населяли океанские бездны верноподданными морскими девами, монахами и епископами. На заре христианства святой Скотиниус, например, гулял по воде, как по суше, а святой Эйден даже разъезжал по морю на конях. «Аква» по-гречески означает вода. Это слово и вошло составной частью в современные понятия «аквариум», «аквакультура», «аквариология», «аквариумистика» и т. д. Первыми аквариумистами были, по-видимому, древние египтяне и китайцы.

В Египте на античных фресках Долины Царей можно увидеть довольно точные изображения клариасов, электрического сома, рыбы-слона, угря, промысловых барбусов, синодонтисов и др. Уже тогда одни рыбы являлись продуктами питания, чучела других служили амулетами, сувенирами, а порой и культовыми принадлежностями. К священным животным древние египтяне относили крошечного хромиса-бульти, вынашивающего своё потомство во рту,

и полутораметрового мормиропса. По поверью, именно мормиропс доставил из мутных вод Нила недостающий для оживления кусочек тела бога Ра его любящей супруге Изиде. Не менее 20 веков выращивают в этих краях и африканских теляпий.

Каменные статуи рыб — вишаны, найденные на территории неолитических стоянок в погребениях первобытных людей на Кавказе, в Северной Монголии и Сибири, свидетельствуют об отношении к рыбе, как к священному животному, с глубокой древности. Рыбный мотив рисунка и орнамента на посуде и женской одежде известен с пятого тысячелетия. Существовали запреты произносить название рыбы вслух и употреблять её в пищу. Племя, жизнь которого зависела от рыбной ловли, старалось обращаться с рыбой почтительно. Индейцы Перу поклонялись рыбе, которую они ловили в больших количествах. Они верили, что первая рыба, которая была сотворена в «верхнем» мире, породила всех других рыб этого вида и позаботилась о том, чтобы наплодить побольше детей — чтобы потом из них возникло человечество. Эти индейцы считали богами всех рыб, которые были им полезны. Индейцы квакиутль верили, что когда убивают лосося, его душа возвращается в страну лососей. Они следили за тем, чтобы бросать икру и кости лосося в море, чтобы душа могла их оживить. Точно так же индейцы отавы в Канаде, верившие, что души мёртвых рыб переходят в другие рыбьи тела, не сжигали никогда рыбьих костей из страха не угодить душам рыб, которые после этого не стали бы попадаться в сети.

У народов Африки рыба считалась воплощением души умершего человека, а по представлениям народов Сибири, у рыб есть свои покровители, в частности «волосатый отец», пасущий рыбьи стада и помогающий рыболовам. Рыбную ловлю сопровождали спе-

циальные ритуалы — рыбаки надеялись, что это обеспечит богатый улов.

Рыба была не только священным символом, но и знаком плодовитости, плодородия и изобилия. Например, персонажами русских сказок были: щука, ерш, карась, язь, лещ, мень, налим, окунь, осетр, семга, сиг, сом, сорога, калуга и, конечно, «рыба-кит».

В легендарных вавилонских висячих садах ассирийской царицы Семирамиды (конец IX в. до н. э.) для усслаждения глаз были устроены импровизированные прудки со всевозможной живностью.

В Древнем Китае содержанием и разведением водных существ занимались примерно 3,5 тыс. лет назад. В этот период (направление династии Инь-Шанг) существовали даже письменные руководства по данному вопросу. Причудливые золотые рыбки, выведенные искусными восточными селекционерами сравнительно недавно, не без основания считались одним из чудес света. Их часто преподносили коронованным особам в изящных фарфоровых вазах как драгоценный дар. Более 2 тыс. лет ведётся совершенствование пород карпа. В Великой Поднебесной Империи придворные китайские рыбоводы творили чудеса, меняя по своему желанию форму и окраску карася «цзиюй», создавая все новые и новые породы золотой рыбки.

Первым европейцем, увидевшим и описавшим рыбок необычайной красоты, был известный итальянский путешественник Марко Поло (1254–1324). Когда золотые рыбки попали в Европу, точно не известно. Называют различные даты, большинство из них принадлежат XVII веку. Заморские чудеса, завезенные на военных парусниках, поселились в просторных бассейнах при дворах королей под охраной гвардейских караулов, преподносились в качестве даров или как награда дворянам.

Только в эпоху Возрождения в Европу пришло увлечение аквариумами. Учёные этого времени бережно восстанавливали и переписывали тексты древних греческих и римских естествоиспытателей. Зарождающаяся буржуазия в поисках новых рынков сырья устремилась на Восток. В самые отдаленные уголки направлялись быстроходные каравеллы искателей новых земель и приключений. Они привозили удивительные истории о рыбах далёких стран, которые подтверждали казавшиеся неправдоподобными истории древних авторов.

В 1637–1644 гг. в Бразилии оказался Георг Маркграф. Он опубликовал по возвращении «Натуралистическую историю Бразилии». В четвертом томе этой книги он дал описание 87 видов рыб из Амазонки. Эти сведения потрясли воображение европейских естествоиспытателей. Так возник интерес к экзотическим (от греческого слова «экзотика» — иноземный) рыбам.

В 1801 г. была впервые описана королева тропических вод — гигантская водяная лилия — виктория амазонская. В это время во многих теплицах, модных в европейских городах, уже росли наземные тропические растения. Сообщение о виктории подогрело интерес к экзотическим водным растениям. После этого в теплицах появились специальные бассейны с такими растениями.

Первый настоящий столитровый аквариум с растениями, серебряными и золотыми карасями в 1841 г. устроил у себя дома английский ученый Х. Вард. Он впервые поселил золотую рыбку в сосуд, где росла посаженная в песок валлиснерия. Так он впервые создал аквариум в нашем понимании этого слова. Его соотечественник Е. Ланкестер семью годами позже успешно содержал и разводил в неволе трехиглых колюшек. Из экзотических рыб приори-

тет принадлежит макроподу и петушку (1874 г.), оба они попали в любительскую среду благодаря стараниям французского естество-испытателя Пьера Карбонье.

Первая публичная экспозиция рыб и рептилий была открыта для посетителей в Лондонском зоопарке в 1849 г. Спустя 16 лет павильон «Аквариум» открывается в Нью-Йорке и почти сразу в Бостоне. В дальнейшем подобные павильоны возникают в Вене (1860 г.), Париже (1861 г.), в Берлине (1869 г.), Франкфурте-на-Майне (1877 г.).

С этого же времени начинается история любительского аквариума в России. Правда, золотые рыбки были в России за два столетия до этого. В 1856 г. член Российского общества акклиматизации Альберт Иванович Гамбургер отправился в Германию к родственнику. Здесь он познакомился с первыми любителями «озера» в комнате.

Вернувшись домой, он изготовил несколько аквариумов. К его изумлению, москвичи просто расхватывали стеклянные водоемы. Гамбургер организовал целую мастерскую и стал делать аквариумы для продажи. За короткий срок Гамбургер построил и продал 400 крупных аквариумов, за некоторые из них он был награжден двенадцатью медалями. Даже царская семья в 1858 г. заказала Гамбургеру аквариум.

Начало аквариумному рыбоводству в нашей стране положила Первая акклиматизационная выставка, проходившая в Москве в 1863 г. В Москве попытки создания «Аквариума» завершились успехом только в 1882 г. Всего за полвека (с 1863 по 1913 г.) в разных городах страны было проведено более 120 демонстраций рыб и растений — больше, чем во всех остальных государствах Европы, вместе взятых.

История аквариумистики

Первое аквариумное пособие «Аквариум, или Открытые чудеса глубин» создал в 1854 г. профессор Эдинбургского университета П. Госсе. В 1856 г. выходит в свет знаменитая книга немецкого зоолога Э. А. Россмесслера «Озеро в стекле». Еще через год он выпускает в Лейпциге капитальный труд «Пресноводный аквариум». Тогда же, в 1858 г., выходит брошюра Л. Мюллера «Аквариум», а в 1868 г. в Вене появляется книга профессора медицины Г. Егера «Жизнь в воде и аквариуме».

Первой отечественной публикацией в этой области была книга П. А. Ольхина «Чудеса вод в комнате. Комнатный акварий и его обитатели», изданная в Петербурге в 1867 г.

В России активным пропагандистом декоративного рыбоводства, цветоводства и школьного естествознания был замечательный биолог и педагог Н. Ф. Золотницкий. Его книга «Аквариум любителя», появившаяся в 1885 г., выдержала до революции четыре издания, была удостоена Золотой медали Российского и Большой почетной медали Парижского обществ акклиматизации и до сих пор является бестселлером (второй том «Новые аквариумные рыбы и растения» вышел в 1910 г.).

Аквариумистика сегодня — это своеобразный синтез популярнейшего хобби и прикладной науки. Начиная с азов, любители со временем неизбежно приходят к решению научных проблем, касающихся определения, создания и поддержания оптимальных, т. е. наиболее благоприятных, условий обитания для своих питомцев. В этом случае используются специальная литература, оборудование, научная документация и т. д. В учебных заведениях, в том числе и школах, живые уголки с рыбками, беспозвоночными и водными растениями — незаменимые дидактические «пособия», позволяющие наглядно и очень доходчиво объяснять многие вопро-

сы биологии. Миниаквариумы всё шире находят место на борту спутников и космических станций, где в них проводят опыты и эксперименты. В космосе побывали гуппи, икромечущие карпозубые, некоторые водные беспозвоночные и растения.

В последние годы в реабилитационной деятельности больниц, санаториев (особенно детских), наркологических диспансеров, клиник и других лечебных учреждений широко используют зоотерапию, и в частности аквариумы. Кроме положительного психиатрического и транквилизирующего действия они позволяют поддерживать влажность воздуха в помещениях на оптимальном для здоровья уровне.

Увлечение аквариумом с детских лет неизбежно приучает ребёнка к систематическому выполнению определённых обязанностей (ведь за аквариумом и его обитателями требуется часто несложный, но ежедневный уход), существенно расширяет кругозор, ненавязчиво закладывая основы природоохранного восприятия мира, углубляет знания по биологии, химии, географии, экологии, воспитывает чувство ответственности перед «братьями нашими меньшими». Нередко увлечение аквариумом проходит через всю жизнь.

Помимо познавательного аспекта, у многих людей возникает желание иметь в квартире домашний «водоем» для украшения жилища. И действительно, лучшего дополнения интерьера, чем ярко освещенный, населенный прекрасно окрашенными животными и растениями аквариум, трудно представить. Бесконечно сменяемые картины удивительного калейдоскопа за стеклянным берегом буквально завораживают. За всей этой красотой лежат приятные хлопоты владельца живого уголка, своими руками создавшего и поддерживающего великолепие маленького чуда.

История возникновения рыб на планете

Под термином «рыбы» подразумевают водных позвоночных животных, которые дышат жабрами и имеют парные конечности в виде плавников. Им свойственны удлинённое тело, поддерживаемое крепким скелетом, состоящим из множества сочленённых костей, голова с глазами (редко они редуцированы), рот с развитыми челюстями и зубами.

Учёные пока не определили предка современных рыб. Вряд ли это можно сделать точно. Под влиянием геологических процессов на протяжении миллионов лет окаменевшие остатки предков рыб были скорее всего уничтожены. Учёные располагают только нечёткими отпечатками да собственными гипотезами и догадками. В различных версиях высказываются предположения, что прародителями рыб были кольчатые черви, иглокожие, членистоногие... Официальным предком считается примитивное животное Arcania, не имевшее ни плавников, ни органов чувств, ни настоящей головы. Главное сходство этого существа с современными рыбами и вообще всеми хордовыми — наличие опорного стержня, с миллионами лет превратившегося в хорду.

Около 500 млн лет назад, по-видимому, в морских водах возникли первые примитивные прарыбы. Они имели бесчелюстные сосущие рты, тела их были одеты в костный панцирь, плавники отсутствовали. Постепенно рыбы мигрировали в пресные водоемы и уже в девоне представляли господствующую группу организмов во всех водных бассейнах. Сейчас известно более 22 тыс. видов,

сгруппированных в 62 отряда, 550 семейств. Их количество превышает число земноводных, пресмыкающихся, птиц и млекопитающих вместе взятых. Часто с рыбами объединяют представителей класса круглоротых миксин и миног. Костные рыбы отличаются от хрящевых развитием внутреннего костного скелета (включая череп, жаберные крышки и челюсти), покровом из костных чешуй незубовидного типа, наличием плавательного пузыря (или видоизменённого лёгкого) и целым рядом второстепенных признаков.

Древнейшие окаменелые остатки настоящих рыб найдены в ордовикских отложениях. Настоящие рыбообразные появились около 440 млн. лет назад. Это период начала силура, когда животные еще не вышли на сушу. Они назывались бесчелюстные панцирные рыбообразные, по-латински Agnatha. Эти животные ещё не обладали челюстями, но у них уже был хрящеватый скелет. В основном они жили на дне водоемов и не отличались подвижностью. Их благоденствие длилось 100 млн лет, но в конце девона они вымерли, став предками миксин и миног. Следующие четыре периода (силур, девон, миссисипий и пенсильваний) называют «веком рыб» — это были самые крупные и разнообразные на Земле животные.

Более 400 млн лет назад, т. е. прежде чем исчезли бесчелюстные панцирные рыбообразные, началось формирование первых настоящих рыб, называемых учеными челюстноротыми панцирными рыбами — Placodermi. На протяжении около 60 млн лет панцирные рыбы господствовали среди обитателей водного царства, но не смогли адаптироваться к изменившимся условиям и окончательно вымерли в начале каменноугольного периода, примерно 350 млн лет назад.

Возникновение рыб на планете

Такая же участь постигла и представителей своеобразной древней ветви, выделяемой в группу челюстно-жаберных рыб — Acanthodii, которая объединяла в себе ряд признаков, свойственных всем последующим представителям рыб.

Рыбообразные на протяжении миллионов лет постоянно совершенствовались. Постепенно они приобретали хорошо нам знакомые признаки современных рыб: чешую, зубы, плавники. Самые старые из современных видов — акулы и скаты. Эти рыбы почти не изменились за последние 250 млн лет. Они до сих пор господствуют в морях и океанах, достигая огромных размеров и наводя страх на обитателей подводного мира. Акулы и скаты относятся к так называемым хрящевым рыбам. До наших дней дожили представители двоякодышащих рыб. У них наряду с жабрами есть органы воздушного дыхания, как у наземных позвоночных. Самый известный вид двоякодышащих рыб называется рогозуб и живёт в Австралии. Ещё одна интересная история связана с кистепёрыми рыбами. Много миллионов лет назад отдельные кистеперые по каким-то причинам покинули родную водную среду и отважились выйти на сушу. Ученые считают, что именно эта попытка привела к возникновению сначала земноводных, а позже рептилий, птиц и млекопитающих. Последняя кистеперая рыба, похоже, была выловлена в 1938 г. у побережья Африки.

И всё же будущее оказалось за другими — костистыми — рыбами. Эти создания природы появились около 400 млн лет назад. Сейчас в водоёмах всего мира обитает огромное количество разных видов костистых рыб.

В более поздние геологические эпохи их видовое богатство и численность остались высокими, но появились более эволюционно

продвинутые группы — амфибии и рептилии, затем птицы, млекопитающие и, наконец, человек. Наиболее примитивные из современных рыб — акулы, скаты и химеры с хрящевым скелетом. Он частично окостеневает у осетровых, ильной и некоторых других рыб. Наконец, появляются виды с полностью окостеневшим скелетом, их называют костистыми (Teleostei).

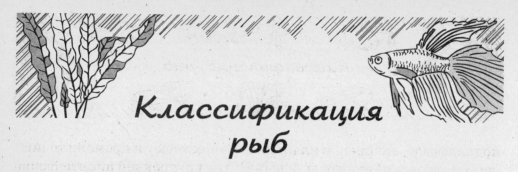

Классификация рыб

В настоящее время существует более 20 тыс. видов, объединяемых в класс рыб. Рыбы относятся к типу хордовых, куда также входят амфибии, рептилии, птицы и млекопитающие. Этот тип по-разному подразделяется на таксоны более низкого ранга. В аквариумах содержат несколько сотен видов в основном представителей надотряда костистых рыб (Teleostei). Эта группа объединяет подавляющее большинство современных рыб.

В процессе накопления знаний в области анатомии, эмбриологии и палеонтологии система рыб постепенно изменяется, все более приближаясь к естественному «родословному древу», отражающему действительные родственные связи внутри класса рыб. В связи с вышеуказанным систематика, используемая отдельными авторами, несколько различается.

В основу классификации положены биоморфологические и генетические признаки эволюционной единицы — вида. Биологический вид — это совокупность организмов, не скрещивающихся с другими в природе, связанная единством происхождения и сходством во всех существенных признаках. Для их обозначения применяют бинарную номенклатуру, предложенную К. Линнеем в 1758 г. Например, пятнистый гурами — Trichogaster trichopterus (Pallas, 1777). Первое слово характеризует род, объединяющий близкие виды, второе — собственное название вида. Кроме того, пишутся фамилия автора, впервые описавшего данный вид, и год, когда он был описан, они ставятся в скобках.

Роды объединяются в подсемейства, подсемейства — в семейства, семейства — в надсемейства, далее — в подотряды, отряды,

подклассы и, наконец, в класс рыб. Существуют и промежуточные систематические единицы, удобные для внутренней практической деятельности обозначения — разделы, секции, комплексы, группы и т. д.

В ихтиологии названия систематических единиц обозначаются по первому описанному роду с изменением окончания. Так, название подсемейства оканчивается на -ini (Cyprinini), семейства — на idae (Cyprinidae), надсемейства — на -oidae (Cyprinoidae), подотряд — на -oidei (Cyprinoidei), отряда (как правило) — на -formes (Cypriniformes).

Остальные систематические единицы обозначаются без определенных окончаний.

В настоящее время в пресноводных и морских аквариумах содержат более 3 тыс. видов, и количество это растет с каждым годом. Для того чтобы яснее представить механизм физиологических и поведенческих реакций рыб, следует ознакомиться с особенностями их биологии.

К подбору рыб для совместного содержания нужно относиться очень осторожно. В общем аквариуме можно совмещать рыб, близких по жизненным потребностям, ареалу, темпераменту и повадкам. Например, необходимо учесть, что цихловых рыб нельзя соединять вместе с харацидовыми, так как первые значительно агрессивнее вторых; кроме того, часть цихловых обитает не в кислой, а в щелочной среде. Мягководные рыбы (например, красный неон, ладигезия Ролоффа) могут жить в жесткой (dH до 15°) воде, однако в дальнейшем они неспособны к размножению. Для снятия стрессов у рыб с высокой иерархией (дистиходы, малавийские цихлиды, аухи и др.) необходимо увеличить количество укрытий в аквариуме.

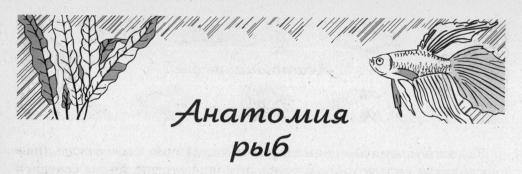

Анатомия рыб

Рыбы — наиболее многочисленные позвоночные. Количество их видов более чем вдвое превышает общее число видов млекопитающих, птиц, амфибий и рептилий вместе взятых.

Рыбы занимают почти все водные местообитания. Они встречаются в полярных и тропических морях, в холодных горных озерах и ручьях и в горячих источниках с температурой до 43 °С. Многие виды живут в открытом море, вдали от берегов, некоторые — на огромных океанических глубинах, в полной темноте. Рыбы обитают в зарослях водной растительности, расщелинах скал и среди камней; они могут зарываться в ил, песок и гальку. Некоторые ведут ночной образ жизни, но большинство охотится днем.

Рыбы встречаются во всех крупных реках, почти во всех крупных озерах и отсутствуют лишь в немногих водоёмах. Морские рыбы подразделяются на прибрежные, океанические и глубоководные формы. Пресноводные рыбы распространены по всем континентам и крупным островам.

Рыбы — типичные водные животные. Они живут и размножаются в воде, весь организм их приспособлен к водному образу жизни. Это сказывается как на внутреннем строении, так и на внешнем облике рыб.

Рыбы чрезвычайно разнообразны по строению. Они ходят, плавают и летают (планируют). Некоторые способны видеть и в воде, и в воздухе, издавать различные звуки, излучать свет и даже генерировать сильный электрический заряд. Каждая структура выполняет свое назначение — служит для защиты, добывания пищи или размножения.

Анатомия рыб

За долгое время эволюции рыбы меняли форму своего тела, приспосабливая её к условиям обитания. Форма тела также соответствует особенностям поведения каждой рыбки, её привычкам, роду пищи. Жизнь в водной среде заставила рыб принять обтекаемую форму тела.

Форма тела рыб может быть самой разнообразной, но всегда наиболее подходящей для условий, в которых она обитает. Это связано с тем, что в ходе эволюции выживали особи, наиболее приспособленные к среде обитания, добыче пищи, обороне от врагов, размножению. Именно они давали жизнь следующим поколениям рыб, унаследовавшим лучшие качества своих родителей.

Наиболее распространённая форма тела рыб — обтекаемая, веретеновидная или сплющенная с боков, дающая возможность легко рассекать такую плотную среду, как вода.

Торпедовидная форма тела характерна для рыб, держащихся в средних и верхних слоях открытой воды с быстрым течением, без зарослей растений. Такая форма свойственна хорошим пловцам, и их торпедовидное тело, в большинстве случаев, с небольшими плавниками, уменьшает сопротивление воды. Тело в разрезе яйцевидной формы, голова заостренная.

Симметрично сжатая с боков — при относительно небольшой длине тело довольно широкое. Эта форма тела позволяет рыбе лучше маневрировать в толще воды.

У рыб, которые держатся непосредственно у поверхности как в открытой воде, так и в зарослях растений, тело удлиненной формы с прямым профилем сильно уплощенной спины, с не очень сильно развитым и отнесенным назад к хвосту спинным плавником. У некоторых видов хорошо развиты грудные плавники, что позволяет рыбе выпрыгивать из воды.

Тело рыб открытой, спокойной воды вытянуто в длину и уплощено с боков, в поперечном сечении даёт удлинённый овал. У ряда видов встречаются увеличенные плавники.

Стреловидная форма типична для рыб-хищников. Тело удлиненное, по всей длине одинаковой высоты, голова вытянута. Сочетание спинного, анального и хвостового плавников напоминает оперение стрелы.

Тело рыб, непосредственно живущих на грунте, обычно сжато сверху вниз, а брюхо сильно уплощено. Парные плавники сдвинуты в стороны, а грудные сильно развиты и могут служить для передвижения по грунту.

Тело рыб, зарывающихся в грунт, угревидной или лентовидной формы, а плавники часто отсутствуют. Тело удлиненное, яйцевидной формы в разрезе. Брюшные плавники могут отсутствовать. Рыбы передвигаются, изгибаясь всем телом.

Игловидная — тело имеет форму иглы, длинное и вытянутое.

Шаровидная — тело в форме шара, на котором часто располагаются колючки и шипы. Ими рыба обороняется и отпугивает своих врагов.

Тело рыбы подразделяют на голову (расстояние от начала рта до заднего края жаберной крышки), туловище (расстояние от конца головы до анального отверстия, хотя это правило пригодно не для всех видов рыб, т. к. у некоторых из них анальное отверстие сильно сдвинуто вперед по направлению к голове), хвост (расстояние от анального отверстия до начала хвостового плавника). В хвосте выделяют хвостовой стебель — участок от конца основания анального плавника до начала хвостового.

Органами движения рыб служат хвостовой стебель и плавники. Плавники разделяются на парные и непарные: парные — грудные

Анатомия рыб

и брюшные — выравнивают положение тела рыб в воде, принимают участие в поворотах; непарные — спинные и анальный — играют роль киля, а хвостовой вместе с хвостовым стеблем служит основным органом передвижения, толкая рыбу вперед, направляя ее вправо или влево. Присущие рыбам очень сложные движения — результат согласованной работы всех плавников и самого тела.

Тело большинства рыб покрыто чешуей, представляющей собой костные пластинки, налегающие друг на друга подобно черепице. Вдоль всего тела рыб многих видов проходит боковая линия. Снаружи тело рыбы покрыто вырабатываемой кожными железами слизью, уменьшающей трение тела о воду.

Кожа рыб содержит пигмент, придающий животному определённую окраску. Окраска рыб носит приспособительный характер; она — результат естественного отбора и даёт возможность животному быть незаметным, вовремя укрыться от врага, подстеречь добычу. Как правило, верхняя часть тела темнее нижней. Эта особенность окраски очень важна — так рыба хуже видна для хищных птиц на фоне дна, а светлая окраска брюха сливается с цветом неба, если смотреть снизу. Есть рыбы, которые меняют окраску в зависимости от времени суток. Другим видам схожая окраска позволяет быстро находить друг друга. Рыбы часто становятся ярче при повышении температуры в аквариуме или когда они находятся в возбуждённом состоянии. У рыб, живущих среди зарослей, — поперечные тёмные полосы на теле, у придонных рыб пятнистая спина. Блестящая окраска всего тела или блестящие ярким цветом полосы стайных рыб облегчают им сохранять строй или быстро собраться вместе после нападения хищника. Некоторые виды рыб меняют свою окраску на более яркую с различными полосами и пятнами в период нереста и ухода за потомством, что облегчает

малькам поиск родителей. Часто у самцов окраска гораздо более яркая, чем у самок. Это вторичнополовой признак, особенно хорошо выраженный в брачный период.

Современные аквариумы дают хорошее представление о великолепной окраске множества пресноводных и морских рыб. Некоторые пресноводные виды в сезон размножения приобретают ослепительный блеск с малиновыми, ярко-жёлтыми и синими пятнами, а в остальное время окрашены гораздо скромнее. Среди коралловых рифов в тропических морях обитает несколько сотен видов рыб, соперничающих своей расцветкой с бабочками и птицами. Здесь можно встретить почти все мыслимые виды окраски: от серой и серебристой до контрастной черной с желтыми, синими, красными линиями, кольцами, полосами, штрихами или зелеными, желтыми и пурпурными крапинками, пятнами, кляксами и кругами, опоясывающими тело. Известные примеры видов с покровительственной окраской — рыбы-клоуны, живущие в зарослях саргассовых водорослей, морские иглы среди зеленой травы взморника, ядовитые бородавчатки (Synanceja) на дне ям в коралловых рифах и тряпичники (Phyllopteryx), напоминающие ветвистые талломы водорослей.

ВНУТРЕННЕЕ СТРОЕНИЕ

Скелет

Скелет — это опора всего тела, его костяк. У рыб он состоит из позвоночника, рёбер, плавников и черепа.

Череп костистых рыб состоит из большого количества хрящей и костей различного происхождения. В черепе различают череп-

ную коробку, заключающую в себе головной мозг, и расположенный под ней челюстно-жаберный скелет.

Основой скелета служит позвоночный столб, который подразделяют на два отдела: туловищной и хвостовой. Позвоночник рыб состоит из различного числа двояковогнутых позвонков. Все позвонки имеют сверху пару отростков, образующих поверх всего позвоночного столба канал, в котором расположен спинной мозг. Различают туловищный и хвостовой отделы позвоночника; в туловищном отделе к парным поперечным отросткам позвонков прикрепляются саблевидно-изогнутые ребра, охватывающие брюшную полость. Плавники образуются лучами, между которыми натянута кожистая перепонка.

Череп имеет сложное строение. В его состав входят: черепная коробка, где расположен мозг и органы чувств, верхняя и нижняя челюсти с коническими зубами и кости жаберной крышки.

Пищеварительная система

Рыбы поглощают пищу при помощи ротового отверстия. Как правило, верхний рот бывает у рыб, держащихся у поверхности воды; нижний рот характерен для донных рыб; конечный рот — для рыб средних слоёв воды. Ротовое отверстие часто обрамлено губами. Вблизи рта, в большинстве случаев в области рыла, могут быть длинные выросты — усики, которые служат органами осязания и имеют вкусовые клетки, помогающие рыбе в поисках пищи. У многих рыб в ротовой полости имеются зубы из дентина, покрытого эмалью. У некоторых видов рыб имеются глоточные зубы. Язык представляет собой мускулистый вырост дна ротовой полости.

Анатомия рыб

Ротовая полость переходит в глотку, по бокам которой находятся жаберные щели, далее следует короткий и широкий пищевод, переходящий в желудок.

Из ротовой полости пища поступает в пищевод, а потом в желудок. В желудке она переваривается. Объёмистый, часто изогнутый в виде колена, желудок переходит в тонкую кишку (карповые рыбы желудка не имеют). У многих рыб на границе желудка и кишки расположены слепые пальцевидные (пилорические) отростки, служащие для увеличения пищеварительной поверхности. Питательные вещества усваиваются через стенки кишечника и попадают затем в кровеносную и лимфатическую системы. У хищных рыб кишечник обычно короткий, образующий одну-две петли, в то время как у растительноядных видов он длинный, извитой, со множеством петель. Из пищеварительных желез хорошо выражена объёмистая печень. Вырабатываемая печенью желчь собирается в желчном пузыре, откуда она поступает в тонкую кишку.

В петле кишки расположена селезёнка — кроветворный орган.

Почки, служащие для выделения отходов, расположены близко к позвоночному столбу и соединяются в задней части. Мочеточники, так же соединившись, впадают в мочевой пузырь, откуда отходит проток, выходящий наружу рядом с половым отверстием.

Неусвоенные остатки пищи выходят из организма через анальное отверстие.

Плавательный пузырь

У большинства рыб между кишкой и позвоночником (на спинной стороне полости тела) расположен плавательный пузырь, наполненный смесью газов и играющий роль гидростатического орга-

на. При увеличении объёма плавательного пузыря удельный вес тела рыбы уменьшается, рыба поднимается к поверхности; при уменьшении объёма удельный вес увеличивается, рыба опускается. Мальки некоторых видов рыб вынуждены, чтобы взять воздух и заполнить им плавательный пузырь, подняться к поверхности воды, как только начинают плавать. Если уровень воды высок, то они не могут это сделать и остаются калеками.

Плавательный пузырь служит регулятором давления тела рыбы и индикатором давления окружающей среды. К тому же он участвует в процессах дыхания, слуха и общения.

Кровеносная система

У рыб, как и у человека, есть сердце (двухкамерное), артерии, вены, капилляры и даже четыре группы крови. У рыб с жабрами один круг кровообращения, у двоякодышащих два — большой и малый.

Сразу же позади жабр, на брюшной стороне тела, у рыб расположено сердце, состоящее из одного предсердия и одного желудочка; впереди желудочка находится эластическое расширение (луковица аорты). Между предсердием и желудочком и между желудочком и луковицей аорты расположены клапаны.

Кровь из сердца поступает в брюшную аорту, расположенную под жабрами. От аорты отходят четыре пары жаберных артерий, которые поднимаются к жаберным лепесткам, где и разветвляются в капилляры. Здесь происходит обогащение крови кислородом и выделение углекислого газа. Окисленная кровь собирается в два корня аорты, лежащие над жабрами справа и слева. Спереди от них отходят сонные артерии, сзади оба корня аорты сливаются в аорту;

вся венозная кровь собирается в вены, а затем через кювьеровы протоки вливается в венозный синус, откуда попадает в сердце. Часть венозной крови проходит через печень, часть — через почки.

Органы дыхания

Большинство рыб, в отличие от наземных животных, дышит кислородом, растворённым в воде. Для этого у них имеется специальный орган дыхания — жабры. Они могут быть различной формы. Обычно по бокам жаберных щелей располагаются 4—5 пар жаберных лепестков, обильно снабжаемых кровью по капиллярам и более крупным сосудам. Вода, омывающая жабры, отдаёт растворённый в ней кислород крови и уносит выделенный из крови углекислый газ.

В передней части рта расположены особые оральные клапаны, препятствующие обратному выходу воды. Когда рот закрыт, она попадает в глотку, протекает между жаберными дугами, омывает жаберные лепестки и выходит наружу через жаберные щели (у хрящевых рыб) или отверстие под жаберной крышкой (у костных рыб).

Многие виды могут дышать кожей или набирать кислород в полость плавающего пузыря, напоминающую по форме лёгкие. Сомовые и вьюновые могут набирать воздух в кишечник при помощи анального отверстия.

Нервная система и органы чувств

Деятельность всех органов тела и организма в целом регулируется нервной системой. Она состоит из нервной ткани и головного и спинного мозга. Как и у других позвоночных, в нервную систему

Анатомия рыб

рыб входят головной и спинной мозг. Головной состоит из обонятельных долей, полушарий переднего мозга, промежуточного мозга с гипофизом, зрительных долей (среднего мозга), мозжечка и продолговатого мозга. От этих отделов отходят десять черепномозговых нервов. Особенно развит мозжечок. Это связано с тем, что рыбы, как птицы, всё время живут и двигаются в трёхмерном пространстве. Для контроля передвижений требуется хорошо развитый нервный центр, которым и является мозжечок. У рыб развита память, и они способны запоминать своих хозяев, отличать их от других людей.

Зрение в поведении рыб играет весьма большую роль. Вопрос о видении рыбами предметов, находящихся вне воды, решается в положительном смысле. Легко заметить, что рука с поднесённым кормом привлекает внимание рыб, которые следуют за её движениями. Роговица глаз рыб очень слабо выпукла, хрусталик шарообразной формы, век нет. Зрачок не может сужаться и расширяться. Благодаря сокращению мышц серповидного отростка хрусталик глаза может оттягиваться назад, чем достигается аккомодация зрения рыбы. Все рыбы весьма близоруки, они хорошо видят на очень небольшом расстоянии (обычно до 1–3 м).

Рыбы различают яркость освещения, выбирая более подходящие для данного вида места. Большинство рыб различают цвет предмета. Из наблюдений в аквариуме, а также из практики рыболовов можно предположить, что особенно хорошо рыбы отличают красный цвет. При разведении рыб нетрудно заметить, что для нереста большую роль играет цвет субстрата. Так, при употреблении искусственных субстратов вместо водных растений предпочтение отдается окрашенным в зеленый цвет, иногда в коричневатый.

Анатомия рыб

Характер окраски играет определённую роль и у стайных рыб при их соединении в стаю. В экспериментальных условиях рыбы собирались в жёлто-зелёной и зелёной частях спектра.

Органы обоняния рыб расположены в ноздрях, представляющих собой простые ямки со слизистой оболочкой, пронизанной разветвлением нервов, идущих от обонятельной доли мозга. При помощи поступающих через ноздри сигналов рыба способна уловить запах пищи или врага на довольно большом расстоянии.

Органы вкуса у рыб представлены вкусовыми сосочками. Интересно, что у многих видов рыб они располагаются не только в области рта, но и на усиках, голове и даже по бокам тела, вплоть до хвостового стебля.

Осязание хорошо развито у большинства рыб, особенно это касается многих донных рыб, а также обитателей мутной воды. Усики рыб есть не что иное, как их органы осязания. Ими они ощупывают различные предметы и животных, находят пищу, ориентируются в окружающей среде. У некоторых рыб также на плавниковых лучах имеются специальные органы ощупывания в виде различных усиков и мясистых выростов. У гурами и сомовых, например, органы осязания играют очень большую роль в жизни.

Наружное ухо у рыб отсутствует. Органы слуха представлены внутренним ухом. Внутреннее ухо состоит из трёх полукружных каналов с ампулами, овального мешочка и круглого мешочка с выступом (лагеной). Звуки дают возможность рыбам ориентироваться в водном пространстве, находить пищу, спасаться от врагов, привлекать особей противоположного пола. Вопреки народной пословице, рыбы не так уж немы. Правда, вряд ли они могут порадовать нас мелодичными созвучиями. Издаваемые некоторыми рыбами

Анатомия рыб

звуки человеческое ухо может ясно расслышать за много метров. Они различаются по высоте и интенсивности. Среди множества «голосистых» рыб наиболее известны горбыли, барабанщики, ронки, спинороги, рыбы-жабы и сомы. Их звуки напоминают хрюканье, визг, скрип, лай и в целом — шум скотного двора. Происхождение издаваемых звуков различно. У некоторых сомов движение газа в плавательном пузыре взад-вперёд заставляет вибрировать туго натянутые мембраны. Ронки трут друг об друга глоточные зубы. Горбыли и барабанщики производят особенно громкий шум с помощью колебаний плавательного пузыря: раздаётся что-то вроде приглушённого стука отбойного молотка о тротуар. Некоторые спинороги издают звуки, вращая плавниковыми лучами. Обычно наиболее часто и интенсивно рыбы используют звуковые сигналы в период размножения.

Рыбы — единственные позвоночные с двумя или тремя парами отолитов, или ушных камешков, которые помогают поддерживать определённое положение в пространстве. У некоторых групп плавательный пузырь сообщается с внутренним ухом тончайшей трубочкой, а у гольянов, карпов, сомов, харациновых и электрических угрей связан с ним сложным костным механизмом — веберовым аппаратом. Это позволяет лучше воспринимать («слышать») вибрации окружающей среды.

В коже боковой поверхности расположен своеобразный орган чувств — боковая линия. Система боковой линии — уникальный орган чувств рыб. Обычно она представляет собой сеть углублений или каналов в коже головы и туловища с нервными окончаниями в глубине. Эти каналы у костных рыб обычно открываются на поверхности порами. Вся система соединена нервами с внутренним

ухом. Она служит для восприятия низкочастотных колебаний, что позволяет обнаруживать движущиеся объекты. Его имеют большинство рыб. С помощью боковой линии рыбка получает сведения о направлении течения воды, её химическом составе, давлении, «слышит» инфразвуки.

Рыбы обмениваются информацией и делают это с помощью различных сигналов: акустических, оптических, электрических и других. Для стайных рыбок общение просто необходимо: оно помогает находить корм, спасаться от хищников, находить брачного партнёра и совершать другие важные дела.

Половая система и способы размножения

Способы размножения рыб различны. Некоторые живородящие — из тела матери выходит активная молодь. Остальные — яйцекладущие, т. е. мечут икру, оплодотворяемую во внешней среде. Репродуктивное поведение некоторых рыб весьма своеобразно. В их способах размножения трудно увидеть чёткую эволюционную последовательность. Примитивные по своей анатомии акулы и скаты главным образом живородящие или откладывают роговые яйцевые капсулы. У более высокоразвитых рыб в одной и той же группе можно встретить и живородящие, и яйцекладущие виды.

Рыбы, как правило, раздельнополы. Однако некоторые рыбы двуполы. Бывают случаи превращения одного пола в другой. Половые железы самца представлены парными семенниками (молоками), содержащими в период размножения огромное количество сперматозоидов. От семенников идут протоки, которые открыва-

ются в половое отверстие. Половые железы самки состоят из парных (как исключение, из одного) яичников, переходящих в короткие выносящие протоки, открывающиеся в половое отверстие. В яичниках находятся икринки (яйца). Количество икринок зависит как от возраста и размеров рыб (чем старше и крупнее рыба, тем больше икры), так и от их биологических особенностей (как правило, чем меньше данный вид рыбы проявляет заботы о потомстве, тем больше икры мечут самки).

Икринки в большинстве своём очень мелкие, круглые, богатые желтком. Строение икринки (яйцеклетки) костистых рыб довольно сложное. Икринка покрыта двумя оболочками: внешняя часть бывает студенистой и липкой; внутренняя толстая оболочка иногда состоит из двух слоёв — более плотного и менее плотного. Оболочки имеют отверстие — микропиле, сквозь которое внутрь икринки проникают сперматозоиды. Помимо двух оболочек имеется зародышевый диск, состоящий из протоплазмы с ядром. Запас белкового вещества сосредоточен в желтке, в определенном месте которого находится одна или много жировых капель. Оплодотворение у подавляющего большинства рыб происходит вне тела, в воде.

Процесс оплодотворения заключается в том, что сперматозоиды проникают внутрь икринки через микропиле, ядро яйцеклетки сливается с ядром сперматозоида и начинается дробление, ведущее к развитию зародыша. Зародыш развивается на питательном желтке и постепенно обрастает его, часть желтка остается в качестве резервного материала в виде желточного мешка у личинки. Так как оплодотворение обычно происходит вне тела матери, то очень большое значение при этом играют физические и химические свойства воды.

Анатомия рыб

Из оплодотворённой икринки развивается личинка, отличающаяся от взрослых рыб формой тела и нередко наличием различных временных органов. Уже на стадии личинки начинается интенсивный рост рыбы. В этот период рост происходит в основном за счет рассасывания желточного мешка. При переходе на активное питание рост продолжается за счёт пищи. Рыбы растут в течение всей жизни; вначале этот процесс протекает быстро, затем рост всё более замедляется.

Помимо возраста рыбы скорость её роста зависит от целого ряда факторов. Большое значение имеет количество и качество пищи; большинство рыб на более ранних стадиях развития нуждаются в большом количестве сравнительно однообразной пищи, для многих же взрослых рыб желательна смена кормов. Важную роль играет температура; как правило, чем выше температура, тем быстрее рост, доходящий до максимума в оптимальных для данного вида условиях и замедляющийся при дальнейшем повышении температуры, а затем полностью прекращающийся. Гидрохимические условия также влияют на скорость роста рыб. Не последнее место занимает и видовая принадлежность рыбы (рыбы разных видов растут при оптимальных условиях с разной скоростью).

Большинство аквариумных рыб живут не более 3—5 лет, некоторые цихлиды — свыше 10 лет, золотые рыбки — несколько десятков лет. Некоторые виды икромечущих карпозубых, живущие в естественных условиях всего лишь несколько месяцев, в аквариуме живут несколько лет. Можно считать, что в аквариумах рыбы, как правило, в благоприятных условиях живут дольше, чем в природных. Здесь они лишены конкуренции и получают достаточное количество пищи. У бойцовых рыб замечено, что они живут значительно меньше при частых помещениях их на нерест.

Аквариумы

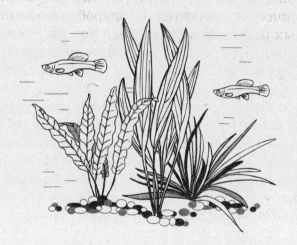

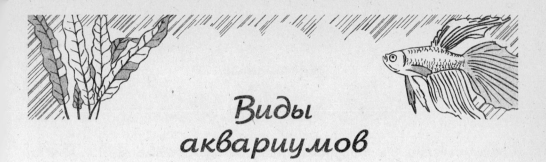

Виды
аквариумов

В этой главе вы познакомитесь с разными видами аквариумов. Знание их особенностей, преимуществ и недостатков поможет не ошибиться в выборе.

Аквариум — это часть разноцветного, фантастического подводного мира. В любой квартире этот экзотический островок природы будет удивлять и радовать глаз.

Для обитателей аквариума очень важно, чтобы условия их содержания были схожи с природными. Это поможет им чувствовать себя комфортно. Конечно, рыб можно держать и в трехлитровой банке, но не рассчитывайте, что они проживут долгую жизнь и дадут потомство. К тому же внешне банка или баллон не будут особенно украшать комнату, даже если в них будут жить очень красивые рыбки.

Прежде чем приступать к выбору аквариума, нужно точно оценить свои возможности (в том числе и финансовые — по-настоящему красивые аквариумы стоят недёшево). Заранее прикиньте, где вы поставите его у себя дома. Купить аквариум, а потом думать, куда его поставить, — обычная ошибка. К сожалению, никто не застрахован от этого, и мы все хотим купить аквариум побольше. Но лучше не поддаваться соблазну и купить тот аквариум, который подходит под облюбованный вами угол. Подробно о выборе места для аквариума вы прочтёте ниже. Можно сделать жильё для рыбок и самому — об этом будет рассказано в этой главе.

Самое простое деление аквариумов — на большие, средние и маленькие. Большими называются сосуды вместимостью больше 100 л. Аквариумы с объемом меньше 25 л являются маленькими.

33

Аквариумы

Соответственно, средние аквариумы вмещают от 25 до 100 л. Не стоит экономить на размерах аквариума — как это ни странно, маленький сосуд доставит вам больше хлопот.

Во-первых, давно подмечено, что чем меньше аквариум по объёму, тем хуже внешний вид живущих в нём рыб, тем реже они размножаются. Они могут потерять способность к размножению, даже если вы потом пересадите их в аквариум побольше. Отсутствие пространства может сказаться и на размерах рыб.

Во-вторых, в маленьком сосуде тяжелее поддерживать постоянный режим температуры воды, её химического состава, газового баланса. Любые резкие изменения этих параметров сильно ударят по обитателям аквариума.

Учтите, что рыбы должны выбираться с учётом размеров приглянувшегося вам аквариума. Если вы смогли выделить в своей квартире место лишь для 10–15-литрового сосуда, не стоит сажать в него скалярий, вуалехвостов, экзотических и прихотливых рыбок — они могут даже не прижиться. А другие, менее требовательные рыбки (гурами, петушки, макроподы) смогут наслаждаться жизнью в таком пространстве лишь парами. Другими словами, не перенаселяйте свой водоём. Расчитывайте так, что на 1 см рыбки должен приходиться один литр воды. В аквариуме не должно быть тесно, поэтому следует учесть ожидаемые конечные размеры молодых рыбок. Основная площадь аквариума должна быть не менее 60x35 см. В таком водоёме легче создавать и поддерживать режим, при котором рыбы не требуют для своей жизни частой и полной смены воды. А ведь это первое и необходимое условие успеха.

Чем больше аквариум, тем устойчивее в нём биологическое равновесие — состояние, при котором все живые организмы как бы

дополняют и поддерживают жизненные функции друг друга, и тем меньшего ухода он требует.

Общее правило для всех аквариумов: чем больше ширина аквариума его высоты, тем лучше. Это связано с тем, что увеличивается площадь поступающего кислорода. Однако чаще всего, столкнувшись с суровой действительностью нехватки места, приходится искать золотую середину. К тому же многим любителям не нравится, когда из-за большой ширины аквариума рыб плохо видно в глубине. Рыбы обычно плавают по горизонтали, а не по вертикали, поэтому традиционный вытянутый в длину прямоугольный аквариум наилучшим образом удовлетворяет потребности рыб.

Оптимальная длина аквариума превышает в два раза его высоту и ширину. Если взять два одинаковых куба и поставить их рядом горизонтально — это и будет та самая форма аквариума, которую желательно предпочесть всем остальным. При таком соотношении сторон аквариума его обитателям не грозит перспектива погибнуть от недостатка кислорода или от неравномерного прогревания воды.

Неплохо смотрятся и аквариумы с высокими стенками — у них непропорционально большая высота, и они называются декоративными ширмами. При высоте аквариума в 40—50 см подводный мир раскрывается во всей своей красе, однако это удовольствие обойдётся дороже. Вам понадобится больше различных технических приспособлений, чтобы обитателям красивого высокого аквариума жилось хорошо.

Пространство над уровнем воды способствует проветриванию аквариума. Следите, чтобы между верхней частью и уровнем воды было достаточное расстояние, чтобы рыбы не выпрыгнули из аквариума.

Вообще, идеальная глубина воды равняется 30 см — так она больше всего насыщается кислородом, но вполне допустим уровень воды 40 и 50 см. Нежелательно, чтобы этот показатель превышал 0,5 м. Верхнюю часть аквариума можно накрыть специальной крышкой, чтобы пыль не попадала внутрь и не нарушала биологического равновесия в аквариуме.

Существует большое количество разновидностей аквариумов. В первую очередь аквариумы разделяются на декоративные и специальные (вспомогательные), в зависимости от того, для чего они предназначены.

Форма и размеры аквариума сильно рознятся и зависят от цели их использования.

Специальные аквариумы чаще всего имеют прямоугольную форму, они небольшие и невысокие. Уровень воды в них обычно не превышает 30–35 см. И для мальков, и для молоди, и для пары рыбок этого вполне достаточно.

Форма декоративных аквариумов более разнообразна: есть сферические, цилиндрические, шестиугольные, треугольные и традиционные прямоугольные аквариумы. Существуют ещё настенные аквариумы с наклонным передним стеклом и треугольными боковыми гранями, называемые аквариумами-картинами, а также панорамные аквариумы с изогнутым передним стеклом. Такое разнообразие форм стало возможным сравнительно недавно, после появления новых материалов: оргстекла и акрила. Долгое время аквариумы были каркасными, т. е. обязательно имели металлический каркас, на котором крепились стеклянные поверхности. Поэтому все грани аквариума могли быть только прямыми. Одним из самых больших недостатков этих тяжеловесных и не слишком

Виды аквариумов

красивых конструкций являлось то, что они сохраняли свою целостность только во влажном состоянии. После сливания воды замазка швов быстро высыхала, и аквариум мог дать течь. Поэтому их потеснили бескаркасные аквариумы, которые сейчас изготавливаются из оргстекла, из акрила и из отдельных стёкол. Аквариумы из оргстекла могут быть различной формы, но все они небольшого размера, т. к. плексиглас не обладает прочностью стекла и не выдерживает большого давления воды. Такие аквариумы трудно разбить, но легко поцарапать. И под воздействием некоторых веществ органическое стекло может помутнеть. Акрил и прочен, и одновременно гибок; из него изготавливают большие аквариумы различной формы. Но срок службы акрилового аквариума всё же меньше, чем у стеклянного. Акрил, как и оргстекло, легко царапается. Бескаркасные стеклянные аквариумы не могут быть ни цилиндрическими, ни сферическими. Соединение отдельных стёкол между собой предполагает наличие углов в местах стыка. Поэтому варианты форм таких аквариумов ограничены треугольной, прямоугольной, шестиугольной формой. Но их размеры варьируются от маленьких до очень больших. Для изготовления бескаркасных аквариумов используется шлифованное стекло, а места стыка заливаются специальным клеем, имеющим исключительную прочность. Клеенные аквариумы не рассыхаются даже в сухом состоянии, за стеклом ухаживать намного легче, чем за его заменителями. И к тому же оно гораздо красивее и намного долговечнее и оргстекла, и акрила. Прозрачность стекла поддерживать нетрудно — его сложно поцарапать, но можно разбить.

Ниже описаны основные формы аквариумов с их особенностями, плюсами и минусами.

Аквариумы

Стандартный — именно этот вид аквариума стоит посоветовать начинающему любителю. Удачные пропорции сочетаются в нём с удобством для уборки и других необходимых процедур. Ширина такого сосуда равняется высоте, а длина в два раза больше ширины. Конечно, это приблизительные параметры, которые не обязательно должны совпадать до сантиметра. Аквариум с такими пропорциями хорошо просматривается, да и рыбы чувствуют себя в нём нормально. Желательно, чтобы ширина не превышала полуметра, иначе из-за самой лёгкой мути или неудачно продуманной посадки растений вы будете плохо видеть своих любимцев. Осветительные приборы в таких аквариумах должны располагаться над покровным стеклом, чтобы на них не попали брызги. Стандартный аквариум можно использовать в качестве видового или декоративного.

«Корыто» — это «сплющенная» разновидность стандартного аквариума. Его параметры: ширина равна половине длины, высота составляет одну треть длины. В таких сосудах легко достичь нужных условий освещённости, газового баланса. Из-за того что вода хорошо насыщается кислородом, аквариум можно плотно заселить даже при небольшом объёме. Это делает его незаменимым в маленьких и заставленных квартирах. В аквариуме-«корыте» можно выращивать молодь или использовать его как видовой и декоративный.

«Ширма» — ширина равна одной трети длины, а высота составляет половину длины. Главное преимущество таких аквариумов — рыбки в них всегда будут у вас на виду, и это усиливает декоративность. В них хорошо держать крупные и высокие растения, рыб вроде скалярий. Водная муть не влияет на видимость. Но такие аквариумы бедны кислородом в нижней части, из-за того что площадь

поверхности воды относительно невелика. Если вы не примените достаточно мощную аэрацию, рыбки в нём будут чувствовать себя неуютно.

Круглый — когда-то аквариумы такой формы были широко распространены среди любителей. Сейчас можно сказать без преувеличения, что круглый аквариум устарел. Из-за кривизны стёкол искажается внешний облик рыбок и весь дизайн искусственного водоёма. К тому же грязь осаждается не только на дно, но и на стенки аквариума, придавая ему неприглядный вид.

Цилиндрический или многогранный — несмотря на декоративность, рыбки и остальные обитатели будут смотреться неестественно из-за деформированных стенок. Такие аквариумы выглядят выигрышно, только если они размещены так, что ими можно любоваться со всех сторон. Если вам приглянулся аквариум такой формы, заранее подумайте, сможете ли вы расположить его должным образом.

Какая форма аквариума лучше? Предпочтение всё же следует отдать прямоугольному аквариуму, поскольку в нём не искажается картина подводного мира, как это происходит в сферических и цилиндрических аквариумах, где и рыбы, и растения выглядят неестественными. Наклонная передняя часть аквариума-картины имеет существенный недостаток — на ней быстрее оседают органические частицы, стекло становиться мутным и нуждается в частой чистке. Этот же недостаток наблюдается и в нижней части сферических аквариумов.

Самыми доступными по цене являются аквариумы, выпускаемые в виде отдельной ёмкости. Но такой аквариум необходимо ещё оснастить соответствующим оборудованием: фильтрами, аэратором,

Аквариумы

терморегулятором и осветительными приборами. Поэтому, приобретая недорогой аквариум-резервуар, подумайте и о цене оборудования. Если у вас умелые руки, то, конечно, некоторые приборы вы сможете изготовить сами, но в любом случае вам понадобятся материалы, а также комплектация. Устанавливаются такие аквариумы обычно на отдельной подставке.

Существуют специальные подставки, на которых можно расположить сразу несколько аквариумов один над другим строго вертикально или уступами.

Аквариумы, изготовленные в виде предмета мебели, стоят намного дороже, но они нередко укомплектованы всем необходимым оборудованием, поэтому хлопот с размещением и подключением такого аквариума меньше. Некоторые разновидности таких аквариумов нуждаются в специальной подставке, способной выдержать огромную тяжесть; другие продаются уже вместе с подставкой и составляют с ней единое целое. Если такие аквариумы и не оснащены оборудованием, то в них предусмотрен специальный отсек, где все необходимые приспособления можно не только легко разместить, но и скрыть от взгляда наблюдателя, чтобы не портить впечатления от общего вида аквариума.

Все аквариумы условно можно разбить на несколько категорий:
По среде обитания:

• пресноводные — в них содержатся пресноводные рыбы и растения. Большинство аквариумистов отдают предпочтение именно этому типу аквариумов;

• морские — аквариум, предназначенный для содержания в нём морских рыб и растений (морской аквариум), как правило имеет большие размеры (от 400 л). Это связано с тем, что его оби-

татели обычно крупнее, чем обитатели пресноводных. При подборе рыб необходимо учитывать, что лучше уживаются виды, имеющие близкие размеры, сходные по поведению и условиям обитания. Предпочтительнее населять аквариум видами, обитающими на разных уровнях. Заселение аквариума производится из расчёта 1 см длины рыбы на 5—8 литров воды. По сравнению с прочими, морской аквариум наиболее трудоёмок в эксплуатации, так как содержание морских организмов требует поддержания условий, требования которых значительно выше, чем у пресноводных аквариумов. Требуется повышенное внимание к состоянию воды (плотность, pH, температура воды и пр.). Особенно сложно содержать рифовый морской аквариум. Эти аквариумы наиболее дорогие и сложные в эксплуатации. Уход за морским аквариумом требует специальных знаний, умения и опыта, поэтому предпочтительнее будет доверить это дело опытному специалисту;

- солоноватоводный аквариум. Существуют некоторые виды животных и растений, которые обитают в особой (солёность воды не превышает 1—2%) среде, не часто встречающейся в природе. Это такие виды, как топняк (Chara fragilis), криптокорина реснитчатая (Cryptocoryne ciliata), солоноватоводно-морские диатомеи. Хвостоколовые скаты, многие виды живородящих рыб (например, гуппи, некоторые моллиенезии) встречаются не только в пресных, но и в солоноватых водах.

По функциональному назначению аквариумы делятся на декоративные и специальные.

Декоративные предназначены для решения эстетических задач, создания красоты, уюта, создают эстетическое удовольствие наряду

с продуманным дизайном, в который включаются растения, грунт, другие животные и т. д.

К декоративным аквариумам относятся:

- общий аквариум начинающего любителя, где мирно соседствуют множество видов рыб разных систематических групп и географических зон (расборы, неоны, колизы, пецилии, иглы и др.). Содержит множество различных видов рыб, беспозвоночных и растений. Не подразумевает содержания живых организмов, объединенных какой-либо одной тематикой или географической зоной;

- коллекционный аквариум в основном включает определенные группы рыб, в нём обитает максимальное количество представителей одного семейства (харациды, цихлиды, пецилиды и др.);

- видовой аквариум — частный случай коллекционного аквариума, в нём содержатся только один вид или несколько близких видов рыб (элассомы, барбусы, гуппи, радужницы и т. п.);

- аквариум-биотоп — своеобразная копия какого-либо участка природной среды (береговая зона реки Конго, скальный рельеф озера Ньяса, коралловая литораль Красного моря и т. д.);

- голландский аквариум — гармоничное сочетание в одной емкости разнообразных по объему и окраске видов и сортов водных растений (фауна отступает на второй план). Основным элементом оформления «голландского аквариума» являются живые растения. Наиболее часто отдельные кусты собирают в плотные группы, так что при взгляде сверху видны только их верхушки. Растения высаживают таким образом, чтобы располагающиеся на переднем плане не закрывали растущие сзади. Хорошо смотрятся крупные кусты растений типа эхинодорусов, анубиасов, некоторых апоногетонов или нимфей, нередко имеющих

окраску, отличную от окраски остальной массы растений. Выбранные виды не должны образовывать плавающие либо надводные листья. Уход за «голландским аквариумом» заключается в периодической (20—25% в неделю-полторы) подмене воды, удалении старых отмерших листьев, формировании зарослей длиннолистных растений. Главное в «голландском аквариуме» — растения, но дополнить картину смогут любые мелкие нерастительноядные рыбы типа неонов, расбор, данио рерио, водорослеядные сомы, лабео, живородки, моллиенезии;

- палюдариум — комбинация подводной и надводной растительности, своего рода акваоранжерея. Палюдариум является уникальным изобретением любителей животного мира. Высокая влажность в палюдариуме идеально подходит для произрастания болотных или тропических растений, а также для многих аквариумных растений. Для декорирования можно использовать коряги, лучше те, на которых есть обрастания мха, и узловатые ветки акации, на которых многие эпифиты и другие растения растут особенно хорошо. Подобные «эпифитные деревья» всегда смотрятся очень привлекательно;

- акватеррариум служит для одновременного содержания и показа сочетающихся аквариумных и террариумных обитателей. Для содержания многих амфибий и рептилий, ведущих полуводный образ жизни, наиболее пригоден акватеррариум, который изготавливается на основе аквариума, хорошо держащего воду, суша в котором представлена многочисленными островками. Большое значение для создания комфортных условий для обитателей акватеррариума имеют грунт, освещение и подходящая к биотопу растительность;

- аквариум беспозвоночных — сосуд, где демонстрируются и содержатся только беспозвоночные и растения (водный инсектариум, морские беспозвоночные и др.).

Специальные аквариумы предназначены для решения конкретных задач: инкубации икры, подращивания молодняка, разведения и лечения рыб, проведения различных опытов и экспериментов. В соответствии со спецификой их делят на:

Нерестовые аквариумы нужны для размножения рыб в неволе. Величина нерестовика, субстрат, состав воды, освещенность и другие условия подбираются индивидуально. Необходимо соблюдать максимальную стерильность. Для удобства должен иметь меньшие размеры, чем основной. Так легче будет находить выметанную икру и удалять погибшие яйца. Для разных видов рыб требуются нерестовые аквариумы с различными пропорциями.

Инкубаторы — вспомогательные ёмкости, необходимые для жизнеобеспечения развивающейся икры и личинок аквариумных обитателей. Их вместимость колеблется от 0,5 до 25 л. Минимальный объём требуется для икромечущих карпозубых, откладывающих икру в торф; максимальный — для инкубации икры дискусов, оставленной родителями. Главные условия содержания аквариума-инкубатора: чистота, оптимальная температура, гидрохимический состав и кислородный режим.

Карантинно-лечебные аквариумы служат для передержки и адаптации вновь поступающих животных, а также их лечения. Главные условия: простор, гигиеничность, минимум стрессов, постоянный контроль качества воды. Все его параметры (пропорции, оформление и т. д.) зависят в первую очередь от размеров рыб, со-

держащихся в нём, и продолжительности пребывания в нём. То же самое можно сказать про селекционные аквариумы.

Выростные аквариумы — корытообразные сосуды, рассчитанные на быстрое подращивание большого количества мальков. Желательный размер — 150x45x60 см. Главные условия содержания рыб: оптимальные условия среды (температура, жесткость, соленость воды и др.), регулярная подмена воды и обильное разнообразное кормление.

Культиваторы обеспечивают массовое воспроизводство кормовых объектов, населяющих воду: инфузорий, водорослей, рачков, коловраток и т. д. Главные условия их выращивания — возможно большая площадь, тщательный подбор среды и питания.

Селекционные — в них содержатся рыбки, необходимые для селекционной работы.

Естественно, в одном аквариуме можно достигать различных целей, например, одновременно содержать, лечить и разводить рыбок.

Перейдем теперь к видам аквариумов по способу изготовления. Таких видов насчитывается три: цельностеклянный, каркасный и бескаркасный (изготовленный из стеклопластика).

ЦЕЛЬНОСТЕКЛЯННЫЙ АКВАРИУМ

Цельностеклянные аквариумы могут иметь многогранную, цилиндрическую, сферическую или прямоугольную форму.

Такой аквариум не имеет швов и стыков. Поэтому он, в отличие от каркасных и бескаркасных аквариумов, не может протекать. Обычно он делается из стекла или плексигласа. Его объём редко превышает 50 литров.

Аквариумы

Цельностеклянные сосуды хороши для содержания мальков, нерестящихся или больных рыбок. Это связано с их небольшим объемом, легкостью уборки и дезинфекции. Можно также приспособить их под карантинные аквариумы или сосуды для выращивания живого корма.

Главный и очень серьезный недостаток цельностеклянных аквариумов — их хрупкость. Очень часто случается так, что они ло-

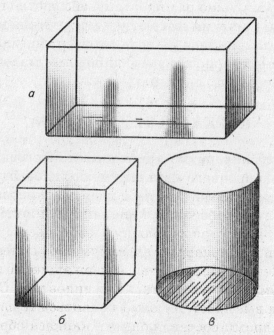

Цельностеклянный аквариум:
а — низкий прямоугольный;
б — высокий прямоугольный; в — круглый

паются, казалось бы, без всякой причины. На самом деле, причиной происшествия может оказаться песчинка, лежащая под аквариумом, случайный толчок или вибрация. Именно поэтому нежелательно использовать большие цельностеклянные аквариумы — ничто не сможет застраховать вас от неприятной случайности. Естественно, чем больше будет объём воды в лопнувшем аквариуме, тем тяжелее последствия для вас или ваших соседей. Цельностеклянный аквариум нужно размещать на абсолютно гладкой и чистой поверхности с мягким покрытием (типа сукна или войлока).

Всё же, несмотря на риск, многие любители предпочитают именно цельностеклянные аквариумы, лишённые малопривлекательных железных уголков, другим.

КАРКАСНЫЙ АКВАРИУМ

Размеры этого аквариума практически не ограничены. Он изготавливается из прочного металлического каркаса и стекла. Разновидности каркасных аквариумов любых размеров и пропорций можно купить в любом зоомагазине или изготовить по индивидуальному заказу. Несмотря на большую надёжность, у них тоже есть свои недостатки. В каркасных аквариумах обязательно применяется замазка. Некоторые вещества, содержащиеся в ней, могут оказаться ядовитыми для чувствительных видов рыб. Со временем замазка стареет и высыхает, и может появиться течь. Из-за контакта воды с металлами-составляющими каркаса образуются соли, которые могут принести вред обитателям. Важно, чтобы каркас был изготовлен из прочного металла, иначе он будет прогибаться под давлением воды. Нельзя оставлять каркасный аквариум без воды

на время больше одной недели — замазка засохнет, и сосуд даст течь. Внешний вид металлических уголков не нравится многим аквариумистам. Если вы относитесь к их числу, можно посоветовать заклеить их обоями или замаскировать комнатными растениями.

Ниже приведены советы по самостоятельному изготовлению каркасного аквариума.

Изготовление каркасного аквариума

Для изготовления каркасного аквариума нужно в первую очередь достать или сделать самому каркас. Проще всего использовать дюралюминиевый уголок со сторонами 2,5–3 см заводского изготовления, который весьма просто раскроить, соединив затем заклепками из однородного металла. Умельцы могут применять специальную сварку, а также использовать для изготовления каркаса другие материалы. Но во всех случаях каркас должен быть строго прямоугольной формы, а при вмазке стёкол хорошо изолирован от воды. Окиси таких металлов, как железо, медь, цинк и др., могут отравить рыб.

Дно небольших аквариумов (объём до 20–30 л) может быть стеклянным, но чаще из оцинкованного металла или листового железа, на которое иногда накладывают стекло на замазке. Угловые вертикальные стойки в большинстве случаев скрепляют между собой верхними ободками.

Большие аквариумы для прочности часто делают с пазами. В пазовых аквариумах из оцинкованного металла детали припаивают друг к другу и к трубкам.

Виды аквариумов

Затем приготовьте стёкла для будущего аквариума.

Прочность аквариума помимо качества изготовления зависит и от толщины стекол. В таблице 1 указана необходимая толщина стёкол для прямоугольных аквариумов различного размера с металлическим каркасом.

Таблица 1

Высота аквариума, см	Толщина стекла (*мм*) при следующей длине аквариума (*см*)									
	30	40	50	60	.70	80	90	100–110	110–130	130–150
30	2,8	3,3	3,8	4,1	4,2	4,4	4,6	6,3	6,9	9,1
40	3,4	4,3	5,1	5,6	6,0	6,3	6,5	6,9	7,1	9,2
50	4,4	5,1	5,8	6,5	7,2	7,7	8,2	8,7	9,1	11,1
60		6,0	6,5	7,5	8,5	9,3	9,7	10,7	11,4	11,7
70		6,6	7,3	8,2	9,0	10,0	10,9	12,2	13,1	13,6
80		7,4	8,2	8,8	9,3	11,0	12,2	13,7	14,9	16,1

Стёкла, предназначенные для изготовления аквариума, должны быть ровными, без царапин, трещин и воздушных пузырьков. Чтобы вырезать стекло, используйте стеклорез и чертежную рейсшину. При надрезе стеклорез должен быть плотно прижат и к линейке, и к стеклу. Надрез производится без отрыва, за один раз. Если вы услышите во время процедуры легкое потрескивание, а на стекле останется тонкий бесцветный след, значит, вы всё сделали

правильно. Если след, оставшийся на стекле, имеет вид белой грубой царапины, то надрез выполнен неверно.

Дно аквариума изготавливается из стекла потолще. Оно должно иметь следующие параметры: длина (ширина) равняется длине (ширине) каркаса с внутренней стороны минус 0,5 см. Дно должно свободно входить в каркас.

Все стёкла вырезают с таким расчётом, чтобы между ними и каркасом был зазор в 2–3 мм, иначе, расширившись от тёплой воды, торцы стёкол могут упереться в каркас или друг в друга и лопнуть. Стёкла лучше вырезать в три этапа: первым вырезать и вмазать донное стекло, затем боковые длинные стёкла и, наконец, боковые короткие. Торцы вырезанных стёкол следует внимательно осматривать и выбраковывать те из них, у которых обнаружатся, пусть едва заметные, волосяные заколы. В дальнейшем такие дефекты на стекле могут дать трещину. Перед тем как вставлять стёкла в каркас, приготовьте распорки (ими могут послужить тонкие палочки), необходимые, чтобы стёкла не отошли от каркаса и находились под давлением. Распорок должно быть восемь — четыре по длине и четыре по ширине.

После этого все стыковочные края стёкол зачищаются шкуркой и промываются бензином или ацетоном.

Следующий этап в изготовлении каркасного аквариума — приготовление замазки. Важно, чтобы в ней не содержалось вредных примесей, которые могли бы отравить рыбок. Вы можете воспользоваться в качестве замазки герметиками УТ-30, УТ-32, МЭС-5, ГА, ГС-Б или смесью цемента с клеем БФ-2. Ниже приведены способы самостоятельного изготовления замазки.

Виды аквариумов

Просеянный цемент марки от 300 до 500 замешивается с масляным лаком (№ 333), подогретым до 60–70 °С, или с натуральной олифой, прокипячённой с канифолью (1:9), пока полученная масса не станет напоминать по густоте оконную замазку.

Хорошо измельчённый мел перетирается со свинцовым суриком (9:1) и смешивается с льняной олифой, подогретой до 50–60 °С. Смесь должна быть достаточно густой и не растекаться.

Канифоль (200 г), измельчённый мел (100 г), вар (50 г), пчелиный воск (20 г), олифа (100–150 г) смешиваются и нагреваются до кипения. После того как смесь охладится до 50 °С, она смешивается с цементом (40 г).

Добавьте в измельчённый мел сухого свинцового сурика (10 г сурика на 100 г мела) и смешайте с масляно-смоляным лаком 7-С. Замазка не должна быть сухой.

Все эти виды замазок можно также использовать при заделывании течи в аквариуме.

Перед вмазыванием донного стекла края его соприкосновения с каркасом, как и весь каркас изнутри, покрывают тонким слоем лака. Затем на нижнюю обвязку каркаса накладывают шпателем слой аквариумной замазки. Располагается этот слой с наклоном. Со стороны каркаса его высота 4–5 мм, а с противоположной — 2–3 мм.

Сначала вмазывают дно аквариума, лучше, если эту процедуру будут делать сразу два человека. Затем будущее дно аквариума кладётся в отведённое для него место и осторожно вдавливается в замазку так, чтобы между стеклом и замазкой не было пузырьков воздуха. Если операция была проделана правильно, замазка должна виднеться из-под стекла ровной каймой.

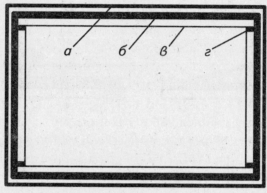

Вклеивание стёкол:
а — каркас; б — замазка; в — стёкла; г — зазор

После того как стекло наложено на замазку и с некоторым усилием впрессовано, слой замазки под ним должен быть равномерным, примерно 2–3 мм. Дня через два замазка затвердеет, и работу можно продолжить.

Следующие 4 стекла вмазывают попарно, согласно их размерам, друг против друга, соблюдая условия вмазки донного стекла.

Каркас нужно перевернуть таким образом, чтобы «бок» стал «дном». Следите за тем, чтобы вмазанное дно не выпало из своей рамки. Второе боковое стекло вмазывается после того, как каркас переворачивают первым боковым стеклом вверх. Помощник должен в это время придерживать уже вставленные стёкла.

Таким образом все стёкла вмазываются в положении «дна» — это положение позволяет лучше их зафиксировать.

Когда после впрессовывания стёкол слой замазки выровняется, достигнув толщины 2–3 мм, между ними вставляют деревянные

Способ накладки замазки:
а — каркас; б — замазка; в — стекло

рейки-распорки, удерживающие стёкла в вертикальном положении. В местах их упора во избежание появления трещин прокладывают кусочки фанеры или оргалита.

Таким же образом спустя два дня вмазывают и последние два стекла. После каждой операции излишки выдавленной замазки удаляют ножом. Незначительные провалы и пузырьки воздуха между каркасом и стеклом устраняют, впрессовывая в них тонкой металлической линейкой небольшие порции замазки. Главное, чтобы между стёклами и каркасом не было пустот, а слой замазки не превышал 4 мм.

После завершения вставки стёкол каркас ставится в исходное положение. На дно кладётся груз весом 1—2 кг, чтобы хорошо его прижать к замазке. В таком положении аквариум оставляют сохнуть. Сколько ждать — зависит от состава замазки. Если вы использовали замазку, сделанную на масляном лаке, ждите 2—3 дня. Олифовая замазка сохнет 4—5 дней.

Если вы применяли герметики или другие мягкие замазки, аквариум следует сразу залить водой температурой 60—70 °C. Во всех других случаях нужно ждать, пока замазка высохнет. Только после

этого можно вынуть распорки и залить воду комнатной температуры. Вода оставляется на 2–3 дня, чтобы проверить, нет ли течи. Чтобы удалить вредные примеси, рекомендуется сменить воду и дать ей отстояться еще сутки.

После наполнения аквариума водой можно грунтовать и красить каркас. Лучше всего его покрыть стойким лаком.

Для большей надежности, а также с профилактической целью полезно обрабатывать пластилином все внутренние углы аквариума, горизонтальные и вертикальные. Пластилин наносят на них в виде небольших масс трёхгранной формы. Ту грань, которая остается открытой, заделывают узкими (15 мм) полосками из оргстекла.

При равномерном нажатии полоски легко прижимаются к пластилину, выдавливая его излишки, которые удаляют. Длина полосок должна соответствовать каждой стороне аквариума.

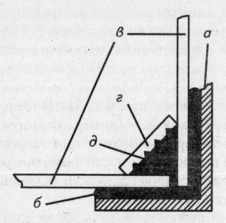

Заделка углов пластилином:
а — каркас; б — замазка; в — стекло; г — оргстекло; д — пластилин

Виды аквариумов

Вместо пластилина можно применять битум нефтяной (руберакс) марки А или Б ГОСТ 181–68, в котором отсутствуют растворимые водой кислоты и щелочи. Температура размягчения битума марки А — 125–135 °C, марки В — 135–150 °C. Битум для удобства розлива разогревают в металлической посуде с носиком. Некоторый наклон (до 30°) заливаемых внутренних углов аквариума обеспечивает равномерный слой, равный 7–8 мм. Изолирующие полоски из оргстекла в таком случае не применяются.

При изготовлении домашних водоёмов успешно применяют также резиноподобные герметики (УТ-32, У-30, МЭС-5, ГС-Б, ГА и др.), эпоксидные смолы (при этом важно соблюдать эластичное соединение, т.е. смола не должна полностью застывать) и даже обыкновенный битум.

Для мелкого ремонта аквариумов используют смесь цемента с клеем БФ-2, пластилин, а также однородный расплав парафина-аморина (40%), сапожного вара (40%), канифоли (12%) и сургуча (8%).

При эксплуатации каркасных аквариумов необходимо помнить два простых правила: во-первых, нельзя оставлять аквариум без воды дольше 2 часов (срок его службы увеличивает заблаговременная дополнительная обмазка швов, например, пластилином); во-вторых, для предохранения каркаса аквариума от ржавчины следует применять антикоррозийные покрытия (например, асфальтобитумный лак). На покровные стёкла надевают резиновые насадки (можно использовать кусочки шланга), создающие между стеклом и каркасом воздушную прослойку.

Если аквариум дал небольшую течь, её можно ликвидировать с помощью клея БФ-2, смешанного с цементом, или применением пластилина, который безвреден для рыб. Клеем БФ-2 пользуются

для наружного ремонта, пластилином — для внутреннего. В обоих случаях в освобождённом от воды и просушенном аквариуме выскабливают заранее отмеченные места течи, после просушивания заполняют изготовленной во время ремонта замазкой на клее БФ-2, которая быстро сохнет, или разогретым в руках пластилином. После такого ремонта аквариум можно сразу пускать в дело.

БЕСКАРКАСНЫЙ АКВАРИУМ

Он может быть сделан из органического стекла, пластика, плексигласа. Его неоспоримые преимущества: прочность, надёжность, прозрачность. Если стенки достаточной толщины, можно изготовить большой бескаркасный аквариум. В нём легко устранить течь с помощью клея из стружек оргстекла, растворённых в хлороформе.

Главный недостаток бескаркасного аквариума — мягкость материала. При повседневном уходе за аквариумом его стенки быстро покрываются царапинами, портящими внешний вид. А чистить стенки всё же необходимо, чтобы не допустить разрастания водорослей. Для этих целей можно использовать кусок оргстекла или другого материала, менее твёрдого, чем стенки аквариума.

Бескаркасный аквариум хорош в качестве нерестового, молоднякового или селекционного.

Изготовление бескаркасного аквариума

Прежде всего подготовьте стекла (органические или плексиглас). Толщина стекла зависит от высоты аквариума — 1 мм на при-

Виды аквариумов

близительно 7 см высоты. Если вы изготавливаете сосуд ёмкостью менее 100 л, можно обойтись клеем. Если предполагаемый объём будущего аквариума больше 100 л, придётся использовать «разогрев» и скрепку винтами. В среднем на 15 см длины боковой стороны стекла придётся 1 латунный винт.

Оргстекло можно разрезать разогретым ножом или использовать напильник. Легче работать с оргстеклом, распиленным напильником. Стёкла склеивают между собой хлороформом, дихлорэтаном или другими органическими растворителями, специальными составами (АСТ-Т, стадонт, бутакрил и др.), в них можно растворить опилки или стружки органического стекла. Иногда применяют сварку листов винилпластовым прутом под действием направленной струи горячего воздуха.

Можно использовать для склеивания так называемый «разогрев». Для этого через металлический прут пропускается ток, обеспечивающий высокую температуру, до 300–350 °C, при дальнейшем увеличении температуры оргстекло начинает пузыриться. Прутом разогреваются и склеиваются между собой листы оргстекла. Будьте аккуратны при этой процедуре: не передержите прут между ними — стекло может пойти пузырями. Тогда внешний вид будущего аквариума значительно ухудшится. Затёки оргстекла снимают шпателем, швы при необходимости полируют.

Стёкла, предназначенные для изготовления аквариума, должны быть ровными, без царапин, трещин и воздушных пузырьков. Чтобы вырезать стекло, используйте стеклорез и чертёжную рейсшину. При надрезе стеклорез должен быть плотно прижат и к линейке, и к стеклу. Надрез производится без отрыва, за один раз.

Если вы услышите во время процедуры лёгкое потрескивание, а на стекле останется тонкий бесцветный след, значит, вы всё сделали правильно. Если след, оставшийся на стекле, имеет вид белой грубой царапины, то надрез выполнен неверно.

Для склеивания стекол можно использовать следующие отечественные клеи: КЛТ-30, ВГО-1, «Стык», «Спрут», «Циакрин» либо клеи импортного производства.

Бескаркасный аквариум из стекла надёжно склеивают силиконовыми каучуками: КЛТ-30, ВГО-1; Durasil, Rax, Roccasol 220 SY, FD-Plast; Interpet Aquarium Silicon; Toshiba silicone TSE 370 RTO; Silastic 732 PTV, Perennator Aquarium Silicon и др. Кроме того, хорошо зарекомендовали себя специальные клеи: «Циактин», «Стык», «Спрут», «Скупф». Сборку аквариума ведут на ровной поверхности, все стыковые узлы перед склейкой тщательно обезжиривают и зачищают шкуркой.

Новый аквариум для страховки и устранения вредных примесей замазки, клея или краски выстаивают с водой 2–3 дня. В случае, если происхождение его неизвестно, подвергают обязательной дезинфекции хлорной известью или хлорамином (0,5–1,0 г/л в сутки). Перед непосредственной установкой аквариум тщательно промывают тёплой водой (40–50 °С) водой. Силикатные стёкла протирают влажным капроновым тампоном или сеткой с солью либо содой, плексовые — без соли и соды. Чтобы не исцарапать поверхность, в оргстеклянных аквариумах нельзя применять бритвенный скребок и магнитные щётки для снятия водорослевых обрастаний.

Как вы убедились, изготовление каркасного или бескаркасного (цельностеклянный аквариум в домашних условиях изготовить нельзя) аквариумов — нелёгкий и долгий процесс. За это дело сто-

Виды аквариумов

ит браться в тех случаях, когда вас не удовлетворяют продающиеся образцы — либо размерами, либо формами, либо ценой. В остальных случаях лучше не изобретать велосипед и выбрать наиболее приглянувшийся вам аквариум в зоомагазине. Выбор этот — дело нелёгкое и важное, но еще важнее удачно выбрать место для аквариума дома. Этому и посвящена следующая глава.

Выбор места для аквариума

Прежде чем поговорить о размещении аквариума в квартире, следует сказать несколько слов о широко распространившемся в последнее время увлечении украшать аквариумом свой офис. Это, конечно, не просто прихоть или желание быть оригинальным. Психологи давно заметили, что созерцание природы успокаивает человека, снимает стресс и нервозность. Мы даже не подозреваем, как много делают для нас в этом отношении домашние питомцы: любимые кошки, собаки, хомячки и рыбки. Сейчас развивается целое направление в медицине — зоотерапия, — которое использует «целебную силу» животных, благотворно влияющую на человека. Наблюдение за рыбками или другими аквариумными обитателями, помещёнными в красиво оформленный водоём, — то, что может позволить себе почти каждый. И, конечно, аквариум у вас в офисе может принести много положительных эмоций. Начнём с того, что это просто красиво. К тому же теперь вы можете расслабиться после выплеска отрицательных эмоций или просто накопленной усталости прямо на месте работы. Забудьте на короткое время обо всех сложностях и обратите свой взгляд на водных обитателей. Можно просто рассеянно созерцать аквариум — сам вид его нарядных обитателей и красиво подсвеченной воды отвлечёт и заворожит вас. Вернувшись к работе, вы почувствуете себя как будто после настоящего отдыха.

Конечно, вряд ли вы станете держать на работе кошку или собаку, а вот красиво декорированный аквариум станет настоящим украшением офиса и подарит вам много минут отдыха и эстетичес-

Выбор места для аквариума

кого удовольствия. Условия размещения аквариума в офисе схожи с условиями для обыкновенной квартиры.

Итак, выбор места для аквариума дома. Где его лучше разместить? В общем-то, аквариум с рыбками можно поставить и в гостиной, и в спальне, и в коридоре, и даже на кухне. Хорошо, чтобы по высоте он совпадал с уровнем глаз сидящего (или стоящего) человека.

Главное требование к расположению аквариума в комнате: он не должен стоять под прямыми солнечными лучами. Даже более того, желательно установить его в самом тёмном месте комнаты (у этого правила почти нет исключений, кроме тех случаев, когда содержатся светолюбивые виды рыб). Лучшее устанавливать его на северо-восточной стороне в самом тёмном месте, где легче дозировать свет. Яркий солнечный свет нужен очень редко: во время нереста или при авитаминозе. В остальном он скорее приносит вред аквариуму. При сильном освещении в воде аквариума начинают размножаться микроскопические зелёные водоросли. Они покрывают стёкла, растения оказываются покрытыми порослью зеленого цвета, вода зацветает. В таких условиях рыбок плохо видно, и у вас появляется новый пункт уборки.

Яркий солнечный свет нежелателен для рыбок, чувствительных к перегреву. Он может сказаться на их здоровье и даже привести к гибели. Кроме того, при таком освещении, рыбы начинают плавать по косой линии, потому что, говоря проще, для них верх — это то место, откуда поступает свет. Еще один неприятный момент: за день аквариум, стоящий на солнце, хорошо прогревается, а ночью, особенно ранним утром, температура воды опускается на десяток градусов. Далеко не все рыбки способны без вреда для себя

выдерживать такие резкие перепады. По этой причине не используют подоконники, в безвыходном положении аквариум экранируют от света и перепадов температуры. Подавляющее большинство рыб выглядят гораздо хуже в проходящем свете, чем в отражённом.

Лучше всего расположить сосуд с рыбками на некотором расстоянии от окна, так, чтобы свет падал на его переднюю и боковую части, поэтому оптимальное место для установки аквариума у стены, перпендикулярной или противоположной окну. С таким освещением обитатели аквариума — смотрятся естественно и эффектно. Хорошо, если удастся расположить его в комнате с окном, выходящим на восток. Чуть хуже соседство с окном, выходящим на запад. Самое неудачное размещение аквариума — на южной стороне. Лучше всего аквариум ставить у стены сбоку от окна. Если окно выходит на север — рядом с ним, если на восток и запад — несколько дальше, а если на юг — не ближе 1,5–2 м от него.

Постарайтесь определить место для аквариума у себя дома раз и навсегда — его перемещение весьма неудобно, всегда есть опасность разбить стеклянные стенки. Для рыб резкая смена условий обитания (включая пересадку) тоже нежелательна.

Поблизости с аквариумом не должно быть никаких отопительных приборов, в комнате, где он стоит, нежелательны сквозняки и нельзя курить. Его нельзя устанавливать на телевизор, пианино, музыкальный центр — рыбы плохо переносят любые неестественные для них вибрации и электрическое поле, но помимо вреда для рыб это ещё и опасно. В спокойном углу помещения, защищённом от прямых солнечных лучей, аквариум смотрится выигрышнее,

и рыбы не будут так пугаться снующих мимо людей, хлопанья дверей. Размещайте свой аквариум обязательно в доступном и свободным для прохода и производимых работ месте, чтобы вы смогли подойти к аквариуму не только с сачком, но и с канистрой, ведром. Аквариум должен быть доступным для работы с ним и для наблюдения. Любуйтесь им сами и доставте удовольствие этим своим родным, близким и друзьям.

Обычно аквариум ставится на какую-то подставку или тумбу. Если подставки не было в комплекте с приобретённым сосудом, используйте имеющуюся у вас дома мебель. Для этой цели вполне подойдёт столик, тумбочка, шкаф (в зависимости от размеров вашего аквариума). Не забывайте — если ваш аквариум имеет вместимость, например, 80 литров, это означает, что на подставку придётся груз больше 80 кг (масса воды и самого аквариума). Перед тем как водружать сосуд на приглянувшуюся подставку, прикиньте, выдержит ли она такую нагрузку.

Если вы уже прочли главу, посвящённую видам аквариумов, то вы знаете, что со всеми сосудами может случиться неприятность в виде течи или трещины. По той же причине каркасные аквариумы нельзя перемещать, не слив предварительно полностью воду.

Аквариум должен быть горизонтален. В противном случае, особенно если аквариум клеенный, он может потечь из-за неравномерного давления на стекла. Аквариум не должен качаться. Сократить вероятность всех нежелаемых моментов можно, подстелив под аквариум войлок, пенопласт или тонкий слой дерева. Одновременно этот лист будет играть роль термоизолятора, что важно, например, при выращивании растений, которые не любят держать «ноги в холоде».

Аквариумы

Аквариум-картина вешается на стену или закрепляется с помощью специальных стоек и кронштейнов. Рядом для удобства расположите полочку с необходимым инвентарём.

Аквариум можно вмонтировать в стену, то есть сделать сквозным, но тогда аквариум лучше изготовить самому. Не забудьте оставить в стене место для осветительного прибора (около 20–30 см). В сквозном аквариуме можно не застеклять торцовые стенки, так как их все равно не будет видно. Впрочем, установка стенного аквариума — дело трудоёмкое, и мы советуем вам хорошенько подумать, прежде чем браться за него. Дизайн квартиры можно легко, но безвозвратно испортить.

Очень красиво смотрятся встроенные аквариумы. Они могут быть вмонтированы в книжный шкаф, в бар, в офисную мебель. При их изготовлении, заказе или покупке продумайте момент уборки и повседневного ухода за рыбками. Вам должно быть удобно совершать любые действия, связанные с вашими водными животными и растениями. То же самое относится и к установке аквариума-картины.

Если вы являетесь владельцем длинного аквариума, можно разместить его не вдоль стены, а поперёк, разделив таким образом комнату на две части. Руководствуйтесь в этом вопросе своим вкусом — не обязательно такая установка украсит дизайн вашей комнаты, особенно если она небольшая. В таком аквариуме, как и в сквозном, нужно разместить крупные и густые растения не на заднем плане, а приблизительно посередине. Без них рыбки, выставленные на обозрение со всех сторон, будут чувствовать себя неуютно.

Еще один вариант, подходящий скорее для аквариумистов со стажем, — аквариум-этажерка. Это несколько сосудов, расположен-

ных обычно в два или три этажа. Это удобно, если вы одновременно содержите, разводите рыбок, проводите селекционную работу, выращиваете живой корм. Для аквариума-этажерки нужно использовать стеллаж, смонтированный из металлических уголков. При необходимости обеспечивают дополнительные рёбра жёсткости по углам (косынки) и через каждые 50 см — длины полки (стяжка). Трёхэтажную конструкцию при длине аквариума 80 см и массе до 120 кг (на каждом ярусе) мастерят из стального уголка 25х25 мм и более, при длине аквариума 150 см и массе до 350 кг — из проката 45х45 мм. Сервисная зона над каждым аквариумом должна быть не менее 15 см без учета устройства осветительной арматуры. Уголки варят между собой или скрепляют болтами. Лучше, конечно, выкрасить стеллаж в подходящий цвет, чтобы он не бросался в глаза. Он также будет красивее смотреться, если украсить его цветами в горшочках или другими декоративными элементами.

Какой бы вариант размещения аквариума вы ни выбрали, отнеситесь к задаче серьезно. Постарайтесь, чтобы комфортно было не только вам, но и рыбкам. В конечном итоге даже самый простой аквариум внесёт в ваш дом атмосферу спокойствия и гармонии, того, чего нам часто не хватает в повседневной жизни.

Грунт

Грунт — это имитация настоящего дна. Многие неверно считают, что он в аквариуме играет только декоративную роль. Его основное назначение — обеспечивать естественное дно для мира рыб. Грунт, его состав очень важны в поддержании биологического равновесия в искусственном водоёме. Грунт является одним из самых важных компонентов в аквариуме с растениями. С одной стороны, в нём растут корни растений, с другой — из него растения получают питательные вещества. Тут надо отметить, что частично растения получают их из воды (например, K, Ca, Mg должны присутствовать в воде). Особенно важно наличие питательных веществ в грунте для растений с развитой корневой системой, например криптокорин.

Грунт — важный элемент биологической системы аквариума. Это не только почва для водных растений, но и субстрат для микроорганизмов, ответственных за переработку продуктов жизнедеятельности рыб. Даже тонкий сантиметровый слой грунта на дне является примитивным, но эффективным биофильтром. В грунте живут бактерии, одноклеточные организмы и водоросли, которые принимают участие в процессах, протекающих в аквариуме. С другой стороны, грунт может играть роль буфера для изменения химических параметров воды; например, в аквариуме с африканскими цихлидами обычно используется грунт, имеющий в своем составе много известняка — для поддержания высокой жёсткости воды.

В качестве грунта используется большое количество материалов. Они различаются по своим химическим и физическим свой-

ствам. Не все из них необходимы для успешного выращивания растений. Материалы можно разделить на основные (например, гравий, песок) и добавки (например, торф). Добавки используются для улучшения питательности грунта и добавляются к обычному гравию. Некоторые добавки содержат в себе питательные вещества, некоторые используются для того, чтобы удерживать эти вещества, не давая вымываться им в воду. При этом эти вещества являются доступными для растений, которые поглощают их с помощью корневой системы.

Мелкий гравий (2—5 мм размером) является обычно основным компонентом для приготовления аквариумного грунта. Он не является источником питательных веществ для растений и не обладает способностью удерживать их. Он служит для закрепления корней растений, в качестве верхнего слоя, поверх торфа и т. д. С другой стороны, гравий позволяет питательным веществам из воды проникать внутрь, где они поглощаются корнями растений.

Мелкий песок аналогичен гравию тем, что не содержит в себе питательных веществ и плохо их удерживает. Обычно он используется в смеси с другими компонентами, например с торфом, или в качестве верхнего слоя. Мелкий песок не рекомендуется применять при использовании донного фильтра, поскольку он быстро забивается грязью и возникает опасность возникновения бескислородных зон.

Глина представляет собою смесь различных неорганических материалов — оксидов и силикатов железа, алюминия и т. д. — с очень маленькими частицами. Глина, богатая железом, имеет красный цвет. Некоторые виды глины также могут содержать и много других минералов — Mn, Zn, Cu и т. д. Поскольку эти минералы

нужны растениям в небольших количествах, а в больших они могут быть токсичны, то такую глину следует смешивать с торфом, гумусом и т. д., которые будут удерживать эти минералы в виде органических комплексов.

Обычно в грунт добавляют небольшое количество глины — 10–15%, хорошо перемешивая её с песком, гравием и т. д. Для облегчения смешивания следует глину размочить до состояния мути, также можно скатывать шарики из глины и добавлять их в нижний слой грунта. В эти шарики можно добавлять удобрения. Взвесь глины делает воду мутной, поэтому используйте глину только в нижнем слое грунта, особенно если у вас есть рыбы, любящие ковыряться в грунте или вы часто пересаживаете растения. Наряду с глиной, в аквариуме используется и латерит — красная почва из тропиков, которая состоит в основном из оксидов железа. Латерит может продаваться под различными именами — дупларит и т. д. Обычно латерит используется в качестве нижнего слоя грунта, поскольку в нём много железа.

Земля, которую можно накопать на огороде, представляет собой смесь глины, песка и органических компонентов, гумуса и т. д., которые служат источником питательных веществ для растений. Следует избегать применения земли (особенно в смеси с навозом или компостом), которая продаётся в садовых магазинах, в большом количестве. В ней слишком много питательных веществ, что приведёт к большой их концентрации в воде — вызовет рост водорослей, а также активные процессы разложения в грунте, которые вам совершенно не нужны, поскольку прежде всего они выкачивают кислород из воды, а при его недостатке начинается бескислородное гниение.

Грунт

Торф представляет собою смесь частично перегнивших органических ископаемых материалов. Он очень богат органикой и гуминовыми кислотами. Торф меньше выделяет органики в воду, чем компост или земля. Торф используется в виде добавок к грунту или как промежуточный слой. Чтобы торф не мутил воду, используйте слой гравия или песка поверх него. Торф обладает способностью смягчать воду, уменьшая её жёсткость. Из-за повышенной кислотности торф помогает создавать повышенную концентрацию доступного для растений железа в грунте.

Главным при выборе грунта является вопрос — для какого аквариума вы его собираетесь использовать.

Для аквариума с рыбами, где растут пластиковые или неприхотливые растения, типа анубиасов, выбор грунта не очень важен, поскольку он служит в основном декоративным целям. Для этих целей подойдёт обычный гравий. Размеры частиц — около 3–5 мм. Если у вас пресноводный аквариум, то лучше всего подойдёт крупнозернистый речной песок тёмного или серого цвета, мелкая галька или гравий. Можно использовать декоративный грунт, продающийся в аквариумном магазине.

Мелкий речной песок, а также жёлтый строительный песок для грунта непригодны, так как, постоянно уплотняясь, они в конце концов препятствуют циркуляции воды и могут вызвать загнивание корневой системы растений и даже самого грунта. Строительный песок к тому же несёт в себе запасы солей железа, что весьма отрицательно сказывается на растениях и воде аквариума.

Следите, чтобы грунт не изменял химических параметров воды — избегайте мраморной крошки и подобных материалов, которые увеличат значение pH и жёсткости воды. В речном песке и гравии

практически не должно быть известняков. Определить их наличие можно 10—20%-ным раствором соляной кислоты. Если хорошо промытые составные части грунта залить упомянутым раствором, почти сразу будет отмечено выделение водорода. Быстрое прекращение реакции свидетельствует о пригодности испытываемого материала. Продолжительное выделение газа говорит о том, что этот материал помещать в аквариум нельзя. Он будет постоянно повышать жёсткость воды, если она и без того предельно высокая. Не злоупотребляйте красным и желтым песком — их цвет показывает, что в песчинках содержится железо, в больших количествах вредное для рыбок. Кварцевый песок морского происхождения в качестве грунта не годится.

Если у вас есть несколько или хотя бы два слоя с песчинками или камушками различных размеров, то уложите на дно слой, состоящий из мелких элементов, а сверху — состоящий из элементов побольше. Чтобы увеличить проточность грунта, положите на самое дно слой крупной гальки. Проявите внимание к рыбам, любящим рыться в грунте. Им нужен особо мягкий грунт, не содержащий острых камушков и краев. Для самых нежных донных рыб приготовьте торфяную крошку и посыпьте ею грунт. Гравий должен быть тёмным, ни в коем случае чисто-белым. Светлый гравий вызывает у рыб беспокойство и стресс. К тому же прекрасная расцветка декоративных рыбок гораздо лучше смотрится на тёмном фоне.

Если же вы всерьёз решили заняться выращиванием аквариумных растений и хвастаться голландским аквариумом, то, наряду с освещением и установкой с углекислым газом, необходимо подумать о трёхслойном грунте.

Грунт

Трёхслойный грунт обеспечивает питание растений. Их корни должны омываться водой с находящимися в ней питательными веществами. (Однослойный грунт, слёживаясь, лишён этого качества.)

Состав трёхслойного грунта: крупнозернистый песок и гравий с фракциями 3–4 мм, оба промытые. Нижний слой грунта — гравий толщиной 1 см; средний — песок, его толщина 3–4 см; верхний — вновь гравий, толщина слоя 1–2 см.

В средний питающий слой можно добавить небольшое количество выветрившейся глины в виде порошка. Брать глину следует не из ям, а с поверхности.

В трёхслойном грунте между его слоями надо устроить «вентиляцию» для циркулирования воды. С этой целью после укладки первого слоя, состоящего из гравия, на него временно ставят несколько пустых стаканчиков (их количество определяется площадью дна аквариума), после чего укладывают второй песчаный слой, который уплотняют вокруг них. Затем стаканчики осторожно снимают, а образовавшиеся пустоты заполняют гравием и, наконец, укладывают слой гравия. Грунт готов к посадке растений.

Для устройства террас можно использовать вертикальные полосы стекла, крупные камни и т. д., которые будут держать грунт, не давая ему осыпаться. Если вы собираетесь густо засаживать аквариум растениями, то крупные растения закроют все террасы, поэтому размещение растений надо продумать заранее (как и все остальное, чтобы не пришлось переделывать по нескольку раз).

Можно применить и искусственный грунт. У него есть несколько преимуществ перед «оригиналом». Обычно он смотрится красивее настоящего, он более гигиеничен. К недостаткам относится то,

что он не принимает участия в поддержании биологического равновесия и в нём трудно выращивать растения (только с добавками-удобрениями), Опытные аквариумисты всё же предпочитают натуральный грунт. Впрочем, не будет ничего плохого, если вы при «натуральной» основе выложите фрагментами искусственный грунт. Дно также можно украсить искусственными предметами: корягами, кораллами, гротами, пещерами, сундуками, затонувшими кораблями и другими плодами вашей фантазии.

Возможен вариант, когда вместо грунта на дно аквариума помещаются растения в горшочках или специальных ящиках. То количество грунта, которое содержится в горшочках, вполне сможет справляться с задачами «искусственного дна». В таких аквариумах легче убирать. Главное — выдержать баланс между количеством грунта с растениями и размерами аквариума.

Молодняковые, карантинные и селекционные аквариумы можно вовсе оставить без грунта — так легче убирать экскременты, несъеденный корм и другой мусор.

Теперь несколько советов по укладке грунта на дно аквариума. Его толщина не должна быть одинаковой на всех участках дна. Она может колебаться от 1 до 8 см в различных частях аквариума. Толщина грунта без фальшдна не должна превышать 4 см, с фальшдном — 8 см, оптимален крупный речной песок или гравий диаметром 2–5 мм. Обычно дну придаётся уклон к переднему, смотровому стеклу. Это делается для того, чтобы было легче удалять грязь, скапливающуюся в нижней части. Небольшой участок у переднего стекла, лишённый грунта, можно огородить бортиками и сделать там кормушку. Тогда рыбам будет легче находить живой корм. В возвышенных участках хорошо высаживать растения.

Грунт

С помощью грунта можно влиять на кислотность и мягкость воды. Для этого в его состав нужно поместить торф. Чтобы, наоборот, увеличить жесткость и щелочную реакцию воды, можно включить в состав мраморную крошку.

Перед укладкой грунт следует продезинфицировать. Эта процедура проходит по-разному с различными составляющими. Песок промывается и прокаливается при температуре около 100 °C в течение 15–20 минут. Чтобы в аквариум попал хороший крупнозернистый песок, просейте его через обыкновенное сито. Гравий (и речной, и морской) кипятится в воде в течение получаса 2–3 раза. Для мягководных рыб с целью устранения кальция и магния грунт иногда обрабатывают соляной кислотой, для жестководных — применяют смесь кремния (3–4 части) и известняка (1–2 части).

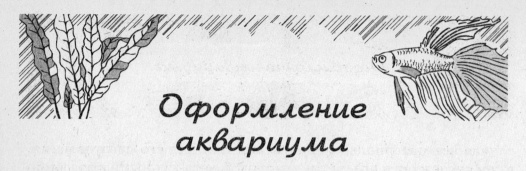

Оформление аквариума

Чтобы аквариум выглядел действительно натурально, нужно очень постараться с его оформлением. Дизайн аквариума — целая наука. Здесь можно лишь дать несколько полезных советов, всё остальное зависит от вашего вкуса и вашего представления о красивом аквариуме.

При художественном оформлении аквариума старайтесь преследовать единый замысел. Определите участки аквариума, подходящие на роль «центра внимания», и оформите их надлежащим образом.

Желательно скрыть все технические приспособления с помощью грунта, растений, камней или ракушек.

Главная задача дизайна аквариума — воспроизвести наиболее правдоподобный пейзаж в аквариуме. Если представить себя находящимся под водой, «в водной среде», то перспектива будет сходить на нет, удаляться от взора. В условиях ограниченого пространства такой эффект можно получить либо в очень крупных резервуарах, либо имитацией «заднего плана». Самый простой способ имитации — поместить какую-либо картинку, фотографию к задней стенке из влагостойкого материала. Эти картинки наклеивают на заднюю стенку снаружи. Интересный эффект создают пробковые плитки.

Задний фон, который вы будете использовать в аквариуме, зависит от вашего воображения. Можно дать только общий совет — не используйте фон ярких цветов. Даже чёрный фон будет смотреться вполне красиво, гораздо красивее, чем обои и связки проводов. Фон может быть либо внутренним, либо внешним. В первом

Оформление аквариума

случае все материалы, использующиеся для его изготовления, в том числе клеи и краски, должны быть нетоксичными и водостойкими. Внутренний фон иногда делают объёмным — в этом случае он изготавливается из пенополистирола или отливается из стеклопластика.

Постарайтесь, чтобы украшения не затмевали своим шикарным видом главную красоту — живых обитателей аквариума, в первую очередь рыбок. Не помещайте в аквариум с маленькими рыбками громоздкие и вычурные украшения вроде нагромождений камней в виде гротов. Но постарайтесь создать для ваших рыбок достаточно укрытий. Особенно они любят пещеры, которые легко можно соорудить из гальки или пористых пород. Совместите приятное с полезным — пусть укрытия выполняют декоративную функцию. Камни, содержащие известь или металлические отложения, не подходят.

Все украшения должны выглядеть естественно на дне искусственного водоёма и не причинять неудобств его обитателям. В природе укрытия, созданные водными растениями, нависающей над водой наземной растительностью, камнями, корнями, упавшими деревьями, обеспечивают рыбам и другим водным существам защиту от опасностей, в изобилии имеющихся в местах обитания. Поэтому если в аквариуме нет подходящих декораций, среди которых рыбы могли бы прятаться, они будут испытывать постоянный страх за свою жизнь. Важно не только то, чтобы в аквариуме имелись укрытия, но и чтобы они были подходящими для живущих в аквариуме рыб.

Не помещайте в аквариум украшений с острыми краями (камни, раковины), о которые можно пораниться. Никогда не стройте

Аквариумы

каменных пирамид вблизи стекла, лучше прижать камни к стеклу, используя его в качестве дополнительной опоры. Все сооружения должны быть легкоснимаемыми, хорошо просматриваться, не скапливать в себе грязь и состоять из экологически чистых материалов, желательно природного происхождения.

Если в аквариуме много ракушек, вода со временем становится чересчур насыщенной кальцием. Этого можно избежать, если посадить растения, поглощающие кальций, — хвощи, роголистник, родниковый мох.

Попробуйте использовать керамзит в качестве верхнего слоя грунта. Он наверняка придаст вашему аквариуму эффектности.

При выборе украшений нужно исходить из того, не будут ли они помехой для обитателей аквариума. Украшения не должны быть вредными (изменять химический состав воды или содержать ядовитые материалы). Камни, помещённые в аквариум, не должны содержать кальций и примеси металлов. Лучше всего использовать гранит и камни базальтового и песчаникового происхождения. Промывайте каждый камень тщательно кипячёной водой и не кладите их слишком много в аквариум. Мытьё их сочетается с чисткой жёсткой щёткой, а затем ополаскиванием кипятком, в случае необходимости — пятиминутным прокаливанием. Постройки из камней должны быть обязательно промазаны силиконовым клеем (только из зоомагазина, т. к. обычный строительный силиконовый клей, как правило, содержит вредные вещества) на местах соприкосновения, чтобы из-за очень шустрых рыб они не упали.

В качестве пещер для аквариумов нередко используют такие предметы, как глиняные керамические горшки для растений или блюдца-поддоны, а также трубы. Рыбы охотно занимают такие «пе-

щеры», предпочитая их более естественным сооружениям, построенным из камней.

Большую роль в оформлении аквариума играют растения. Водные растения бывают разных форм и размеров: высокие и тонкие, низкие и раскидистые, высокие и раскидистые и т. п. Их листья могут расти прямо из точки роста корневища или располагаться на стебле. Одним растениям требуется определённый химический состав воды, другим — более яркое освещение, а диапазон переносимых температур тоже может меняться. Высаживайте более крупные и густые растения на заднем плане. Некоторые виды лучше смотрятся, если их сажать кустиками. Старайтесь использовать различные типы растений: укореняющиеся в грунте, плавающие в толще воды, плавающие на поверхности воды.

Если есть возможность, украсьте аквариум растениями вроде традесканций — они будут одновременно расти в воде и вне воды.

Все растения также должны подвергаться карантину и дезинфекции.

В аквариуме можно художественно разместить коряги и куски древесины. Живая или подгнившая древесина не подходит. Стебли тростника или бамбука подходят для придания экзотического колорита. Последние широко применяются в производстве синтетических коряг, камней, растений и кораллов. Заменители особенно удобны при содержании хищных, растительноядных рыб, а также в целях гигиены. Свежий материал (коряги, бамбук, скорлупа кокосовых орехов, ивовые корни, дубовая кора и др.) сначала кипятят в насыщенном растворе поваренной соли (30 г/л) в течение 10–12 часов, а затем ещё 6 часов в пресной воде (несколько раз сменяемой в зависимости от цвета воды). Поверхность коряг обрабатывают

Аквариумы

стамеской и напильником, руководствуясь своей фантазией и вкусом. Правильнее использовать твердые на ощупь коряги, взятые из природного водоема. После шлифовки и часового кипячения они готовы к употреблению. Лучшие породы — чёрная ольха, можжевельник, ива, вяз и т. д. Если со временем древесина рыхлеет, в аквариум подсаживают кольчужных сомов (стуриосома, металорикария, панак), которые с жадностью выедают труху, полируя корягу до блеска. Иногда поверхность коряги для защиты от гниения покрывают тонкой плёнкой полиэстера, эпоксидной смолы и т. д.

Не забудьте оставить место для обогревателей, фильтров и другого оборудования, которое должно быть хорошо спрятано за декорациями.

Характеристики водной среды

Вся жизнь рыб протекает в воде. У рыб вода не только участвует в обмене веществ, но и является для них такой же средой обитания, как для нас воздух. Их организм приспособился не только к водной среде, но и к её физико-химическим характеристикам. Рыбы могут испытывать дискомфорт, ухудшение здоровья или даже погибнуть, если вода, в которой они находятся, которую пьют, которой дышат, которая взаимодействует с жидкой составляющей их тела, не соответствует определённым требованиям. Особенно если эти изменения происходят достаточно резко. Как нельзя предположить, что вода может быть одинаковой повсюду, так не стоит думать, будто какие-нибудь виды рыб смогут нормально жить прямо в водопроводной воде.

Для того чтобы рыбы нормально развивались, их метаболизм должен быть настроен на составляющие среды. Хотя некоторые виды рыб умеют адаптироваться к непривычным для них параметрам воды, это отразится на них в будущем, а различия между соленой и пресной водой столь значительны, что вообще не могут быть преодолены.

При содержании в аквариуме нужно стараться воспроизвести характерные особенности водной среды в природных условиях для того или иного вида рыб. Для этого нужно познакомиться с основными и необходимыми характеристиками водной среды: кислотностью, жёсткостью, температурой, освещённостью.

КИСЛОТНОСТЬ ВОДЫ
И ЕЁ ИЗМЕРЕНИЕ

Кислотность воды определяется содержанием катионов водорода и анионов гидроксила. Ее величина высчитывается особым способом (она еще называется водным показателем) и измеряется в условных единицах. Сокращённо она называется pH. Кислотность водопроводной и проточной воды примерно равна 7. Классифицировать её можно следующим образом:

Вода	pH
Сильнокислая	1–3
Кислая	3–5
Слабокислая	5–6
Очень слабокислая	6–7
Нейтральная	7
Очень слабощелочная	7–8
Слабощелочная	8–9
Щелочная	9–10
Сильнощелочная	10–14

Эти показатели даны при температуре 25°C. При другой температуре величина кислотности 7 уже не будет являться показателем нейтральной воды. Кислотность крайне нестабильна, колеблется даже в течение суток. Например, к утру pH в аквариуме сильно понижается из-за накопления в воде углекислого газа, выделяемого растениями и рыбами, а к вечеру, напротив, повышается вследствие усиленного потребления его растениями.

Кислая и сильнокислая, так же как щелочная и сильнощелочная, вода непригодна для аквариумных рыб. Больше того, значительное отклонение pH от нормы оканчивается гибелью некоторых рыб. Слабокислая вода подходит для содержания и особенно размножения многих видов икромечущих карпозубых. Нейтральная, очень слабокислая и очень слабощелочная вода подходит для содержания и размножения большинства видов аквариумных рыб. Очень слабощелочную воду предпочитают моллиенезии, дисковидный и бриллиантовый окуни. Требования к условиям среды у рыб в течение жизненного цикла меняются. Так, для периода их роста нужна вода с одним показателем кислотности, а в момент размножения — с другим.

Активная реакция воды сильно зависит от заселённости водоёма растениями. В процессе фотосинтеза, происходящем при свете, кислотность воды повышается. В жёсткой воде перепады показателя кислотности меньше, чем в мягкой. Чтобы повысить кислотность, используется аэрация, в том числе ночью.

Для умягчения кислой воды используют питьевую соду, разлагающуюся на щелочь и углекислоту. Небольшие порции соды, предварительно взвешенные, постепенно разводят до получения намеченной pH в 1 л воды, взятой из аквариума. Затем, исходя из количества воды во всём аквариуме, определяют количество соды, необходимое для достижения в нём нужной pH.

Для обратного эффекта нужно положить в аквариум торф. Если требуется незначительное подкисление, используют отстоянную дистиллированную воду, которая одновременно служит и умягчителем воды. 5 г торфа, помещённые в эмалированную посуду и залитые

Аквариумы

1 л дистиллированной воды, кипятят в течение 20–30 минут. Полученная жидкость должна быть коричневого цвета. Дважды отфильтрованная, она вносится небольшими порциями в аквариум до тех пор, пока вода не примет янтарный цвет.

Вода может быть подщелочена кальцийсодержащими декорациями, пропусканием воды через кораллы, ракушки или известняк. Эти материалы желательно помещать в аквариумы с рыбками, которые не переносят повышенной кислотности. В таком случае увеличение кислотности, вызванное продуктами обмена веществ рыбок, будет компенсировано.

Аквариумные рыбы содержатся в нейтральной, слабокислой или слабощелочной воде. При замене воды доливайте её небольшими порциями или с промежутками во времени, чтобы организм рыб успевал привыкнуть к новым условиям. Не забывайте, что в аквариумах показатель кислотности со временем всегда понижается.

Для измерения уровня кислотности воды применяются электронные рН-измерители, но они доступны далеко не каждому любителю. В домашней практике обычно применяются индикаторные бумаги. Полоска индикатора опускается в воду, и его цветовые изменения сравниваются с цветовой шкалой, на которой нанесены числовые значения кислотности. Чтобы получать верные сведения об уровне кислотности воды, не пользуйтесь для измерения старыми индикаторами.

Если аквариум вышел из-под контроля по жёсткости воды и рН, что отмечается по состоянию растений, которые плохо растут, и рыб, у которых отмечается вялость поведения, то эти показатели надо отрегулировать для создания более комфортных условий для ваших питомцев.

ЖЁСТКОСТЬ ВОДЫ И ЕЁ ИЗМЕРЕНИЕ

Жёсткость воды имеет очень большое значение в жизни рыб. С одной стороны, соли магния и в особенности кальция совершенно необходимы для построения скелета и всего организма рыб, с другой стороны, для нормального развития половых продуктов и нормальной жизнедеятельности рыб необходима определённая жесткость, и именно в тех пределах, которые свойственны водоёмам родины того или иного вида рыб.

Жёсткость воды зависит от содержания в воде ионов кальция и магния. Кальций является необходимым элементом для рыб и моллюсков, поэтому показатель жёсткости воды очень важен.

Существует постоянная (некарбонатная), обозначающаяся GH, и временная (карбонатная), обозначающаяся KH, жёсткость воды. Иногда говорят об общей жёсткости, которая является суммой этих частей. Деление жёсткости на две эти части определяется тем, какие минеральные соли остаются в воде после кипячения воды (постоянная жесткость). Существуют различные обозначения этого показателя. В России приняты русские градусы. Один русский градус обозначает 10 мг CaO, содержащихся в 1 л воды. Поскольку во многих странах существуют свои обозначения, в которых легко запутаться, мы приводим систему соотношения градусов жесткости разных стран:

1 русский градус = 1 немецкому градусу = 1,25 английского градуса = 1,04 американского градуса = 1,79 французского градуса = 0,36 ммоль/л.

1 ммоль/л = 2,8 русского/немецкого градусов = 2,9 американских градусов = 3,5 английских градусов = 5 французских градусов.

Аквариумы

Ниже приведена таблица жёсткости природной воды в русских градусах:

очень жёсткая вода ...... больше 30°
жёсткая вода .... от 19 до 30°
средняя вода .... от 11 до 18°
мягкая вода .... от 5 до 10°
очень мягкая вода .... от 0 до 4°

Для водопроводной воды показатель жёсткости не должен превышать 20°.

Временная (карбонатная) жёсткость связана с содержанием в ней гидрокарбонатов кальция и магния. В щелочной воде обычно высок показатель временной жёсткости. Общей, или постоянной, жёсткостью называется жёсткость, сохраняющаяся после часа кипячения. Самое благоприятное сочетание между временной и общей жёсткостью — 1:2.

В аквариумных условиях необходимо поддерживать постоянный уровень жёсткости воды. Это легче делать, если в качестве грунта используется крупнозернистый песок или галька. В аквариуме с обычными обитателями (рыбами, растениями, моллюсками) этот уровень постоянно снижается, потому что кальций, находящийся в воде, усваивается ими. В аквариуме без жителей жёсткость воды, наоборот, все время увеличивается.

Как же влиять на уровень жёсткости, приспосабливать его к подходящему для ваших питомцев?

Уменьшить жёсткость достаточно сложно. Рыбки, живущие в мягкой воде, сильно страдают в более жёсткой. Чтобы понизить уровень жёсткости, можно прокипятить воду (в течение 20 минут), в этом случае в аквариум вливают остуженную воду, взятую сверху

(2/3 от общего объёма), а оставшуюся треть, богатую солями, выливают, или заморозить воду. Попробуйте добавить дистиллированную, дождевую или талую воду. Дождевую и снеговую воду обязательно фильтруют. Можно использовать специальные приборы-смягчители или высадить элодею и роголистник.

Повышают жёсткость путём добавления в воду известковых пород, но так как этот способ достаточно ненадёжен, то его немного усовершенствуют, пропуская воду через слой мраморной крошки с помощью фильтра. Одним из надёжных способов является добавление в воду хлористого калия и сернокислого магния. Есть и химические способы: добавьте 25%-ный раствор магнезии из расчёта 1 мл на 1 л воды — эта операция повысит жёсткость на 4°. Добавление в воду 10%-ного раствора хлористого кальция (в пропорции 1 мл на 1 л воды) увеличит жёсткость на 3°. Повысить жёсткость можно и кипячением воды в эмалированной посуде в течение часа. Из остуженной воды осторожно сверху удаляют 2/3 от общего объёма. Оставшуюся нижнюю треть воды, в которой сконцентрировалось много солей кальция, постепенно, но с обязательным промером жёсткости вливают в аквариум. Если добавить одну чайную ложку бикарбоната натрия (пищевой соды) на 50 л воды, то это увеличит КН примерно на 4° dKH. А 2 чайные ложки карбоната кальция на 50 л воды увеличат одновременно КН и GH на 4°.

В домашних условиях аквариумисты обычно пользуются самодельными измерителями жёсткости воды. Один из них представляет собой пробирку, в которую набирается вода для измерения, и жидкое мыло, которое добавляется по капле в пробирку. После каждой добавки сосуд надо встряхнуть. Жёсткость определяется по числу мыльных капель.

ГАЗОВАЯ ХАРАКТЕРИСТИКА ВОДНОЙ СРЕДЫ

В любой воде, в том числе и в аквариумной, растворено несколько видов газов. Они оказывают влияние на жизнедеятельность рыб, улучшают или ухудшают их жизненные условия.

Азот необходим рыбам для роста и дыхания, растениям — для фотосинтеза. Его содержание в воде легко регулировать, повышая ее температуру, чтобы уменьшить концентрацию. Нежелательно допускать концентрацию вредных азотных соединений — аммиака и аммония, — которая увеличивается с повышением уровня кислотности воды. Аммиак и нитриты чрезвычайно ядовиты для рыб, но если азотный цикл проходит правильно, то эти ядовитые вещества превратятся в относительно безвредные нитраты до того, как их концентрация достигнет опасного уровня. В новом аквариуме отсутствуют необходимые популяции бактерий, участвующих в азотном цикле, и вначале там резко повышается содержание чрезвычайно ядовитого аммиака, что будет способствовать развитию бактерий, перерабатывающих аммиак в нитриты. Для каждого нового аквариума необходим период «созревания», когда бактерии, превращающие нитриты в относительно безвредные нитраты, образуют достаточно большую популяцию. Вот тогда аквариум наконец-то станет безопасным для рыб. Весь этот процесс продолжается несколько недель.

Хотя круговорот азота происходит в любом аквариуме, плотность населения в искусственном водоеме рыб выше, чем в природе, поэтому система не сбалансирована. Аквариум может выглядеть чистым, но в нём будет высокая концентрация азота или нит-

ритов. Необходимо изменить баланс, чтобы избежать таких проблем. Для этого обычно применяют фильтрацию: воду из аквариума пропускают через один или несколько фильтрующих материалов, освобождая от грязевых частиц. Наиболее эффективным способом уменьшения концентрации нитратов (полностью избавиться от них в функционирующей системе невозможно) является регулярная частичная замена аквариумной воды. Какой части и с какой периодичностью — зависит от конкретного аквариума, но 20% еженедельно — для начала, наверное, неплохо. Кроме того, частичная замена воды позволяет восстановить запасы необходимых минеральных веществ. Приток свежей воды обычно вызывает у рыб повышение активности. Прежде чем доливать в аквариум свежую воду, необходимо привести её химический состав и температуру в соответствие с химическим составом и температурой воды в аквариуме. Такие меры позволят избежать риска таких явлений, как pH-шок, температурный шок.

Кислород — самый важный газ из всех, растворённых в воде. В аквариуме он образуется естественным путём — растениями (только в светлое время суток) — и искусственным — аэрацией. Его нужная концентрация — больше 5 мг/л. Замерить уровень содержания кислорода можно с помощью оксиметра. В воде, бедной кислородом, могут жить и нормально развиваться только рыбы, способные использовать для дыхания атмосферный воздух. К ним из рыб, содержащихся в аквариумах, относятся все лабиринтовые, панцирные сомики, вьюны и змееголовы. Однако подавляющее большинство аквариумных рыб нуждаются в определённом количестве кислорода, растворённого в воде. У отдельных рыб потребность в кислороде обычно повышается, когда они плохо себя чувствуют,

испытывают стресс, более активны, чем обычно, или если их держат при более высокой температуре, чем предназначено природой. Падение содержания кислорода вызывает снижение количества поедаемого корма, что, как правило, ведёт к задержке или к остановке роста рыб, не говоря уже об опасности заболевания от недостатка кислорода.

Если кислорода недостаточно, у рыб начнётся кислородное голодание. Его признаки — в главе «Болезни рыб». Источниками обогащения воды кислородом являются водные растения и атмосферный воздух. Скорость поступления кислорода из воздуха зависит от температуры воды. Кислород гораздо легче растворяется в холодной воде. Важно установить в искусственном водоёме правильный режим освещения и достаточное количество растений. Не нужно сажать их слишком много, потому что переизбыток кислорода тоже вреден. Количество потребляемого кислорода зависит от температуры.

Растения часто ценятся за их способность производить кислород. Хотя они действительно могут помочь удовлетворить потребности рыб в кислороде днем, зато ночью всё живое в аквариуме конкурирует в борьбе за кислород, содержание которого в это время суток снижается. Для количества кислорода, поступающего в воду, решающее значение имеет общая поверхность водяных растений. Чем она обширней, тем больше кислорода выделяют растения. Следует обратить внимание на то, что более обширной поверхностью отличаются не широколистные растения, а, наоборот, растения со множеством тонких перистых листьев — такие как кабомба, тысячелистник, эгерия, яванский мох и индийский водяной папоротник.

Большая популяция улиток может оказать значительное влияние на содержание кислорода в аквариуме. То же самое могут делать и бактерии. Потребление кислорода аэробными бактериями, участвующими в азотном цикле, допустимо, потому что взамен этого они приносят значительную пользу. Однако если в аквариуме наблюдается избыточное содержание органических отходов, популяция бактерий будет расти и поглощать больше кислорода, чем в случае, когда рыб кормят рационально.

Очень важно поддерживать необходимый уровень концентрации кислорода в аквариуме, используя при необходимости искусственную аэрацию (продувку). Поступающая из фильтра вода обеспечивает необходимое перемешивание, но можно использовать и специальный компрессор с распылителями. Обогащение кислородом происходит в основном не за счёт поднимающихся пузырьков воздуха, а за счёт завихрений, образующихся на поверхности воды, и проводить этот процесс лучше в то время, когда аквариум лишён света. Аэрация в дневное время скорее приносит вред, чем пользу, так как создаётся большая, чем обычно, амплитуда колебания содержания кислорода в воде.

Волнение на поверхности воды увеличивает эффективную площадь её поверхности. Поверхность, покрытая рябью, имеет большую площадь, чем ровная поверхность, тем самым увеличивается её способность к газообмену. Циркуляция воды также очень полезна, так как она выносит на поверхность воду, богатую углекислым газом, а воду, только что насытившуюся кислородом, несёт в придонный слой. Этот процесс может также применяться для выведения из воды других газов — таких как хлор и азот.

Метан — газ, вредный для обитателей аквариума. Можно избежать его концентрации, поместив в сосуд кубышки. Очень важна

хорошая аэрация — следите, чтобы её действию подвергалось всё водное пространство.

Углерод — в растворенном виде содержится намного больше углерода, чем в атмосфере. Нельзя допускать его высокой концентрации — она может привести к гибели рыб. Допустимое содержание углерода в аквариуме — до 2 мг/л. Снизить концентрацию можно путем повышения температуры воды.

Хлор — токсичный газ, содержащийся в водопроводной воде и вредный для рыбок. Перед заливкой или добавкой воды в аквариум дайте ей отстояться — это снизит содержание хлора. Помогает хорошая аэрация.

ОСВЕЩЁННОСТЬ ВОДЫ

Свет необходим почти всем растениям и животным на Земле. Аквариумные рыбки не исключение. В аквариуме освещение необходимо также для поощрения нормального роста растений и для создания возможности любоваться подводным пейзажем и его обитателями. У многих их них с освещённостью связан половой цикл и даже окраска. Некоторые меняют свою окраску в течение суток. Свет нужен для хорошего самочувствия, здоровья и внешнего вида рыб, а также для нормального развития растений.

Хотя правильная установка аквариума исключает его расположение возле окна, поскольку прямое попадание солнечного света способствует росту простейших водорослей на его стенках, аквариум, освещенный естественным светом, может выглядеть чудесно, и у рыб будет великолепная окраска. Но в умеренных зонах как продолжительность фотопериода, так и интенсивность солнечного

света в течение большей части года не подходят для тропических рыб и растений. Дни имеют неподходящую продолжительность, а свет чаще всего слишком тусклый.

Для освещения аквариумов применяются, в основном, люминесцентные лампы. Преимущество искусственного освещения состоит в том, что его легче регулировать, подстраивая под нужные параметры. Выбирать, какому виду освещения отдать предпочтение, нужно исходя из размеров вашего аквариума, его конструкции, особенностей его обитателей. Разным видам аквариумных животных и растений требуется неодинаковое количество света в сутки. Вы должны создать им световые условия, приближенные к природным. Как дневным, так и ночным видам рыб необходимы соответствующие периоды света и темноты, регулирующие их суточные ритмы. В противном случае рыбы будут испытывать стресс, а кроме того, у них могут появиться изменения в поведении и даже физиологические изменения.

Правильное освещение аквариума служит не только для лучшей демонстрации рыб, но и способствует фотосинтезу, жизненно важному для растений. Чтобы водные растения чувствовали себя хорошо, им требуется достаточно сильное освещение. Однако многие рыбы, содержащиеся в аквариумах с растениями, происходят из затенённых водоёмов, и рыбам приходится выносить слишком интенсивное освещение, вызывающее у них дискомфорт, а следовательно, и стресс.

Как сделать освещённость аквариума комфортной для его обитателей, вы прочтёте в главе «Подготовка аквариума к заселению». Освещённость измеряется специальным прибором — люксметром, единицы измерения называются люксами (отсюда и название прибора).

ТЕМПЕРАТУРА ВОДЫ

Все живые существа могут существовать только при определённых температурных условиях, разных для каждого вида. Рыбы — животные с непостоянной температурой тела. Она во многом зависит от температуры воды (и обычно почти совпадает с нею).

Температура воды имеет большое влияние на половой цикл рыб. Многие виды начинают нереститься при повышении температуры, в теплой среде быстрее созревает икра и мальки. Сам жизненный цикл и продолжительность жизни рыб зависят от температурного режима: сокращаются, «убыстряются» при поддерживании высокой температуры. Временное повышение температуры воды в аквариуме иногда используется при лечении определённых болезней, однако его следует рассматривать только как краткосрочную меру.

У каждого вида рыб свои температурные требования. Их нарушение приведёт к простуде или перегреву и, скорее всего, к гибели. Суточные и сезонные колебания температуры воды во многих природных водоёмах дают некоторую степень свободы в поддержании температуры воды в аквариуме, если там содержатся рыбы, происходящие из таких водоёмов. Когда вы приобретаете новый экземпляр для своей коллекции, не поленитесь узнать, в воде какой температуры жила рыбка. Если режим отличался от вашего, постепенно приучите её к новым температурным условиям. Вместе в одном аквариуме можно держать только тех рыб, которым требуется приблизительно одинаковая температура воды. Нормальная рабочая температура воды в аквариуме должна попадать в диапазон, приемлемый для всех видов рыб, живущих там.

Нельзя пересаживать рыбок из тёплой воды в холодную и наоборот — это приведёт к шоковому состоянию и гибели. При пересадке нежелательны колебания больше четырёх градусов. Это касается взрослых рыб, а мальки ещё чувствительнее к температурным колебаниям. Вообще, исключаются любые резкие температурные перепады — можно действовать лишь постепенно, чтобы исключить вероятность шока.

Вы можете распознать, «горячо» или «холодно» вашим рыбкам, по следующим характерным признакам: если рыба «мёрзнет», она ведёт себя вяло, медленно и неохотно плавает или лежит на дне.

При перегреве рыба хаотично мечется по аквариуму, поднимается к поверхности, пытается выпрыгнуть из воды.

Подготовка аквариума к заселению

ПРОВЕРКА И ДЕЗИНФЕКЦИЯ АКВАРИУМА

Перед установкой не поленитесь проверить аквариум на «текучесть». Особенно важно проверять старые, перешедшие к вам «по наследству» аквариумы. Для этого поставьте наполненный водой сосуд на газету и подождите хотя бы сутки. Если есть течь, газета будет мокрой, и перед установкой вам придётся подлатать будущий рыбий приют. Как это сделать, подробно описано в главе «Виды аквариумов».

После того, как вы убедились в надёжности вашего аквариума, промойте тёплой (около 50 °C) водой. Использовать моющие средства нельзя, потому что они оставляют после себя вредный осадок. Он может плохо повлиять на рыб и растения. Желательно произвести дезинфекцию, особенно если аквариум уже был в употреблении. Подойдёт 2%-ный раствор хлорной извести или 1%-ный раствор медного купороса. После дезинфекции аквариум надо тщательно промыть и протереть чистой тряпкой насухо. Бескаркасный аквариум моется тёплой водой с добавлением соли или 5% раствора уксусной или соляной кислоты. Каркасный аквариум тщательно промывают водой комнатной температуры с питьевой содой или хозяйственным мылом. Если купленный вами каркасный аквариум сделан с применением замазки, то вначале нужно удалить с каркаса её излишки, а затем уже мыть.

94

Подготовка к заселению

Внимание: не забудьте, что каркасный аквариум нельзя оставлять без воды больше чем на 2 суток — он может дать течь. Все действия по подготовке аквариума к заселению нужно производить как можно быстрее.

Необходима подставка, на которой вы установите аквариум. Это должна быть ровная, плоская поверхность, способная выдержать вес аквариума с водой. Дорогие подставки делаются в виде тумбы, в которой есть отделения для хранения аквариумных принадлежностей. Более дешёвым решением может быть стеллаж: либо сварной металлический, либо изготовленный из уголков, скреплённых болтами, либо деревянный. Возможно, у вас в доме уже есть подходящая поверхность. Если вы не приобрели специальную тумбу, то потребуется лист фанеры с отшлифованными краями по размеру дна аквариума и толщиной не менее 15 мм. Кроме того, под аквариум следует подложить лист полистирола толщиной 13 мм.

Ваш новый аквариум вы должны наполнить сначала до половины емкости. А через сутки уровень воды в аквариуме увеличьте так, чтобы до верхнего края оставалось 3–5 см. Тем самым вы достигаете постепенного увеличения давления, что позволит избежать такой неприятности, как лопнувшие стёкла. Но это в большей степени относится к более крупным аквариумам. При заполнении таких больших емкостей водой рекомендуется пользоваться длинным шлангом, чтобы воду можно было забирать прямо из-под крана.

Пусть ваш аквариум постоит таким образом заполненный водой в течении суток. За это время вы обнаружите, не подтекает ли он. Затем всю воду из аквариума слейте. Это необходимо для окончательной очистки аквариума.

ЗАТЕМНЕНИЕ ЗАДНЕЙ СТЕНКИ

Ещё одно действие, которое рекомендуется специалистами, — затемнение задней стенки. Есть смысл затемнить заднюю стенку во всех стандартных аквариумах. Во-первых, тёмное стекло не даёт воде цвести и размножаться водорослям. Это обстоятельство очень важно, если аквариум стоит под прямыми солнечными лучами. Во-вторых, рыбкам в искусственном водоёме важно чувствовать себя уютно, а затемнённое стекло как раз даёт этот эффект, создавая видимость убежища. В ваших же интересах обеспечить рыбкам защиту, оформив заднюю, а может быть, и боковые стенки. Рыбки, чувствующие себя в безопасности, свободно плавают по аквариуму, в противном случае они ведут себя беспокойно и большую часть времени проводят в укрытиях. Лишите их укромных мест, и они будут жаться по углам. Даже если вы не собираетесь делать затемнение, позаботьтесь, чтобы у рыбок было достаточно убежищ, в которых они могли бы чувствовать себя в безопасности. И наконец, благодаря этой мере многие рыбки и растения будут смотреться ещё эффектнее на темном фоне.

Может быть, стоит подумать об объёмном фоне — лучшем декоративном оформлении любого аквариума. Ничто по своей красоте не сравнится с высокодостоверным видом подводного ландшафта.

Плоский фон в виде плёнки с нанесённой фотографией подводного пейзажа — наиболее распространённый вид декораций, используемый аквариумистами. Существует огромное разнообразие расцветок фонов, на которых запечатлены пресноводные и морские пейзажи. Другим решением может быть лист цветной бумаги или пластика, приклеенный сзади к стеклу. Крашеная доска или тёмный коврик — ещё две возможности оформить фон.

Морской аквариум

 Морской аквариум

Петушок

Пятнистый гурами

Золотой гурами

Звездчатый агамикс

Барбус Шуберта (желтый)
и зелёный барбус

Барбус мутант

Оливковый клоун

Трехполосая радужница

Обыкновенный метиннис

Полосатый лепорин

Цветной карп Кои

Двухцветный лабео

АЭРАЦИЯ

Перед тем как наполнить аквариум водой, нужно подготовить систему аэрации. Она необходима в любом искусственном водоёме, даже если в нём обитает много растений, насыщающих воду кислородом. Дело в том, что аэрация не только повышает концентрацию кислорода в воде. Она ещё способствует циркуляции воды и выравниванию температуры во всех участках аквариума, устраняет резкие перепады температуры воды как по горизонтали, так и по вертикали. Аэрация усиливает проточность грунта, обеспечивает создание необходимых условий для нормальной жизнедеятельности почвенных бактерий, что способствует установлению биологического равновесия.

Система аэрации состоит из компрессора, распылителей и тонких шлангов-трубочек, соединяющих их. Компрессор — это устройство для подачи воздуха в аквариум. Подача воздуха необходима для нормального обеспечения кислородом обитателей аквариума. Вы можете воспользоваться поршневым или вибрационым компрессором. Компрессоры сжимают и подают воздух под давлением. Они обладают различной мощностью и все практически бесшумны. Можно самостоятельно сделать компрессор из резиновой камеры от велосипеда, автомобиля или мяча. Воздух нагнетается насосом или резиновой грушей (надуть камеру ртом нельзя). Напор воздуха можно контролировать с помощью специальных зажимов. За пояснениями по устройству обратитесь к рисунку. Таким образом можно подавать воздух в аквариум 1–2 раза в день.

Распылитель тоже можно сделать самому из маленькой палочки, полой внутри, или из бруска пемзы. Помните, что чем меньше

97

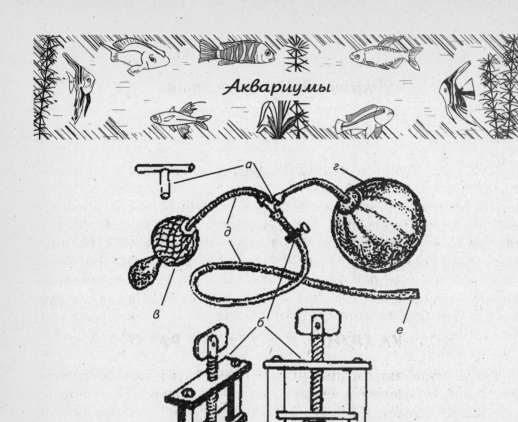

Компрессор, изготовленный из камеры от футбольного мяча:
а — тройник, б — зажим, в — груша от пульверизатора,
г — футбольная камера, д — резиновый шланг, е — распылитель воздуха

пузырьки воздуха, выходящие из распылителя, тем больше кислорода поступает в водную среду.

Трубочки, соединяющие компрессор и распылитель, должны быть сделаны из хлорвинила, силиконого каучука или резины красного цвета. Резиновые трубки других цветов обычно содержат вредные для рыб вещества.

При подготовке аэрационной системы проверьте, достаточной ли длины соединительные трубочки. Их укладывают первыми. Поскольку они не украшают аквариум, их желательно замаскировать в грунте или спрятать за подводными предметами. Трубочки-шланги нужно закрепить, потому что во время работы они будут всплывать. Их нельзя зажимать или перегибать. Распылитель размещается на грунте. Его тоже лучше спрятать за подводными предметами, чтобы были видны лишь красивые струйки пузырьков воздуха.

УКЛАДКА ГРУНТА И ПОСАДКА РАСТЕНИЙ

После установки аэрации можно приступить к укладке грунта. О том, как это сделать и какой грунт лучше подходит для аквариума, подробно написано в главах «Грунт» и «Оформление аквариума». Кстати, стоит сказать, что порядок всех шагов по подготовке аквариума к заселению довольно условен. Например, вы можете сначала залить воду, а потом уложить грунт. Можно менять порядок и других действий.

Грунт в аквариуме располагают более толстым слоем (не менее 5 см) вдоль задней стенки и по бокам так, чтобы в передней части аквариума образовалось углубление; здесь сосредоточиваются остатки несъеденной пищи и экскременты, удаляемые с помощью шланга или грязечерпателя. Перед укладкой грунт тщательно промывают. Моют его обычно в тазу, помешивая палкой или рукой; грязную воду с мелкими песчинками и мусором сливают через край, камешки выбрасывают. Промывание песка продолжается до тех пор, пока вода станет прозрачной. Обычно приходится сменять воду 20—40 раз.

О посадке растений тоже подробно написано во вступлении к разделу «Растения». Поэтому здесь мы дадим лишь несколько кратких советов.

Перед посадкой все растения следует промыть чистой водой комнатной температуры. Желательно также продезинфицировать растения следующим образом: развести 1%-ный раствор квасцов или 2%-ный раствор марганца на 1 л воды и опустить туда растения на 5–10 минут. Затем промойте растения под водопроводной водой. Не забудьте удалить подгнившие листочки и корешки и укоротить длинные корешки по толщине слоя грунта.

Растения для посадки в большинстве случаев следует брать молодые, они лучше приживаются и принимают более активное участие в процессе биологической обработки воды, с их помощью быстрее устанавливается биологическое «равновесие» в аквариуме.

Растения, укореняющиеся в грунте, сажают так, чтобы ростовая почка была на поверхности грунта, а корни полностью засыпаны. Во многих случаях растения желательно содержать в горшочках из обожжённой глины. На дне горшочка должны быть отверстия для вентиляции. Делается это в тех случаях, когда в аквариуме обитают рыбы, любящие рыться в грунте, или когда необходимо ограничить разрастание растения.

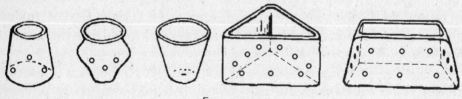

Горшочки

Крупные и густые растения будут лучше выглядеть, если посадить их на заднем плане, а источник света будет сверху аквариума. Растения поменьше хорошо смотрятся в середине и по боковым стенкам подводного уголка. Растения желательно располагать по бокам и у задней стенки аквариума так, чтоб спереди оставалось свободное пространство для плавания рыб и их кормления. Одновременно необходимо обращать внимание на потребность растений в свете: светолюбивые следует располагать ближе к источнику света, а менее требовательные — дальше. Часть аквариума ближе к передней стенке лучше оставить свободной, чтобы было лучше наблюдать его обитателей. Если вы приобрели различные виды водных растений, то размещайте их в следующем порядке: растения, укореняющиеся в грунте; растения, плавающие в толще воды, и последними — растения, обитающие на поверхности воды (естественно, только после заполнения аквариума водой). Внешне сходные виды, например разные валлиснерии, лучше рассаживать подальше друг от друга.

Тип озеленения и количество растений в аквариуме обусловлены в первую очередь соотношением рыбы — растения. Большие, проворные рыбы, особенно если их много, нуждаются в большом количестве кислорода. Это означает, что они требуют и растений в большем количестве, чем мелкие рыбы, особенно если их мало. Но при этом объём озеленения зависит от вида рыб. Среди них есть такие, кому подходят густые заросли (лабиринтовые рыбы). Но для обитателей открытых вод, нуждающихся в пространстве для плавания, надо густо засадить только дальние уголки, а у боковых стенок и с задней стороны аквариума нужно разместить растения отдельными группами.

Вы можете расположить растения согласно вашему вкусу, но растительность в большинстве случаев не должна занимать более 1/3 площади водоема. Во-первых, многие рыбы будут некомфортно себя чувствовать в небольшом объёме водного пространства. Во-вторых, растения днём производят больше кислорода, чем углекислого газа, а в темноте они только поглощают кислород, и это может привести рыбок в аквариуме к кислородному голоданию.

ЗАПОЛНЕНИЕ АКВАРИУМА ВОДОЙ

После укладки грунта, посадки растений и подготовки аэрационной системы в аквариум наконец можно заливать воду. При этой процедуре тоже нужно соблюдать несколько несложных правил.

Новый аквариум сначала наполняется лишь до половины. Через пару дней уровень воды увеличивают до необходимого. Это мера предосторожности, направленная на то, чтобы от давления воды не лопнули стенки.

Перед заполнением обратите внимание на вашу воду. Она должна быть прозрачной и бесцветной, без запаха и без примесей.

Чтобы заполнить большой аквариум, воспользуйтесь шлангом. Лучше направить струю так, чтобы вода лилась на тарелку или блюдечко, перевернутое вверх дном. Это делается для того, чтобы сильная струя не размыла тщательно уложенный грунт.

Если вы наполняете аквариум без шланга, подставьте под струю тарелку, блюдечко, лист картона или бумаги, просто руку.

Ни в коем случае не помещайте рыбок и других животных в только что налитую воду. Если это водопроводная вода, дайте ей отстояться 2–3 суток. За это время из неё должны улетучиться раз-

Наполнение аквариума водой

личные газы, включая избыточный кислород и вредный хлор. Вы можете ускорить этот процесс, если подогреете воду до температуры 60–70 °C, а потом остудите до комнатной температуры. Можно налить в аквариум уже отстоянную воду. Для этого заранее наполните все ваши имеющиеся сосуды с большой площадью поверхности — вёдра, тазики, корыто или ванну. Бутылки или банки не подходят.

Лучше не брать воду из природных водоёмов, пусть она даже выглядит кристально чистой. Дело в том, что невидимые микроорганизмы, попав в искусственный водоем из природного, могут начать размножаться. Это приведёт к «цветению» или помутнению воды в аквариуме. В таком случае затемните сосуд, пока вода не станет снова прозрачной.

Обычно аквариум с водой накрывают стеклом, которое защищает его от пыли, помогает сохранять постоянный температурный режим, не даёт рыбам выпрыгнуть из воды. С открытым аквариумом

в комнате повышается влажность. Для этого, а также для того, чтобы уменьшить испарение воды и предохранить аквариум от домашних животных, нужна крышка. Если вы по каким-то причинам не желаете накрывать сосуд сверху, понизьте уровень воды так, чтобы рыбы не могли выпрыгнуть. Можно класть стекло не прямо на стенки, а на специальные подставки высотой около 1 см. Такая мера необходима для каркасных аквариумов — она предохраняет их от ржавления. Хорошая крышка должна не только надёжно защищать рыбок — её нужно приспособить для устройства электропроводки и освещения.

Нелишне напомнить о соблюдении особой осторожности при работе с электроприборами.

Проверьте действие всей системы вместе с освещением в течение 3 суток. Такая проверка позволит вам отрегулировать аквариумное оборудование и научиться управлять своим аквариумом.

Между заполнением аквариума водой и запуском рыбок должно пройти примерно 10—14 дней. За это время на фильтрующей системе разовьются бактерии, необходимые для биологической фильтрации (период созревания фильтра). В какой-то момент сильно повысится содержание нитритов, а когда их уровень после этого пика упадёт до нуля, можно запускать рыбок. В настоящее время есть возможность ускорить процесс установления азотного цикла в аквариуме, добавив в воду биостартеры, которые продаются практически во всех зоомагазинах. После их применения рыб можно запускать уже через сутки.

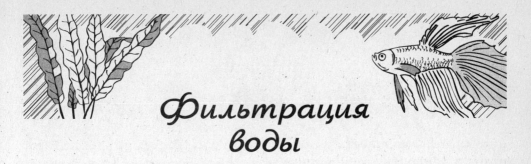

Фильтрация воды

Из-за того что аквариум — водоём искусственный, в нём всегда будут скапливаться частицы грязи, несъеденного корма и другого мусора. Небрежности в кормлении в малом аквариуме очень быстро приводят к загрязнению его несъеденными частичками пищи, их разложению и порче воды. Гниющие остатки пищи являются идеальной пищей различным микроорганизмам, бактериям и простейшим. Это вызывает помутнение воды, изменение её газового состава, что проявляется в неприятном запахе. Бактерии образуют пленку на поверхности воды, что мешает газообмену и, как следствие, вредные газы накапливаются по нарастающей. Рыбы теряют аппетит, им не хватает кислорода, они плавают возле поверхности воды, часто заглатывают ртом окружающий воздух. В результате разложения продуктов жизнедеятельности рыб, остатков корма и прочей органики в воду аквариума выделяется аммиак (NH_3), который является смертельным ядом для рыб. Летальная концентрация аммиака колеблется в пределах от 0,1 до 0,6 мг/л, в зависимости от температуры, щелочной реакции и концентрации солей. В природе аммиак, растворённый в воде, практически полностью поглощается водорослями и водными растениями и окисляется некоторыми видами бактерий в менее токсичные нитриты, а затем в ещё более безвредные нитраты, которые тоже поглощаются растениями. То же самое происходит и в аквариумах с пышной водной растительностью и небольшим количеством рыб. Удалить аммиак из аквариума можно с помощью фильтрации воды.

Фильтр — это устройство для очистки воды. Некоторые модели фильтров, помимо механической очистки, имеют возможность

производить ещё биологическую и химическую очистку воды, а также насыщение воды кислородом. Как они работают? Вода, захваченная вместе с пузырьками воздуха, попадает в наполнитель. Там происходит фильтрация: частицы грязи остаются в наполнителе, а вода возвращается в аквариум. Наполнитель загружается песком, гравием, фарфоровыми или глиняными частицами.

По своему механизму фильтрацию можно разделить на три типа:

Механический — фильтр служит для задержки крупного, не растворенного в воде мусора. Поскольку экскременты рыб и остатки пищи являются источником токсичного аммиака, то наилучший способ не допустить гниения — это удалить их из аквариума. Что и достигается путём использования крупноячеистого фильтра или губки, который регулярно надо промывать. К подобной механической фильтрации можно отнести и регулярную чистку дна сифоном, которую надо делать при каждой смене воды. Механическая фильтрация может использоваться и для очистки воды от взвешенных частиц.

Химический — фильтр удаляет растворённые в воде вещества. Задача химической фильтрации состоит в том, чтобы задержать ядовитые (или потенциально ядовитые) молекулы, которые содержатся в воде. Наиболее популярным видом химической фильтрации является использование активированного угля. Действие угля обеспечивает его исключительно пористая структура, то есть большая площадь поверхности. Активированный уголь может обладать высокой степенью эффективности. Помимо ядовитых соединений он поглощает также кислоты, разнообразные красители и медикаменты, а поэтому фильтрование с помощью угля нельзя сочетать с

добавкой кислот или медикаментов. Грязь — злейший враг активированного угля и его пористой поверхности. Поэтому угольный фильтр в общей цепи фильтров непременно должен занимать последнее место, а все процессы механической очистки надо провести заранее. К химической фильтрации можно отнести и флотационные колонки, которые удаляют органические молекулы из воды прежде, чем они будут разложены с выделением аммиака. Озонаторы тоже в какой-то степени выполняют химическую фильтрацию путём окисления органики.

Биологический — наиболее важный вид фильтрации, в результате которого токсичный аммиак преобразуется в нетоксичные нитраты. Он удаляет из воды растворённые органические соединения и продукты обмена веществ с помощью деятельности бактерий. В этих процессах участвуют главным образом аэробные бактерии — крошечные живые организмы, деятельность которых обусловлена богатым содержанием кислорода в воде. Производительность биофильтра со временем падает. Происходит это из-за засорения мусором фильтрующего элемента, в качестве которого используются недорогой лавалит (лавовая крошка разной зернистости), пемза и другие естественные материалы пористой структуры и соответственно большой площади поверхности. Поэтому периодически необходимо его промывать. Делать это необходимо очень осторожно только в воде, слитой из того же аквариума, чтобы не погубить созревшую на нём культуру бактерий. Очень удобно, когда конструкция фильтра предусматривает установку перед основным фильтрующим элементом легкосъёмного наполнителя для грубой очистки воды. Однако применять биофильтр стоит лишь в перенаселённых или сильно загрязняемых аквариумах, потому что он оказывает

вредное действие на растения. В аквариуме, засаженном растениями, с нормальным количеством рыб можно обойтись без него, тем более что растения сами являются естественными биофильтрами.

Фильтры бывают неподвижные, вращающиеся, с самодельными или покупными наполнителями. Ниже описаны виды фильтров (классификация по их размещению).

Донный фильтр — закрепляется в грунте. Представляет собою пластину из пластика с большим количеством отверстий для прохода воды, помещенную на расстоянии 1–2 см от дна аквариума. На эту пластину кладется грунт. Желательно, чтобы грунт был не слишком плотным, иначе вода будет плохо циркулировать. Донные фильтры способствуют развитию полезных грунтовых микроорганизмов. Фильтрующий наполнитель нужно чистить раз в три месяца. Схема донного фильтра с обратным током воды предположительно имеет большую эффективность по сравнению с обычным донным, поскольку закачиваемая под пластину вода «поднимает» грязь из грунта. Не следует использовать такой фильтр и в аквари-

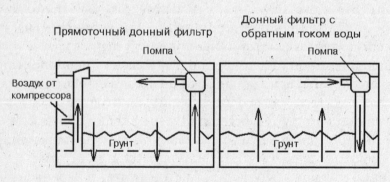

Прямоточный донный фильтр

уме с растениями. Проблема заключается в том, что при такой фильтрации происходит вымывание питательных веществ из грунта, где они доступны корням растений, в воду.

Внутренний фильтр — один из самых простых типов фильтров, используемых в аквариуме. Он проще в употреблении, чем донный. Чтобы почистить его, нужно всего лишь снять и вымыть поролоновый чехол, одетый на распылитель. Наполнитель может быть любым — губка, активированный уголь, керамика и т. д. Несмотря на свою простоту, этот фильтр может быть очень эффективным

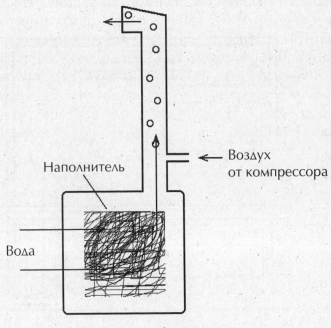

Внутренний фильтр

для аквариума небольшого размера, например, для карантинного или для запуска нового.

Наружный фильтр как следует из названия, располагается вне аквариума. Он имеет строение посложнее. Заполняется активированным древесным углем. Активированный уголь является одним из наиболее распространённых наполнителей для фильтров и используется для химической фильтрации. Как и всякий наполнитель, он является также и средой для заселения бактерий, осуществляющих биофильтрацию, но при этом эффективность угля как химического фильтра снижается, из-за того что поры оказыва-

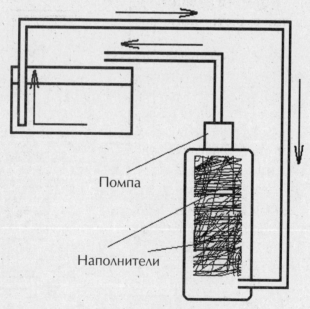

Помпа

Наполнители

Наружный фильтр

ются забитыми. Активированный уголь имеет большое количество микроскопических пор и за счёт этого поглощает органические молекулы из воды. Особенно эффективен он для фильтрации органики, которая придаёт воде желтоватый цвет, запах и т. д. Также эффективен он и для удаления тяжёлых металлов из воды, хлора из воды при осмотической фильтрации. В настоящее время внешний фильтр является, пожалуй, самым популярным фильтром для пресноводных аквариумов. Внешние фильтры ставят рядом с аквариумом или подвешивают на его внешней стороне. Если такой бачок висит сбоку на стенке аквариума и открыт сверху, то уровень воды в нём и в аквариуме непременно должен быть одинаковым.

Песочный фильтр является одним из самых эффективных для биологической фильтрации воды, несмотря на то, что распространён не очень широко. Даже небольшой по объёму фильтр способен обеспечить эффективную фильтрацию для большого аквариума. В фильтре вода поступает снизу, постоянно перемешивая песок. На песке селятся бактерии. Часто в воду производится подача воздуха от компрессора для большего насыщения ее кислородом. Перемешивание песчинок, на которых находятся бактерии, обеспечивает

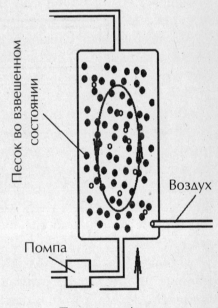

Песок во взвешенном состоянии

Воздух

Помпа

Песочный фильтр

кислород и органику для бактерий. При этом песчинки трутся друг об друга, не давая нарасти толстому слою бактерий и органики, который снижает эффективность фильтра. Но он не осуществляет механической и химической фильтраций.

Объем фильтра и скорость обращения воды должны соотноситься с объемом аквариума, размером и количеством рыб и их аппетитом, а также с требованиями к движению воды. Если у вас довольно большой аквариум, стоит установить в нём два маленьких или средних фильтра вместо одного большого: это значительно улучшит очистку воды. Сами фильтры можно будет чистить в разное время, не нарушая при этом биологической фильтрации, а при неисправности одного временно можно обойтись только вторым.

Фильтр можно совместить с озонатором. Тогда вода подвергается стерилизации, но рыбы и растения не входят в соприкосновение с озоном. Озоновый фильтр нельзя использовать в только что устроенном аквариуме, так как он уничтожает полезных бактерий.

Иногда через фильтр в воду вносятся лекарственные препараты, предназначенные для растворения. В этом случае также можно порекомендовать использование угля — до внесения в аквариум антибиотиков и других медицинских препаратов. При этом удаляется органика, которая снижает эффективность лекарств. Желательно сменить воду в объёме 1/3–1/4 аквариума. Аналогично можно использовать уголь для удаления лекарств после лечения.

Любые фильтры необходимо регулярно чистить, так как загрязнённые фильтры сами становятся источником вредных и ядовитых веществ, особенно опасных для чувствительных к составу воды видов рыб.

Обогрев

Это важная глава, которую обязательно надо прочитать начинающему любителю. Очень часто причиной заболеваний рыбок, их неважного внешнего вида, неестественного поведения становится неправильный температурный режим. Признаки переохлаждения или перегрева рыбок и несколько полезных практических советов даны в главе «Температура». Если вы ещё не прочли её, познакомьтесь с ней прямо сейчас.

Большинство аквариумных рыбок привыкли к температуре воды от 25 до 30 °C. Поэтому вода в вашем аквариуме должна постоянно поддерживаться на необходимой отметке. Изменение температуры среды, то есть воды, оказывает большое влияние на рыбок как на животных, не имеющих постоянной температуры. Если повысить температуру воды, то ускоряются все жизненные процессы, рыба быстрее растёт, достигает половозрелости, но и скорее старится. Другими словами, чем теплее вода, тем быстрее протекает жизненный цикл у рыб. Изменение температуры среды влияет на температуру тела рыб и растений и ведёт к изменению скорости обменных биохимических процессов в организмах, что в значительной степени отражается на их здоровье и состоянии. И наоборот, холодная вода приводит к замедлению всех жизненных процессов.

Чтобы поддерживать правильный температурный режим, нужно использовать различные обогреватели.

Менее прихотливыми к температурным условиям являются рыбы, живущие в водоемах умеренной зоны. В природе они приспосабливаются к условиям холодного времени года: впадают

в спячку, зарываются в ил на дне, совершают путешествия в поисках тёплых водоёмов. Они привычны к серьёзным температурным перепадам в течение суток. Таким рыбам легче создать подходящий температурный режим.

Сложнее с тропическими рыбками. Температура воды в тропических водоёмах практически не меняется на протяжении суток. Она остаётся более или менее постоянной и в течение календарного года. В аквариуме таким рыбкам нужно создать и поддерживать постоянный температурный режим. Обычно он колеблется от 20 до 28 °C. Экзотические рыбы плохо переносят температурные колебания, большинство из них не выдерживают температуры ниже 18–20 °C. Ещё «капризнее» в этом отношении мальки. Ещё одним аргументом в пользу наличия подогревающего устройства может быть то, что иногда приходится существенно поднимать температуру для профилактики заболеваний рыб или лечения.

Без искусственного подогрева большой аквариум, наполненный водой, вряд ли прогреется больше, чем до 15 °C. В таких условиях не смогут выжить многие рыбы. Поэтому необходимо использовать электрические обогревательные приборы. Подогретая вода без дополнительных усилий снова охлаждается до температуры окружающей среды. У большинства аквариумов тепловой изоляции нет, а стекло не является настоящим изолятором, даже органическое стекло в этом смысле более эффективно. Не менее важно, чтобы отдаваемое обогревателем тепло равномерно распределялось по резервуару, так как образование разных тепловых зон помешает свободному движению многих видов рыб в аквариуме.

Обогреватели различаются по устройству, но наиболее часто представляют из себя стеклянную пробирку с размещённым в квар-

Обогрев

цевом песке нагревательным элементом в виде спирали. При применении такого обогревателя необходим ручной, постоянный контроль температуры при помощи термометра. Простая забывчивость может привести к перегреву и гибели рыб. Обычно спиральные обогреватели размещают в углу аквариума или прикрепляют присосками к стене. Важно, чтобы верхний конец был над поверхностью воды.

Вы можете сделать спиральный обогреватель сами. Для этого потребуются: пробирка, лучше из кварцевого стекла, стеклянные палочки небольшого диаметра и спираль из нихромовой проволочки сечением 0,1 мм. Вместо нихромовой проволочки можно использовать керамические элементы. Спираль наматывается на палочки, которые помещаются в пробирку. Всё свободное место в пробирке заполняется кварцевым песком (обязательно сухим). Пробирка плотно закупоривается каким-нибудь герметичным материалом, например резиной. Провод, выходящий из пробирки, должен быть хорошо изолирован.

Соляной обогреватель — состоит из стеклянной трубки, закупоренной с концов резиновой пробкой, и электродов. Когда электрический ток проходит через соляной раствор, выделяется тепло. Оно и используется в аквариумах. Мощность обогревателя прямо пропорционально зависит от концентрации раствора поваренной соли. Регулировать мощность можно, изменяя концентрацию соляного раствора. Если необходимо повысить температуру в аквариуме, добавьте соли, если, наоборот, понизить, — замените часть раствора на обыкновенную воду. Рекомендуется отрегулировать соляной обогреватель в аквариуме без рыбок и растений, чтобы определить нужную концентрацию раствора для требуемого температурного режима.

Песочный обогреватель включается в сеть через терморегулятор или только на какое-то время, не постоянно.

Есть специальные системы с терморегуляторами, которые автоматически поддерживают необходимую температуру. Они основаны на взаимодействии контакта термометра и электрического реле. Когда ртутный столб достигает высшего предела поддерживаемого температурного режима, реле размыкает цепь подогрева и прибор выключается. Такие устройства хороши для содержания особо чувствительных рыб и при сильных колебаниях температуры днём и ночью (если, например, ваш аквариум стоит на окне). Но всегда используйте отдельный термометр. Даже если в нагревателе есть указатель температуры.

Можно подогревать воду в аквариуме снизу, разместив под грунтом аквариума или под дном обогревательный кабель или плату, размер которой должен точно соответствовать размеру дна. Кабельные нагреватели прикрепляют на присосках внутри резервуара, на дне, и засыпают гравием. Следуя закону физики, подогретая вода стремится вверх, а холодная вода опускается на дно, чтобы

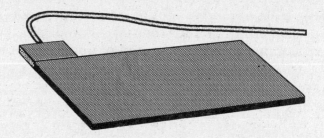

Обогревательная плата

Обогрев

Кабельный нагреватель

снова подогреться, т. е. циркуляция воды происходит без дополнительной помощи. Кабельные нагреватели, которые размещают внутри самого аквариума, должны быть очень высокого качества.

Если по каким-то причинам вы не пользуетесь обычными обогревателями, можно применить следующий способ. Поставьте аквариум рядом с отопительной батареей так, чтобы между ними оставалось немного свободного места. В этот зазор положите грелку или другую ёмкость с водой. Так вы поднимете температуру в аквариуме на несколько градусов. В таблице 2 приведены образцы расчётов по вычислению мощности обогревателя. В третьей колонке (мощность А) даются показатели мощности обогревателя при температуре выше комнатной на 5 ˚C. В четвёртой колонке (мощность В) приведены показатели необходимой мощности обогревателя при температуре выше комнатной на 10 ˚C.

Нельзя использовать нагревательные приборы в аквариуме, где нет достаточной циркуляции воды. В таких аквариумах вода будет прогреваться неравномерно: в районе терморегулятора она будет приемлемой температуры а на поверхности слишком горячей, у дна — слишком холодной.

Аквариумы

Длина аквариума, мм	Ёмкость аквариума, л	Мощность А, Вт	Мощность В, Вт
250	5	8	11
350	15	12	23
400	20	15	27
500	40	30	42
600	50	40	51
700	65	47	60
1000	200	80	135

Не забывайте, что нагреватель — это электрический прибор, который при неправильной эксплуатации или неисправности может причинить проблемы не только рыбкам, но и вам. Поэтому не используйте нагреватель, если у него повреждена изоляция. Если розетка находится ниже уровня воды в аквариуме, то нагреватель, так же как и другие электроустановки в аквариуме, включайте в розетку, чтобы нижняя часть висящего шнура была ниже розетки. В этом случае, если по проводу начнёт капать вода, то она не попадёт в розетку.

Для измерения температуры воды в аквариуме применяются спиртовые и ртутные термометры. С ртутными термометрами необходимо обращаться очень осторожно, т. к. при их поломке находящаяся внутри колбы ртуть может оказаться в аквариумной воде.

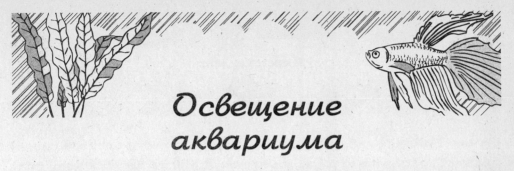

Освещение аквариума

Перед тем как почерпнуть полезные сведения из этой главы, вернитесь назад и просмотрите главу «Освещённость воды». Раньше было сказано, что чем меньше света получает аквариум, тем лучше. Но и полная темнота для рыбок — то же самое, что палящие лучи солнца. Здесь, как и во всём остальном, нужно соблюсти золотую середину. Важно учесть потребности растений — ведь для них свет (если его не много и не мало) означает жизнь. Правильное освещение аквариума служит не только для лучшей демонстрации рыб, но и способствует фотосинтезу, жизненно важному для растений. Интенсивность фотосинтеза напрямую связана со степенью освещения. Для разных растений нужна различная степень освещённости. По этому признаку они делятся на тенелюбивые и светолюбивые.

Интенсивность освещённости аквариума зависит от толщины водного слоя и количества растений. Оптимальное освещение — верхнее, равномерно распределённое по всей площади. Лучше всего размещать источник света сверху, немного ближе к переднему стеклу. Мощность ламп, необходимых для нормального освещения аквариума, как правило, подбирается из расчёта 1 Вт на 2–4 л воды, то есть для аквариума ёмкостью 100 л нужна лампа от 50 до 100 Вт. В стандартных водоёмах мощность освещения на 1 дм² дна должна составлять 1,5–2 Вт для ламп накаливания и 0,7 Вт для люминесцентных ламп. Такой мощности вполне достаточно для того, чтобы наблюдать за рыбами и при этом они не испытывали стресса.

Для нормальной жизнедеятельности растениям требуется весь видимый световой спектр, особенно важны сине-зелёный и красный

Аквариумы

цвета. Длинноволновый диапазон видимой части спектра благоприятно воздействует на деление клеток и рост растения в длину; коротковолновые сине-фиолетовые лучи тормозят рост, но одновременно с этим вызывают увеличение массы и цветение. Поэтому для удовлетворения требований растений и рыбок вряд ли возможно обойтись естественным источником освещения — необходимы искусственные источники.

Всем аквариумным растениям требуется особая продолжительность светового дня (то есть то количество часов в сутки, когда аквариум освещается). В среднем световой день зимой составляет 11–12 часов, летом — 12–13 часов. Постарайтесь совместить светолюбивых рыбок со светолюбивыми растениями, чтобы одни не страдали из-за других от избытка света. Лучше интенсивный свет и только на 8–10 часов, чем приглушённый или рассеяный — на 16 часов. Растениям для фотосинтеза вообще хватает 5–6 часов яркого светового дня. В случае, когда для роста растений требуется более яркий свет или аквариум слишком глубок, необходимо достичь компромисса, постаравшись при этом не рисковать благополучием рыб. У большинства живых существ в аквариуме есть так называемые биологические часы. И было бы неправильно без необходимости нарушать заданную природой равномерность в чередовании дня и ночи. При этом важно регулярно включать и выключать лампы в одно и то же время.

Выращивайте только растения, способные жить при относительно низком уровне освещения, необходимом для многих рыб. На некоторых участках аквариума выращивайте растения, у которых листья находятся на поверхности воды или вблизи неё, а в других местах оставляйте открытые пространства для низких растений —

Освещение аквариума

тогда у рыб будет выбор. Освещайте только часть аквариума или сосредоточьте наиболее яркое освещение в определённой его части — там, где больше всего растений. Это тоже необходимо для того, чтобы рыбы имели возможность выбрать наиболее подходящую для них среду. Выберите для своего аквариума растения с листьями, дорастающими до поверхности воды и стелющимися по ней (в том числе и плавающие растения) — тогда рыбы смогут плавать в тени этих листьев. Для этого сначала обустройте аквариум и засадите его растениями. Затем им нужно дать возможность укорениться и вырасти для создания необходимой тени. Все это следует сделать ещё до того, как в аквариум будут запущены рыбы.

Для искусственного освещения аквариума обычно используют лампы накаливания, люминесцентные лампы и их сочетание.

Лампы накаливания — хороши почти для всех видов растений. Обычно их располагают в качестве боковой подсветки. Тогда тёплый свет этих ламп лучше подчёркивает яркую окраску рыб и красоту подводного ландшафта. Лампы накаливания должны быть снабжены рефлекторами — аквариум подсвечивается как бы изнутри. Их основной недостаток — очень малая часть вырабатываемой энергии «работает» на освещение. Большая часть энергии преобразуется в тепло. Из-за этого лампа такого типа не должна касаться стеклянных стенок или располагаться слишком близко к ним. Обычно лампы накаливания размещают на расстоянии 5–30 см от поверхности воды. Всё же их использование приводит к нежелательному нагреванию верхнего слоя воды, установлению неравномерной температуры в разных участках аквариума. Из-за этого они непригодны для содержания холодноводных рыб. Если основу освещения у вас составляют лампы накаливания, нужно

в интересах ваших рыбок использовать аэрацию и автоматические терморегуляторы.

Люминесцентные лампы экономичнее ламп накаливания. Они хороши для верхнего освещения. Если на такие лампы случайно попадут брызги, ничего не случится. Люминесцентные лампы не нагреваются во время работы и не излучают чрезмерного тепла. Светильник с одной или несколькими люминесцентными лампами, для каждой из которых необходима пускорегулирующая аппаратура, представляет собой наиболее распространённый тип освещения аквариума. Некоторые блоки управляют двумя лампами. Лампы обычно устанавливаются в крышке вдоль длины аквариума. Обычно они на 15 см короче длины аквариума. Не обязательно применять только лампы дневного света. Даже полезнее будет использование ламп тёплого белого света или с преобладанием синего и красного излучения. Ряд преимуществ люминесцентных ламп не может компенсировать один из недостатков — некорректный спектр освещения. У данных осветителей занижен цветовой диапазон в красной стороне спектра. Данная область спектра способствует росту и делению растительных клеток. Очень полезна эта область спектра и для аквариумных рыб. Восполнить его можно совместным использованием люминесцентных лам и ламп накаливания. Существуют в продаже и специальные, так называемые биологические лампы, со сбалансированным спектром. Несколько лет назад были разработаны точечные светильники для аквариумов, которые создают оригинальную подсветку с теневыми эффектами, концентрируя свет на отдельных участках без чрезмерного освещения всего аквариума.

Поскольку все предметы в природе освещаются солнцем, растения предпочитают верхнее освещение. Поэтому лучше всего раз-

мещать источник света сверху и ближе к переднему смотровому стеклу. Рыбы в этом случае выглядят эффектнее, а растения хорошо развиваются. Равномерное освещение таким способом гарантирует нормальное формирование растений.

Как рассчитать, сколько ламп нужно для освещения вашего аквариума? Соотнесите мощность ламп и размеры сосуда. При толщине водного слоя около 0,5 м требуется одна люминесцентная лампа на каждые 20—30 см ширины аквариума. К сожалению, такие лампы тоже имеют свой существенный недостаток: они довольно быстро теряют мощность и выходят из строя. Вы, наверное, знаете это их свойство по простым лампам дневного света.

В крайнем случае, если у вас совсем небольшой аквариум, можно применить обыкновенную настольную лампу (постарайтесь разместить её так, чтобы освещение распределялось равномерно по всей водной поверхности).

Продумайте заранее электрическую схему подключения, особенно если вы собираете всё сами. С электричеством, особенно во влажной среде, шутить нельзя. Обязательно используйте заземление и предохранители, отключающие питание при утечке тока на земляной провод.

Пока ваш аквариум только готовится к заселению, у вас есть хорошая возможность отрегулировать будущий температурный режим. Для этого подключите на день все системы освещения и замерьте температуру. На ночь отключите искусственные источники освещения и через некоторое время ещё раз измерьте температуру. Так вы узнаете (с учётом понижения температуры в ночное время суток), насколько искусственное освещение повышает температуру в аквариуме.

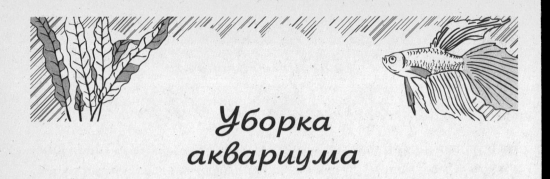

Уборка аквариума

Как бы ни было скучно читать, а главное, выполнять советы по уборке, делать это необходимо. Ведь сами рыбки, живущие в искусственном водоёме, не могут поддерживать чистоту и порядок, значит, заниматься этим придётся вам. Не ленитесь — гораздо тяжелей лечить рыбок от разных болезней, развившихся из-за плохих условий содержания, чем время от времени выполнять несколько несложных уборочных процедур. Регулярная чистка аквариума придаёт ему более опрятный и эффектный внешний вид, животные и растения в нём не болеют и радуют глаз своей яркостью и чистотой. Лучше совершать несколько простых операций каждый день, чем генеральную чистку раз в два месяца. Чем меньше и реже вы беспокоите животных и растения, тем лучше они себя чувствуют.

Ежедневно следует кормить рыб 1–2 раза в день, утром давая пищу в небольшом количестве, а вечером столько, сколько могут съесть рыбы за 3–5 минут, вечером удалить остатки пищи после кормления, проверить температуру воды.

Раз в неделю необходимо удалить с помощью груши со стеклянным наконечником или резинового шланга нечистоты с грунта, протереть тряпкой или губкой смотровое стекло, стереть пыль с покровных стекол, наружных частей аквариума и подставки.

В аквариуме средних размеров необходимо производить уборку один или два раза в месяц. Нужно частично заменить воду, очистить грунт и удалить погибших животных и отмершие растения, тщательно удалить грязь из аквариума, очистить стебли и листья

от осевшей мути, стенки от зелени и извести, вымыть покровные стёкла.

Весной нужно сделать генеральную уборку аквариума, при необходимости сменить часть воды, пересадить растения. Осенью готовимся к зиме: провести прореживание чересчур разросшихся растений, выбраковку рыб, генеральную уборку, проверку и регулирование системы обогрева и освещения.

Смена воды — нельзя заменять всю воду в аквариуме — так вы можете легко нарушить все устоявшиеся водные характеристики, к которым привыкли ваши питомцы. Это приведёт к уничтожению биологического равновесия, которое является важнейшим слагаемым нормальной жизни вашего аквариума. Полная смена воды производится лишь в случае опасных заразных болезней (читайте о них в соответствующем разделе).

Обычно достаточно заменять около 1/3–1/5 воды на новую и делать это 1–3 раза в месяц (периодичность зависит от объёмов аквариума, его населённости, скорости загрязнения и т. д.). Если рыбки задыхаются, то есть если нарушен кислородный режим, следует произвести частичную смену воды, не дожидаясь очередной замены.

Новая вода должна приближаться по своим характеристикам к аквариумной. Для этого проверьте её показатели термометром и индикаторами жёсткости и кислотности. Если вода готовится для тепловодного (тропического) аквариума, лучше, чтобы её температура на 1–2 ˚C превышала аквариумную.

Заливайте свежую воду медленно, небольшими порциями. Эта процедура выполняется без отлова и пересадки рыбок. Во время замены свежей воды следите за их реакцией: если они проявят

признаки недомогания или будут вести себя неестественно, как при перегреве и перемерзании, немедленно прекратите лить воду.

После действий, связанных со сменой воды, на поверхности может появиться белая маслянистая плёнка, состоящая из бактерий и микрогрибков. Она свидетельствует о том, что в аквариуме нарушено биологическое равновесие. Чтобы удалить плёнку, возьмите салфетку, лист газеты или туалетной бумаги и положите на поверхность воды. Через некоторое время удалите его вместе с прилипшей пленкой. Повторите эту операцию, пока не очистите всю поверхность. Часть плёнок может попасть на узкую полоску стекла, свободную от воды, откуда их убирают губкой. Всю операцию повторяют до полного удаления плёнок. Если вы выполните это небрежно, оставшаяся пленка снова разрастётся и затянет водную гладь.

Если вышеописанные процедуры не дали результата, примените облучение воды ультрафиолетовыми лучами или растворите

Удаление плёнок

в воде биомицин (в пропорции 1 таблетка на 10 л воды). Перед этими операциями удалите рыбок из аквариума.

Физа

Плёнки не образуются в аквариуме с достаточным количеством рыб там, где применяют аэрацию, и там, где живут уроженцы наших прудов и болот — небольшие улитки физы. Размножаются физы очень быстро. Если улиток становится слишком много, их количество приходится убавлять. Помимо очищения водной поверхности физы подъедают излишки рыбьих кормов и непереваренные части экскрементов — всё это, правда, весьма ограниченно.

Чистка стёкол — в любом аквариуме стенки со временем покрываются зеленоватым налётом из микроводорослей и бактериальной слизи. Это бактерии образуют скользкую на ощупь среду. Из-за налета рыб плохо видно, так как стекло становится непрозрачным. Если налёт коричневато-бурого цвета, усильте освещение. Вы можете ограничиться чисткой переднего, смотрового стекла, если налёт на остальных стенках не мешает обзору.

В аквариуме со старой водой и устойчивым биологическим равновесием налёт счищают специальным скребком, а в аквариуме со свежей водой, чтобы не образовалась бактериальная муть, — с помощью чистой поролоновой губки. Не спеша, скользя ею вниз по стеклу, добираются до грунта, затем, плотно прижав губку к стеклу, так же не спеша ведут руку к верху аквариума. В результате на стекле остается прозрачная дорожка. Сполоснув губку в воде, операцию повторяют до очищения всего стекла.

Аквариумы

Аквариум, сделанный из плексигласа, чистить скребком или щёткой нельзя — они обязательно оставят некрасивые царапины, портящие вид. Стены таких аквариумов надо обрабатывать мочалкой, губкой или капроновой тканью. Не забывайте регулярно чистить стёкла — чем тоньше налет, тем легче его уничтожить.

Внутренние стенки аквариума со временем покрываются налётом зеленых и бурых водорослей. Во избежание сильного зарастания зелёными водорослями необходимо несколько уменьшить, а бурыми — увеличить освещённость. Если в вашем аквариуме размножились нитчатые водоросли, запустите в него несколько улиток, поедающих нитчатку, например, катушек. Они быстро уничтожат нежелательные заросли. От высшей водной растительности водоросли отличаются отсутствием корней, стеблей и листьев. Они растут не только на стёклах аквариума, но и на стеблях и листьях растений. Ограничивая доступ света, водоросли снижают их жизнеспособность. В холодноводных аквариумах краснопёрка и горчак прекрасно поедают нитчатые водоросли, их примеру могут следовать и другие рыбы. Среди тропических рыб нитчатку поедают моллиенезии. Поэтому вы можете справиться с нежелательным размножением водорослей с помощью нескольких моллиенезий или других живородящих рыбок. Но основной мерой борьбы с водорослями является непременное уменьшение света, его яркости. Если водоросли покрывают грунт, то его необходимо несколько раз промыть кипятком, затем рассыпать тонким слоем на газете и просушить. Песок можно просто прокипятить.

Уборка — для неё вам понадобится ведро для слива, резиновый шланг длиной около 1 м и диаметром 1−1,5 см со стеклянным или металлическим наконечником и груша. Налейте в шланг немного

Уборка аквариума

воды, закройте один его конец пальцем, а другой опустите в аквариум. Если вы уберёте палец, вода сама потечёт из аквариума. Опустив конец в аквариум, другой конец поместите в сливное ведро, куда будут стекать нечистоты. Откачайте грушей воздух и приступайте к уборке. Водите концом шланга, почти касаясь дна, но так, чтобы не нарушить уложенный грунт. После уборки, когда в аквариуме уменьшился уровень воды, можно, если это требуется, долить свежую воду.

Избыток сухого корма часто приводит к его разложению и помутнению воды. Фильтрации воды обычно недостаточно, чтобы устранить вредные последствия. Используйте для уборки резиновый шланг или сифон — тонкую и длинную стеклянную трубку, служащую для удаления грязи. Трубка закрыта пальцем — погружение; трубка открыта — втягивается ил; трубка закрыта вновь — подъем грязечерпалки. Манипуляции с грязечерпалкой повторяются после каждого удаления очередной порции ила. Шлангом или сифоном тщательно соберите грязь, собравшуюся на дне и в нижнем слое воды. После уборки в течение нескольких дней применяйте повышенную аэрацию аквариума, и вода снова станет чистой. Если этого не случится, воздержитесь от кормления сухим кормом в течение некоторого времени.

Постепенно в аквариуме, заселенном рыбами, образуется ил, состоящий из экскрементов рыб, остатков корма и опавших листьев

Грязечерпатель

129

растений. Илистые образования следует периодически удалять. При уборке дна внимательно посмотрите нет ли там погибших улиток или рыбок. Их нужно удалить пинцетом или сачком. Вообще при уборке старайтесь всё время пользоваться инвентарем, как можно меньше работать голыми руками.

Теперь займитесь удалением больных и умерших растений. При удалении пользуйтесь пинцетом. Если вам нужно удалить только «заболевшую» часть растения, аккуратно возьмитесь за нее пинцетом и отрежьте повреждённые участки скальпелем или ножницами. Если растения слишком разрастаются, их необходимо прореживать, удаляя старые стебли или целые кустики. Чем просторнее содержатся растения, тем больше они получают света, лучше растут, давая больше кислорода, и даже цветут. Все больные и слабые растения должны быть удалены.

Также нужно следить за состоянием грунта, чтобы растения получали достаточно питательных веществ, так как грунт, используемый хотя бы в течение года, может потерять весь их запас в результате регулярной промывки. Слежавшись, грунт иногда загнивает из-за нарушения циркуляции воды. Это чаще всего случается с однослойным грунтом из мелкого песка. В первом случае можно обойтись подкормкой растений, во втором — придётся менять грунт.

Насколько трудно определить на глаз начало гниения грунта, настолько легко увидеть помутнение воды. Незначительная муть может быть неорганического происхождения: как результат небрежного обращения с поверхностью грунта во время поимки рыб или поспешного доливания воды, она проходит сама собой. Бактериальная муть устойчива, надо немедленно приступать к серьёз-

Уборка аквариума

ной борьбе с нею, иначе лёгкое помутнение быстро перейдёт в значительное, усложнив борьбу с ним. Нельзя добавлять свежую воду в аквариум, ибо она привносит с собой питание для бактерий. Поверхность грунта аквариума тщательно очищают от ила, кормление рыб прекращают на 2—3 дня, пусть займутся чисткой растений, то есть склёвыванием водорослей. Гарантия успеха — замена одной трети или одной четвёртой части объёма мутной воды на «старую» или хотя бы на прокипячённую, а затем остуженную воду. Усиленная, лучше круглосуточная, аэрация не только облегчает дыхание рыб, но и способствует быстрейшему окислению разлагающихся органических веществ — питательной среды бактерий. Не получая дополнительного питания, бактерии голодают и погибают. Одним из способов борьбы с помутнением воды от органических веществ служит помещение в аквариум дафний.

«Цветение» воды, имеющее вначале мутно-зеленоватый оттенок, легко спутать с бактериальной мутью. Чаще всего это явление наблюдается весной и летом в аквариумах, освещаемых естественным светом. Борьба с «цветением» воды практически та же, что и с бактериальной мутью: чистка поверхности грунта, временное прекращение кормления рыб, частичная замена воды на «старую», аэрация и фильтрование, снижение освещённости аквариума. Для борьбы с «цветением» в аквариум иногда достаточно поместить кусок медной проволоки.

Чтобы удалить грязь с поверхности воды, положите на неё лист бумаги и через какое-то время достаньте его вместе с прилипшим мусором. Можно также пользоваться сачком. Чтобы пыль и мусор не скапливались на водной поверхности, накрывайте аквариум стеклом.

Аквариумы

Уборка — хороший момент, чтобы внести изменения в ландшафте аквариума или поместить туда новое украшение. Старайтесь не злоупотреблять перестановками, потому что для этого желательно каждый раз отсаживать всех рыбок. Если вы желаете просто поместить на дно какое-нибудь новое украшение аквариума, рыбок удалять не нужно.

Как можно меньше тревожьте обитателей аквариума, ограничивайтесь лишь необходимым вмешательством в их жизнь. И ещё необходимо помнить, что если ваше аквариумное хозяйство состоит из нескольких аквариумов, то для каждого необходимо иметь свой инвентарь, для того чтобы исключить возможность занесения болезнетворных микробов, водорослей.

Инвентарь

В предыдущих главах вы уже познакомились со многими необходимыми для аквариума приспособлениями и приборами. Мы не будем повторяться и напишем здесь только о тех предметах инвентаря, о которых ещё не было речи. Нужно напомнить, что ко всем элементам инвентаря предъявляется следующее требование: они должны быть сделаны из материалов, не выделяющих ядовитые вещества, то есть должны быть безопасными для рыбок. При перенесении инвентаря из одного аквариума в другой его следует тщательно продезинфицировать. Однако лучше на такой случай иметь индивидуальный инвентарь на каждый аквариум. Какие-то необходимые приспособления вы сможете сделать сами, другие придётся приобрести.

Термометр — может быть ртутным, спиртовым или на жидких кристаллах. В аквариуме их размещают на специальных присосках в уголке или пускают свободно плавать. Плавающий термометр можно изготовить самому: для этого нужно вынуть градусник для ванны из его корпуса и прикрепить внизу небольшой грузик. Для больших аквариумов плавающий термометр непригоден, так как он измеряет температуру лишь верхних слоёв. Температуру воды измеряют в средней зоне аквариума.

Спиртовые термометры быстро становятся неточными. Чтобы избежать неверных показателей, используйте обыкновенные ртутные термометры со шкалой от 0 до 40 ˚С, помещая их в воду только на время измерения. Возможно, ваш термометр измеряет температуру по шкале Фаренгейта. Чтобы перевести измерения по Фаренгейту в градусы по Цельсию, разделите градусы по Фаренгейту на 1,8 и вычтите из полученного 18 градусов.

Например: (72 °F : 1,8)–18=22 °C.

Во избежание всяких неожиданностей градусники периодически проверяют. Зимой за основу проверки берут температуру тающего снега, равную нулю градусов. Именно ноль градусов и должен показывать точный градусник, опущенный в комнате в чашку со снегом.

Чтобы не заниматься постоянно дезинфекцией, нужно иметь два термометра: для основного и, например, карантинного аквариумов.

Сачки — для большого, хорошо заселённого аквариума нужно три сачка: большой, средний и маленький. Для вылавливания рыб используют сачки таких размеров, чтобы рыба свободно помещалась в них. Чтобы сачок не тонул, ручка должна быть деревянной, но можно сделать её из толстой проволоки. Обод сачка должен быть прочным, например из нержавеющей стали прямоугольной формы, что удобно при вынимании рыбы у стенок аквариума. Материал

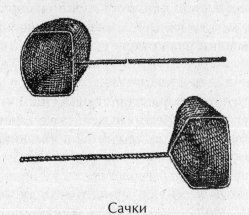

Сачки

сачка не должен быть жёстким во избежание повреждения чешуи рыбы. Не рекомендуется использовать для сачков марлю и чулочную ткань. В таких сачках рыба цепляется за ткань острыми лучами плавников и может травмироваться. Наиболее приемлемые сачки из мягкой капроновой ткани или сетчатого материала. Для мальков подойдёт сачок, изготовленный из половника, большой ложки или маленькой баночки. Глубина мешка должна равняться площади рамки.

Чтобы при пересадке не наносить большого вреда оформлению аквариума, можно пользоваться одновременно сачком и стеклянной ловушкой, куда загоняется рыба. Кстати, чтобы облегчить вылавливание рыбок, их можно осветить светом синей лампы. От света они станут малоподвижными, и вы без труда и вреда для внутреннего убранства аквариума пересадите нужные экземпляры.

Ножницы средних размеров и пластинка из пластика размером примерно 10х14 см в дополнение к указанному ранее небольшому сачку составляют комплект приспособлений, необходимых для измельчения и промывки различных кормов трубочника, мяса, растений.

Таз — лучше, чтобы он был эмалированным — тогда его легко подвергать дезинфекции. Он пригодится вам для промывки песка и растений. Рекомендуется приспособить для аквариумных нужд отдельный тазик.

Ведро — лучше завести два ведра: одно для чистой аквариумной воды, второе — для слива при уборке аквариума. Лучше, чтобы

ведро для чистой воды было достаточно вместительным. Желательно, чтобы вёдра ещё ни разу не соприкасались с моющими средствами или прочими химическими веществами, они должны использоваться только для аквариума.

Совок — для посадки растений и укладки грунта. Он поможет создать в аквариуме разноуровневый грунт, создать укрытия и возвышенные участки дна. В большинстве случаев для этих целей годится совочек маленьких размеров.

Шланг резиновый — применяется для залива и слива воды, во время уборки. В домашних условиях его диаметр не должен превышать 2–3 см. Длина зависит от размеров вашего аквариума и обычно равна 1–2 м.

Сито — пригодится для просеивания песка, чтобы использовать его как грунт. Подберите сами размеры сетки сита. Если вы просеиваете песок, возьмите среднее сито, для гальки потребуется более крупное сито. Набор сит пригодится и для сортировки живых кормов, что позволит получать корма разных размеров. Такие сита изготавливают из металлических и капроновых сеток с ободами из материалов, не подвергающихся коррозии.

Щётка (скребок, губка) — предметы инвентаря, необходимые для очистки стенок аквариума с внутренней стороны. Стёкла из органического стекла чистят протирками из поролона, безворсовых мягких тканей, а также нежесткими неметаллическими щётками. Для очистки силикатных и особенно органических стёкол делают

скребки лопатообразной формы из органического стекла. Они не повреждают поверхности стекла и удобны в работе. Щётка, скребок или губка должны иметь длинную ручку. Эти элементы инвентаря можно изготовить самостоятельно.

Груша резиновая — необходима для откачки воздуха во время залива и слива воды.

Сифон — предназначен для чистки дна. Состоит из резинового или пластикового шланга и сделанного из пластика, стекла или нержавеющей стали наконечника. Длина наконечника сантиметров на 10 выше уровня воды в аквариуме, что даёт возможность работать, не погружая руки в воду. Из гигиенических соображений некоторые сифоны снабжены специальными резиновыми грушами. Чтобы пустить сифон в действие, его предварительно наполняют водой, перегнув в виде петли и удерживая на весу. Если затем зажать конец трубки пальцами, а наконечник опустить в аквариум, то вода пойдёт самотёком лишь в том случае, когда зажатый конец трубки окажется ниже дна аквариума и к тому же не будет сжат пальцами.

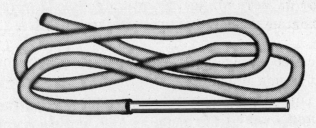

Сифон

Аквариумы

Кормушка обычная — может быть сделана из стекла, пластика или пенопласта. В зоомагазине вы можете выбрать кормушку любой формы. В аквариуме её лучше прикрепить присоской в том месте, где вы сделали углубление, в котором будет собираться несъеденный корм. Это облегчит уборку.

Кормушка плавающая — представляет собой деревянную или стеклянную рамку, плавающую на поверхности. Такие кормушки предназначены для сухого корма, чтобы он не расплывался по всему аквариуму.

Кормушка для живого корма — отличается от обычной кормушки тем, что по всей её площади распределена сетка. Цель все та же: препятствовать распространению (то есть расползанию) корма по всему аквариуму.

Пипетка — понадобится для разведения мальков. С её помощью вы будете кормить мальков инфузориями. Можно использовать вместо пипетки трубочку от капельницы.

Рама для сушки рачков — потребуется для приготовления рыбьего корма в домашних условиях. Приблизительные размеры рамы: 100х50 см. Их надо заготовить столько, скольковам необходимо, чтобы обеспечить рыбок кормом.

Пинцет — нужен в аквариумном хозяйстве для многих целей, например, чтобы удалять погибшие листики растений или помещать в аквариум живой корм.

Инвентарь

Ёмкость для хранения корма — это может быть маленькая баночка или другой сосуд небольших размеров, главное, закрытый. Важно, чтобы он не был прозрачным — под действием солнечных лучей корм быстро портится.

Аквариум для живого корма — должен иметь высоту около 5 см. Площадь сосуда зависит от количества выращиваемого корма.

Скальпель — с его помощью удаляют погибшие растения или их части, умертвляют больных рыб. Иногда скальпель можно заменить ножницами.

А вот какие предметы вам понадобятся **в случае болезни** рыб и растений:

Сосуд для лечебных ванночек — их должно быть три штуки. На худой конец подойдут и трёхлитровые баллоны.

Аквариум карантинный — здесь больная рыба должна жить в течение всего курса лечения, покидая его лишь на время лечебных процедур. Понадобятся отдельные: фильтр, нагреватель, сачок, шланг, чтобы не заразить здоровых рыб через предметы инвентаря. Карантинный аквариум должен быть цельностеклянным, небольших размеров.

Лупа — с её помощью вы распознаете заболевание вашей рыбки на ранней стадии. Увеличение должно быть как минимум двукратным.

Аквариумы

Весы аптечные с набором разновесов (от 10 до 500 мг). Нужны для того, чтобы отмерять дозу лекарственных препаратов.

Мензурка — должна иметь деления по 10 мл. Нужна для измерения жидких лекарственных препаратов.

Лекарственные препараты — описаны в виде алфавитного списка в разделе «Болезни».

Аквариумные растения

Аквариумные растения — необходимый компонент любого аквариума. Если красиво и со вкусом оформить растениями ваш уголок подводного мира, то они станут настоящим украшением аквариума. Внешний вид аквариума определяется именно растениями. Пышные заросли водных растений во всем многообразии расцветок и форм, располагаясь в толще воды, как в невесомости, создают новые специфические возможности пространственной аранжировки, присущие только водной стихии.

Изменяя направленность и интенсивность источников света, можно заставить растения изменять окраску листьев и их ориентацию в соответствии с задуманной вами композицией. Оптимальный подбор аквариумных растений позволяет создать прекрасную коллекцию без чрезмерных усилий по уходу и дополнительных затрат.

Но аквариумные растения выполняют не только декоративную роль. Они устанавливают биологическое равновесие водной среды, обогащают воду кислородом, играют важную роль в обмене веществ, необходимых для жизнедеятельности рыб и самих растений. Для количества кислорода, поступающего в воду, решающее значение имеет общая поверхность водяных растений, более обширной поверхностью отличаются не широколистные растения, а, наоборот, растения со множеством тонких перистых листьев — такие как кабомба, тысячелистник, эгерия, яванский мох и индийский водяной папоротник. Другая важнейшая задача, выполняемая аквариумными растениями, состоит в очистке воды. В отличие

от многих наземных растений обитатели воды обладают способностью поглощать минеральные вещества не только корнями, но и особыми порами на листьях. Некоторые растения снижают жёсткость воды и поглощают кальций, являясь своеобразным фильтром.

Многим видам рыб растения просто необходимы в период нереста, так как они откладывают икру на листья растений или в безопасных густых зарослях. Некоторые растительные элементы используются для постройки гнезда. После икрометания плавающие водоросли служат убежищем для мальков. Для растительноядных рыб водоросли являются основной пищей, а для всеядных — витаминной добавкой в рационе. Растения, приближая аквариум к более естественной среде обитания, побуждают рыб к более полному проявлению особенностей их поведения.

В наших аквариумах встречается свыше 250 видов растений. Описания самых распространённых из них приведены в этой главе.

Выбор и посадка растений

К выращиванию аквариумных растений надо подходить с не меньшей ответственностью, чем к рыбкам. Не покупайте тропические виды растений из холодных резервуаров. При выборе растений для вашего аквариума нужно обращать внимание в первую очередь на их цвет — он обычно должен быть ярко-зелёным, на их целостность, отсутствие гнили. Аквариумные растения нежелательно вылавливать самостоятельно — как правило, растения наших природных водоёмов живут при низкой температуре и могут сгнить в тепловодном аквариуме с экзотическими рыбками. Такие растения должны прежде пройти сложный и длительный процесс акклиматизации в отдельном водоеме с постепенным повышением температуры. Поэтому водные растения лучше покупать в зоомагазине или у аквариумистов. Нет необходимости заливать растения водой сразу после покупки, они лишь должны находиться в тепле и быть влажными. Продаются растения либо срезанными — со стеблем, листьями, ростовыми почками, но без корней, либо в укорененном виде. Помните, что на новом месте лучше приживаются молодые растения, и не стоит платить лишние деньги за крупные экземпляры — далеко не всегда они могут перенести пересадку.

Перед посадкой все растения следует промыть чистой водой комнатной температуры, каждое растение очистить от прилепившихся к нему нитчатых водорослей, икры улиток, гнилых участков. Желательно также продезинфицировать их следующим образом: развести 1%-ный раствор квасцов или 2%-ный раствор марганца на 1 л воды и опустить туда растения на 5–10 минут. Затем

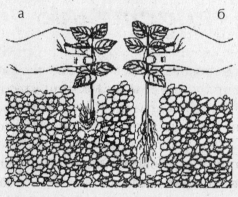

Посадка растений: а — неправильно, б — правильно

промойте растения под водопроводной водой. Не забудьте удалить подгнившие листочки и корешки и укоротить длинные корешки по толщине слоя грунта, чтобы пробудить их к скорейшему росту. Ваши растения готовы к посадке в аквариум! Озеленяя аквариум, не следует помещать растения слишком близко друг к другу. Растения продолжают развиваться, и быстрорастущие их виды могут всего лишь за несколько недель сильно увеличиться (валлиснерия, сагиттария, эгерия).

Грунт, используемый для посадки растений, не должен сильно сдавливать корни, чтобы вода могла свободно обтекать их. Корни нужно размещать в соответствии с их естественным ростом. Растения, укореняющиеся в грунте, сажают так, чтобы ростовая почка была на поверхности грунта, а корни полностью засыпаны. Криптокорины и валлиснерии пускают корни вертикально вниз, это следует учитывать при посадке. У апоногетона и эхинодоруса корни плоские, они уходят вниз всего на несколько сантиметров и рас-

пространяются в основном по горизонтали. Водяные растения, которые всасывают необходимые им вещества непосредственно из воды с помощью специальных органов своих листьев, нужно сажать в грунт в виде черенков, без корней, предварительно удалив листья с двух нижних узлов стебля. Ползучие растения надо сажать по 4—6 штук вместе, как кустики. Чтобы при фронтальном обзоре достигался эффект сплошной стены, сажайте растения в шахматном порядке.

Иногда растения лучше высаживать не в грунт, а в горшочки. Делается это в тех случаях, когда в аквариуме обитают рыбы, любящие рыться в грунте, или когда необходимо ограничить разрастание растения. Горшечная культура имеет и то преимущество, что при очистке донного грунта сосуды можно просто вынуть из аквариума и потом поставить снова, не повредив корней.

Крупные и густые растения будут лучше выглядеть, если посадить их на заднем плане, а источник света будет сверху аквариума. Находясь на переднем плане, эти растения будут загораживать вид в аквариуме и слишком потеснят рыб. Такие быстрорастущие растения, как роголистник и элодея зубчатая, являются великолепными поставщиками кислорода и поглощают из воды нитрат, способствующий росту водорослей. Растения поменьше хорошо смотрятся в середине и по боковым стенкам подводного уголка. Отдельно стоящие растения нуждаются в большом пространстве сбоку и лучше смотрятся, когда они стоят по отдельности в центре; кустовые растения, в большинстве своём, имеют стройный стебель и наиболее представительны, как это следует из их названия, в кусте. Для переднего плана подходят малорослые растения, которые не закрывают собой вид в аквариуме. Часть аквариума ближе

к передней стенке лучше оставить свободной, чтобы лучше было наблюдать его обитателей. В той части резервуара, что освещена лучше всего, следует поместить растения, которые требуют много света и быстро растут. Разместите болотные растения как можно выше, чтобы они вскоре показались из воды и могли зацвести.

Нельзя сажать рядом любые растения без разбора. Отдельные их виды нужно объединять по группам, а потом отделять их друг от друга с помощью камней или коряг. Разные виды мхов и растений можно использовать для покрытия коряжника. Тонкий перистый мох, а у более крупных растений, как папоротник, только корни, осторожно размещают в узких трещинках древесины. Если вы приобрели различные виды водных растений, то размещайте их в аквариуме в следующем порядке: растения, укореняющиеся в грунте; растения, плавающие в толще воды, и последними — растения, обитающие на поверхности воды. Естественно, перед вторым этапом заполните аквариум водой.

Соотношение количества рыб и количества растений в резервуаре играет немаловажную роль. Чем больше растений приходится на одну рыбу, тем чище будет вода. Образующиеся при этом в меньших количествах грязевые частицы разлагаются бактериями-разрушителями иусваиваются корнями растений. Переизбыток грязевых частиц всегда свидетельствует о слишком большом количестве рыб, что и не позволяет добиться биологического равновесия.

Вы можете расположить растения согласно вашему вкусу, но растительность в большинстве случаев не должна занимать более 1/3 площади водоема.

Во-первых, многие рыбы будут некомфортно себя чувствовать в небольшом объёме водного пространства.

Во-вторых, растения днём производят больше кислорода, чем углекислого газа, а в темноте они только поглощают кислород, и это может привести рыбок в аквариуме к кислородному голоданию.

Необходимо постоянно следить за ростом растений в аквариуме, удалять сильно разросшиеся побеги, следить, чтобы растения, плавающие на поверхности и в толще воды, не загораживали свет тем, которые растут в грунте. Если вы обнаружите заболевший отросток или листик, немедленно удалите его из водоема. Раз в неделю нужно заменять воду в аквариуме на 10%, это полезно не только для растений, но и для рыб.

Подкормка и размножение растений

Водные растения размножаются вегетативно: стелющимся побегом, прорастающим корневищем, отводом стебля, листовым и цветочными почками, участком клубня и семенами. При вегетативном размножении от побегов куста-родителя образуется дочернее растение. Когда оно обзаводится своими корешками и листиками, его пересаживают, иначе со временем побеги от материнского куста образуют густые заросли. Отростки нужно только тогда отделять от материнского растения, когда они образовали достаточное количество корней. Черенки можно добыть, отделив ветки или укоротив основной стебель. Черенковать длинностебельные растения надо не только для размножения. Многие из них, сильно вытягиваясь, теряют свои декоративные качества. Поэтому, срезая верхушку стебля, нижнюю часть заставляют куститься. Деление растения лучше всего производить весной. Существует интересный способ размножения растений целым листом или его частью. Такой способ размножения можно считать основным в условиях аквариума для папоротников рода Ceratopteris. На старых листьях, прямо на краю листовой пластинки, образуются молодые растения, которые, сформировав несколько листьев и развитую корневую систему, отрываются от материнского и всплывают к поверхности воды. Растения, относящиеся к роду эхинодорус, довольно легко размножаются путем образования дочерних растений на цветочных стрелках.

150

Подкормка и размножение

Семена выращивают в отдельном водоёме с уровнем воды до 10 см, закапывая в грунт на глубину 2–5 мм. Рассаду выращивают при слое воды не более 30 см. Очень важно следить, чтобы в резервуаре, где выращивается рассада, не поселялись водоросли, которые могут погубить молодые проростки.

После посадки должно пройти 7–10 дней. За это время растения укоренятся и сформируется микрофлора аквариума. Следует дождаться полного оседания мути, прежде чем помещать рыбок и других животных.

Подкормка растений питательными веществами во многом зависит от типа освещения: свет даёт энергию, если у него правильный спектр и соответствующая интенсивность; он также способствует здоровому обмену веществ и достаточной ассимиляции у растений. Растения способны активно извлекать нужные им вещества из внешней среды, но чем быстрее происходит обмен веществ, тем выше естественная потребность растений в питательных веществах.

В качестве подкормки применяют вываренную торфяную крошку, компост, берёзовый уголь, пастеризованный озёрный ил — сапропель, сильноразбавленные гидропонные смеси. Но необходимо помнить, что переизбыток удобрений столь же вреден, сколь их отсутствие.

Если грунт в аквариуме однослойный или искусственный, растениям требуется подкормка удобрениями. В качестве подкормки вы можете использовать берёзовый уголь, сапропель, другие препараты, продающиеся в зоомагазинах. Удобрениям нужно придать форму шарика диаметром 2–3 см и закопать на расстоянии 2 см от кустика. После появления признаков роста у растений, посаженных

в новый аквариум, можно начать добавлять азотные удобрения в очень малых дозах.

Всем укореняющимся растениям, включая апоногетон и лилии, для нормального роста необходима подкормка удобрениями в виде таблеток или глинозёма. Не допускайте передозировок: одну или две таблетки на одно растение ежемесячно. Прикопайте таблетку в гравий в том месте, где располагается корневая система.

Оптимальные условия содержания для подавляющего большинства видов водных растений следующие: жёсткость — 6–12°, временная жёсткость — 3–8°, кислотность — 6,5–7,5, температура — 23–26 °C, освещённость желательна равномерная — от 1500 до 3000 лк (0,4–1 Вт/л), световой день — 12–16 ч (в период покоя 8–10 ч), предпочтителен донный подогрев, площадь под каждый куст — 5–15 см², слой грунта — 3–7 см, концентрация CO_2 — 10–20 мг/л, подмена воды — 10% еженедельно.

Искусственные растения

Вы можете приобрести искусственные растения, которые давно используются в аквариумистике. Особенно нужны искусственные растения в аквариумах с африканскими цихлидами и довольно крупными растительноядными рыбами — лепоринами, дистиходами, популярными сомами-присосками, использующими зелень как необходимую подкормку. Многие пластмассовые «нимфеи», «криптокорины», «амазонки» на фоне живого яванского мха (он не всем рыбам по вкусу) выглядят вполне естественно. В сочетании с камнями и корягами они очень оживляют подводный пейзаж. По сравнению с живыми они имеют несколько неоспоримых преимуществ: они не разрастаются, не болеют, не требуют подкормки удобрениями. Как правило, внешне искусственные растения ничем не отличаются от настоящих. И всё же не стоит полностью оборудовать аквариум неживыми растениями — это может нарушить биологическое равновесие искусственного водоёма и привести к витаминному голоданию рыб и других животных, искусственные растения не способствуют удалению нитратов, к тому же живые растения выглядят намного красивее, если их правильно выращивать. Лучше всего прийти к разумному балансу между живым и неживым и не забывать про пользу настоящих растений.

Водоросли

Для пресноводного аквариума водоросли являются бедствием.

Все водоросли относятся к низшим растениям. Они бывают одноклеточными и многоклеточными, имеют различное строение. Главная черта, присущая всем водорослям, — споровое размножение. Водоросли заносятся с живым кормом для рыб, вновь приобретёнными растениями, пылью, в которой содержатся споры.

Но количество водорослей можно контролировать. Когда новый аквариум только установлен, залит свежей водой и засажен растениями, нужно время, чтобы они укоренились и пошли в рост. Водоросли адаптируются гораздо быстрее, и вода зацветает, как только водоросли получат достаточно питания. Не стоит менять воду. Это приведет лишь к новым огорчениям — все повторится вновь, как только вода опять даст пищу водорослям. Когда высшие растения тронутся в рост, они будут потреблять питательные вещества и в конце концов подавят развитие водорослей. Немного водорослей придаёт аквариуму более живой вид, а некоторые рыбы с пользой для себя их поедают.

При нарушении биологического равновесия возможно бурное размножение какого-либо вида водорослей. Сине-зелёные водоросли образуют колонии различной окраски — от ярко-зелёной до синеватой и буро-зелёной. Особенностью всех сине-зелёных водорослей является выделение обильной слизи. Эти водоросли начинают размножаться при сильном освещении на поверхности фильтрующих материалов в наружных фильтрах, в тех местах, где они, находясь в водной среде, имеют наибольший контакт с воздухом. Сине-зелёные водоросли прекрасно извлекают из окружающей сре-

Водоросли

ды все необходимые элементы, и в частности азот. Они самостоятельно синтезируют все вещества, необходимые для их развития. Сине-зелёные водоросли появляются и начинают бурно размножаться в интенсивно аэрируемых аквариумах или при наличии в воде избыточного количества органических соединений. Существуют разные способы борьбы с ними. Для этого лучше всего подобрать оптимальный режим содержания аквариума, уменьшить яркость освещения, ограничить аэрацию. Очень полезно пустить на поверхность воды побольше плавающих растений. Подмену воды производить не следует. В таких условиях водоросли гибнут через 2–3 недели. Быстрого успеха в борьбе с водорослями можно достигнуть с помощью антибиотиков и различных красителей.

Кроме сине-зелёных водорослей в аквариумах довольно часто встречаются бурые водоросли. Они образуют плотный тёмно-бурый налет, покрывающий грунт, стенки аквариума, листья растений, портят внешний вид аквариума, затеняют листья высших растений, нарушают их питание. Появление бурых водорослей в аквариуме — признак недостаточности освещения. Поэтому основной метод борьбы с этими водорослями — установление правильного светового режима.

В аквариумах, установленных близко от окон, вода может приобретать зелёный оттенок и мутнеть — это признак бурного размножения одноклеточных водорослей, относящихся к отряду зелёных. Явление это называется цветением воды.

При цветении воды сильно страдают высшие растения, так как водоросли не только затеняют их, но и поглощают из воды необходимые питательные вещества и нарушают её газовый баланс. Ограничение количества света, попадающего в аквариум, замедляет

размножение зелёных водорослей, а полное затенение аквариума на 3—4 дня, как правило, позволяет избавиться от них полностью. Прекрасные результаты даёт озонирование воды.

К отделу зелёных водорослей относятся многие другие одноклеточные и многоклеточные водоросли, часто поселяющиеся в аквариумах. Световой день в таком случае следует сократить до 10—11 часов. Если же водоросли продолжают размножаться, нужно уменьшить яркость освещения.

Водоросли не любят, когда их тревожат. Поэтому нужно регулярно, лучше несколько раз в день, удалять их из аквариума пальцами или наматывать на шероховатую деревянную палочку. Сильному замедлению роста водорослей или предотвращению их появления также способствует добавка углекислоты в аквариумную воду.

Избавиться от многоклеточных зелёных водорослей и многих других можно только установив правильный режим содержания аквариума, поддержания в нём биологического равновесия. В этом случае даже присутствие небольшого количества зелёных водорослей не является свидетельством неблагополучия. Скорее наоборот, это свидетельство того, что аквариум содержится правильно и его водная среда достаточно чиста.

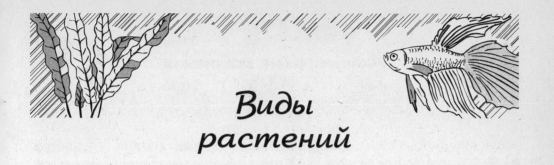

Виды растений

РАСТЕНИЯ, УКОРЕНЯЮЩИЕСЯ В ГРУНТЕ

В эту группу входят растения с хорошо развитой корневой системой. Для них важен состав грунта в аквариуме. Некоторые виды растений довольствуются бедным грунтом, другим обязательно нужна подкормка удобрениями. Если на листьях начинают образовываться пятна, дырочки и другие дефекты, то, значит, растению нужна подкормка. Для минеральной подкормки можно использовать удобрения для комнатных цветов: 20 мг фосфорнокислого калия на 1 л воды, можно добавить 5 г сульфата магния на 100 л воды. Для этих растений характерно хорошее развитие корневой системы. Они имеют плотное корневище и хорошо развитые листья. Для этих растений необходим слой грунта в 5—10 см. Размножаются вегетативно, а также семенами и делением корневища. Сюда относятся такие хорошо известные аквариумистам растения, как валлиснерия, стрелолист, кубышка, традесканция и другие. Многие из них доставят вам настоящее эстетическое удовольствие.

Апоногетон

Семейство апоногетонов состоит из более чем 30 видов. Общее между ними — наличие клубня с мочковатыми корнями и ломких полупрозрачных листьев различной окраски. Эти растения довольно требовательны к условиям содержания, вода должна быть мягкой и не содержать водорослей.

Апоногетон

Апоногетон волнистый — Aponogeton undulatus — неприхотливое растение, обладающее превосходными декоративными качествами. Листья светло-зелёного цвета с красивым шахматным рисунком. В благоприятных условиях куст достигает 70 см в высоту. Размещать апоногетон волнистый надо на заднем плане аквариума. В малых ёмкостях даже при самых благоприятных условиях растение бывает малорослым, но сохраняет своеобразие и привлекательность. Распространён на севере Индии. Его среда обитания — пруды, канавы, болота. Корневище имеет клубневидную форму, полупрозрачные листья с узорчатым рисунком и зауженной вершиной достигают 25 см в длину и 4 см в ширину. Размножается вегетативно, растение-родитель за один вегетационный период может образовать 7 дочерних растений. В природных условиях цветет в конце лета, в аквариуме цветёт редко. Температура воды — 20–22 ˚C, причём половина её объёма должна сменяться еженедельно. Активная реакция воды — 6,5–7, жесткость — 5–6˚. Необходимо интенсивное, но рассеяное освещение.

Апоногетон курчавый — Aponogeton crispus — его родина — Шри-Ланка, где он обитает в стоячих и медленно текущих водоемах. Растение отличается высокими декоративными качествами. По мере взросления зелёные листья растения приобретают более

тёмный оттенок. Ширина листа доходит до 6 см. В аквариумных условиях требует к себе внимания, так как быстро разрастается. Располагают апоногетон обычно на среднем плане.

Содержать растение следует в тропическом аквариуме при температуре не ниже 24–25 °С. Вода должна быть мягкой, общей жёсткостью не более 6–8°, с нейтральной реакцией (рН 6,5–7,2). Следует периодически подменивать 1/5–1/4 объёма воды. В старой воде рост апоногетона ухудшается. К условиям освещённости растение не очень требовательно. Оно выдерживает некоторое затенение, может расти в неплотной тени других, более крупных растений. Размножать апоногетон можно семенами и вегетативно.

Апоногетон жёстколистный — Aponogeton rigidifolius — образует длинные узкие листья, немного волнистые по краям, тёмно-зелёного или оливкового цвета. Высота куста в аквариуме достигает 50–60 см. Растение следует располагать на заднем плане, в углах или у боковых стенок аквариума.

Температура воды может колебаться в пределах 22–28 °С, оптимальная — 24–26 °С. Больше всего подходит вода жёсткостью от 7–8° до 12°. Освещение может быть умеренным. Для искусственной подсветки подойдут любые источники света: люминесцентные лампы, применяемые в быту, лампы накаливания или их комбинация. Мощность люминесцентных ламп должна быть не менее 0,3 Вт на 1 л воды, ламп накаливания — 1 Вт на 1 л. Продолжительность светового дня предпочтительна не менее 12 часов. Грунт для апоногетона жестколистного должен быть умеренно заиленным. Желательно добавлять в грунт глину, торф, древесный уголь.

Обычно его размножают вегетативно. Длинное корневище, которое образуется у этого вида апоногетона, разрезают на части.

На каждой части корневища должна быть ростовая почка, из которой в дальнейшем развивается новое растение.

Апоногетон ульвовидный — Aponogeton ulvaceus — очень красивое и своеобразное аквариумное растение. Оно имеет широкие удлинённые крупноволнистые светло-зелёные листья на длинных черенках с выраженным сетчатым рисунком жилок. В условиях аквариума достигает высоты 50–70 см. Содержать этот апоногетон нужно в большом аквариуме, размещая его на заднем плане. Дважды в год после бурного роста и цветения растение сбрасывает все листья, а в грунте остается клубень, находящийся в состоянии покоя 2–3 месяца.

Оптимальная температура в период вегетации 22–26 ˚C. Вода должна быть мягкой (жёсткость меньше 8˚) с нейтральной или слабокислой реакцией. Растение требует яркого освещения: при недостатке света сильно вытягивается, теряя свои декоративные качества. Продолжительность светового дня в период быстрого роста должна быть не менее 12–14 часов. Апоногетон ульвовидный размножается как вегетативно, так и семенами.

Бакопа

Бакопа каролинская — Bacopa caroliniana — распространена в низинах и болотах Нового Света. В длину это красивое растение достигает 60 см. На длинном прямом стебле расположено множество коротких листьев овальной формы. Длина листа около 2,5 см, нижняя сторона покрыта пушком. Растение окрашено в бледно-зеленый цвет. Размножается черенками. Важное требование к содержанию бакопы в аквариуме — хорошая освещенность. Также не-

обходимы добавки удобрений в грунт. Температура — 22–26 ˚C. Активная реакция воды— 6–7,5. Освещение предпочтительно яркое. В глубоких аквариумах бакопа плохо чувствует себя прежде всего от недостатка света. При хорошем уходе бакопа интенсивно растет (об этом следует помнить владельцам небольших аквариумов). Их среда распространения — тропики и субтропики, поэтому они любят высокую температуру.

Барклайя

Барклайя длиннолистная — Barclaya longifolia — одно из самых красивых и интересных растений тропического аквариума. Достигает высоты 50–60 см. Листья барклайи обладают очень красивым шелковистым блеском, они оливково-зелёные сверху и фиолетово-красные с нижней стороны.

Барклайя очень теплолюбива. Оптимальная температура воды для её содержания 26–28 ˚C. Лучше всего растение чувствует себя в очень мягкой слабокислой воде. Оптимальные показатели жёсткости — 2–4˚, кислотности — 6–7. Для барклайи больше всего подходит умеренное освещение. Для затенения можно использовать растения, плавающие по поверхности или в толще воды.

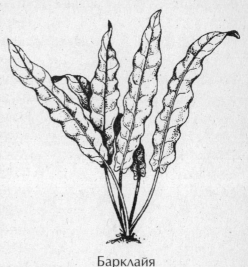

Барклайя

Для барклайи достаточен слой грунта толщиной 4—5 см.

Размножать барклайю в условиях аквариума можно вегетативно и семенами. В центре взрослого, хорошо развитого куста барклайи образуется цветочный бутон, который иногда поднимается до поверхности, а иногда остаётся под водой. Достигший поверхности цветок раскрывается, и наступает самоопыление.

Барклайя способна выделять биологически активные вещества — фитонциды, тормозящие рост водорослей и некоторых высших растений.

Болбитис

Болбитис Геделоти (папоротник конголезский) — Bolbitis heudelotii — очень эффектно и может быть украшением любого аквариума. Крупные разрезные листья темно-зелёного цвета образуют густые заросли. Выращивать его можно в аквариуме любой ёмкости, размещая, как правило, в углах аквариума, в слабо освещённых местах, на крупных камнях или горках камней.

Лучше всего оно растёт при температуре 22—26 °C. Растение совершенно не переносит жёсткую воду, чтобы оно хорошо росло, жёсткость воды не должна превышать 4°. Максимально допустимая жёсткость — около 6°. Желательно регулярно подменивать воду.

Болбитис

Прекрасно переносит длительное затенение. Световой день должен быть не менее 12 часов.

Размножается больбитис делением корневища, которое следует разделить на несколько частей так, чтобы на каждой было не менее трёх сильных листьев и точка роста.

Валлиснерия

Валлиснерия спиральная — Vallisneria spiralis Linne — одно из самых распространённых растений для аквариума. Любители ценят его за неприхотливость и активную выработку кислорода, что полезно для рыб. Она растёт в водоёмах Южной Европы и Северной Африки. В России встречается в бассейнах рек Дона, Кубани, Днепра.

Листья ровные, иногда имеют спиральную форму, образуют кустики. Их длина может достигать 80 см, ширина — 1 см. Цвет колеблется от красновато-зелёного до сочно-зелёного. В природе (редко в аквариуме) цветёт небольшими беловато-зелёными цветами. Размножается вегетативно (подземными побегами) почти круглый год. В месяц появляются 2–3 новых листа. Если создать валлиснерии благоприятные условия в аквариуме, она способна невероятно быстро расплодиться до пугающего количества.

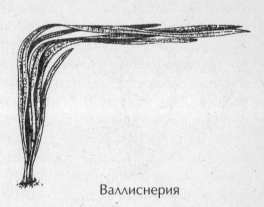

Валлиснерия

Её лучше высаживать в качестве фона у задней стенки или по бокам.

Неприхотлива во всём, что касается условий содержания. Единственное условие — в воде не должно быть много солей железа. Для валлиснерии подходят тропический и умеренно тёплый аквариумы с температурой воды 20–28 °С. При жёсткости более 8° растение чувствует себя неудовлетворительно: ухудшается рост, уменьшаются размеры листьев. Активная реакция воды должна быть нейтральной или слабокислой. Значение pH может колебаться в пределах 5–7. Желательно регулярно подменивать воду.

При благоприятных условиях валлиснерия легко размножается, образуя множество побегов, на которых поочерёдно появляются дочерние растения.

Валлиснерия штопоролистная — Vallisneria spiralis f.tortifolia — у неё несколько меньшие размеры по сравнению со спиральной валлиснерией: листья длиной до 40 см, а шириной до 1 см. Они имеют тёмно-зелёную окраску и штопоровидно закручены вокруг своей вертикальной оси. Образует раскидистые кусты. Также неприхотлива в искусственных условиях.

Валлиснерия гигантская — Vallisneria gigantea — родина этого крупного растения — юго-восток Азии. Длина листьев — 1–1,5 м, ширина — около 3 см. Лист имеет лентовидную форму с зауженным овальным концом. Цвет колеблется от красновато-коричневого до всех оттенков зеленого. Из-за своих солидных размеров гигантская валлиснерия используется в больших аквариумах с грунтом, состоящим из песка, глины и торфа. Для валлиснерии подходят тропический и умеренно теплый аквариумы. Наиболее подходящая температура воды 20–26 °С. Общая жёсткость должна быть

меньше 8°. Регулярная подмена воды не обязательна, так как валлиснерия хорошо растёт и в старой, и в свежей воде. Освещение аквариума, где содержится это растение, должно быть достаточно яркое. Размножается растение в условиях аквариума вегетативно путем образования грунтовых отводков. Дочерние растения можно отделять после образования 3–4 листьев и мочки корней.

Кринум

Растёт в тропиках и субтропиках, чаще в мелких местах ручьёв и речек. Луковичное растение с укороченным стеблем и розеткой линейных листьев. Размещают его обычно у задней или боковых стенок аквариума. В аквариуме может расти в течение всего года.

Кринум таиландский — Crinum thaianum — содержать можно только в большой ёмкости, т. к. листья могут достигать длины до 2 м. Любит чистую воду, необходимы еженедельные подмены. Рекомендуемая температура для содержания кринума таиландского должна быть не ниже 22 °С. Жёсткость не ниже 4°, кислотность 6,8–8. Освещение — умеренное, продолжительность светового дня не менее 12 часов. В качестве субстрата используют гальку, песок или специальные готовые смеси. В качестве грунта используют смесь

Кринум

глины и торфа. Толщина грунта — 7–10 см. Размножают кринум только вегетативно, луковицами. От момента посадки молодого растения до появления первых деток проходит не менее 3–5 лет.

Кринум плавающий — Crinum natans Baker — внешне отличается от кринума таиландского. Кринум плавающий имеет более широкие, слегка волнистые по краям листья с выраженной срединной жилкой. Характер его роста и условия содержания существенно не отличаются от описанных выше.

Криптокорина

Криптокорина

Это очень красивые растения, созданные словно специально для оформления аквариумов с теплолюбивыми рыбками. Листья имеют ланцетовидную форму и необычно окрашены. Размножаются криптокорины преимущественно побегами. Эти прихотливые растения легко заболевают из-за внезапной смены параметров содержания — характеристик воды, освещения и т. д. Они долго привыкают к новым условиям и плохо переносят пересадки. Оптимальные условия содержания для криптокорин: достаточное освещение, активная реакция воды — 6,5–7,5; жёсткость — от 4 до 10°. Криптокорины теплолюбивы, поэтому температуру 20 °С можно считать для них абсолютным минимумом. Оптимальный же диапазон для большинства видов довольно узок: 25–28 °С. Чтобы подчеркнуть

красоту растения, криптокорины обычно высаживают на переднем и среднем плане. Среди многочисленных видов водных растений криптокорины являются одними из самых подверженных всевозможным стрессам видов. Ниже перечислены виды криптокорин, наиболее часто встречающиеся в искусственных условиях с описанием их характерных особенностей.

Криптокорина апоногетонолистная — Cryptocoryne aponogetifolia — это крупное растение со светло-зелёными гофрированными листьями. Очень не любит частую подмену воды. Высота растения может достигать 60 см. Размещать её надо ближе к центру аквариума. Растёт равномерно в течение всего года.

Рекомендуемая температура воды — 24–27 °С, жёсткость — 8–16, кислотность — 7–8. Освещение — яркое. Световой день не менее 12 часов. В качестве субстрата используют крупный песок или гальку. Грунт должен быть заиленный, рекомендуется добавлять глину, древесный уголь и торф. Размножают вегетативно.

Криптокорина жёлтая — Cryptocoryne lutea — очень стойкое к неблагоприятным условиям растение. Благодаря своей неприхотливости может быть рекомендовано для любого аквариума. Жёлтая криптокорина обладает высокими декоративными качествами, образует густые заросли высотой 15–20 см. Размещать её следует на среднем и переднем планах аквариума.

Рекомендуемая температура воды должна быть в пределах 20–30 °С. Жёсткость воды — 4–16, кислотность — 6,8–7,5. Освещение — умеренное, но хорошо переносит как длительное затемнение, так и яркое освещение. В качестве субстрата используют мелкую гальку, реже крупный песок. Грунт берут заиленный. Размножают криптокорину жёлтую вегетативно, путем отделения молодых растений от материнского.

Криптокорина Бекетта — Cryptocoryne beckettii — его родина — остров Шри-Ланка. Это растение достигает в длину 15 см. Листья ланцетовидной формы и имеют длину от 7 до 12 см, ширину — 2–3 см. Тёмно-оливковые листья с красновато-коричневой изнанкой собраны в небольшие розетки. Цветы желтоватые или коричневые. В хороших аквариумных условиях криптокорина Бекетта может цвести. Растение образует неплотные заросли высотой 10–12 см. Размещать криптокорину следует на переднем плане аквариума.

Оптимальная температура содержания 24–28 °С. Жёсткость воды должна быть в пределах 8–16°. Активная реакция воды должна быть нейтральной или слабощелочной. Освещение при содержании этой криптокорины может быть умеренное или довольно сильное и обязательно рассеянное. Если свет прямой, растение лучше притенять. Световой день должен быть 11–12 часов.

Криптокорина легко размножается корневыми отводками. От материнского растения можно отделять пасынки с 3–4 листьями.

Криптокорина блестящая — Cryptocoryne lucens — растение высотой 10–12 см, образующее густые заросли сочного ярко-зелёного цвета. Отдельное растение выглядит неинтересно, но даже небольшая заросль на переднем плане может очень украсить аквариум. Криптокорина блестящая сравнительно неприхотлива и вполне подходит как для очень большого, так и для самого маленького аквариума.

Оптимальная температура 24–28 °С, но растение выдерживает и более холодную воду. Жесткость воды предпочтительна выше 8°, хотя растение может существовать и в более мягкой воде. Активная реакция среды предпочтительна нейтральная и слабощелоч-

ная, в кислой среде рост ухудшается. Свет должен быть достаточно яркий, тогда растение образует низкорослые плотные заросли. При умеренном освещении форма и цвет листьев почти не меняются, но они начинают сильно тянуться вверх.

Криптокорину легко размножать, отделяя от образовавшейся заросли молодые растения.

Криптокорина Гриффита — Cryptocoryne griffithii Schott — распространена в Юго-Восточной Азии. Незначительно отличается от серцевидной криптокорины. Растение длиной до 30 см, листья яйцевидной формы длиной до 10 см, шириной до 6 см. Верхняя и нижняя стороны листа окрашены различно, во все оттенки от зелёного до красно-фиолетового. Довольно неприхотлива в аквариуме, но требует хорошей освещённости. В благоприятных искусственных условиях может цвести. Сажают группой на среднем плане.

Криптокорина Невилля — Cryptocoryne nevillii — её среда обитания — болотистые водоёмы юга Азии. Это самое маленькое растение из всех видов криптокорин — в длину оно достигает не больше 20 см. Листья ланцетовидной формы, заострённые. Длина листа — 5–10 см, ширина — не более 2 см. Сверху лист окрашен в ярко-зелёный цвет, снизу — светло-зелёный. Быстро размножается, образуя в аквариуме заросли. Нежелательно попадание под прямые солнечные лучи. Сажают на переднем плане.

Криптокорина Вендта — Cryptocoryne wendtii — широко распространённое среди аквариумистов растение. В природе обитает в болотистых водоёмах Юго-Восточной Азии. Криптокорина Вендта вырастает в длину до 22 см. Лист длиной 5–15 см и шириной 1–3 см имеет линейную или ланцетовидную форму, края волнистые.

Сверху лист зелёный или оливковый, снизу зелёный или красноватый. Цветы жёлтые или коричневые. В природе существует несколько разновидностей криптокорины Вендта, отличающихся по окраске. Условия содержания сходны с общим описанием криптокорин.

Размножают криптокорину Вендта в искусственных условиях только вегетативно, прикорневыми отпрысками и делением длинного ползучего корневища. После того как у молодых растений образуется 2–3 листочка, их можно отделять и пересаживать на новое место.

Криптокорина Пётча — Cryptocoryne petchii — это очень красивое растение высотой до 20 см с коричневато-оливковым окрасом верхней части листьев и красно-фиолетовым окрасом их снизу. Отличается равномерным ростом в течение всего года. Очень красиво выглядит на переднем плане аквариума.

Рекомендуемая температура воды для криптокорины Пётча должна быть в пределах 24–26 °С. Жёсткость предпочитает не ниже 6°. Освещение — умеренное, но может расти как при ярком освещении, так и в тени. Продолжительность светового дня должна быть не менее 12 часов. В качестве субстрата используют мелкую гальку или крупный песок. Грунт берут хорошо заиленный. Рекомендуется вносить в воду соли двухвалентного железа, в противном случае вам никогда не добиться интенсивной окраски у этого растения. Размножают криптокорину Петча вегетативно, путем отделения дочерних растений от корневища.

Криптокорина реснитчатая — Cryptocoryne ciliata — в природе встречается в медленно текущих водоемах и болотах Индии, Таиланда и Индонезии. Это крупный представитель криптокорин — растение достигает в высоту более полуметра. Листья дли-

ной до 40 см, шириной до 10 см, стрелообразные, ланцетовидной или яйцевидной формы, волнистые по краям. Растение окрашено в зелёный цвет. Из-за своих внушительных размеров используется только в больших аквариумах. Нетребовательно к жёсткости и солености воды.

Криптокорина родственная — Cryptocoryne affinis — обитает в болотистых водоёмах Юго-Восточной Азии. Растение вырастает в длину до 40 см, растёт кустами. Листья ланцетовидной или линейной формы, с заострённым концом и слегка закрученными краями. Они достигают в длину 15 см, в ширину 3 см и красиво окрашены: сверху — блестящие, светло- или тёмно-зелёные; снизу — от бледно-зелёного до светло-красного. Цветы красные или коричневые. Иногда растение цветёт и в аквариуме. Образует густые заросли высотой до 30—35 см. Располагать растение надо на среднем плане и у боковых стенок аквариума. В искусственных условиях требуется хорошее освещение.

Температура при выращивании этой криптокорины может колебаться в достаточно широких пределах — от 20 до 28 °C. Хорошо развивается криптокорина только в воде средней жёсткости, от 8 до 20°, со слабощелочной или нейтральной реакцией (pH 7—8). В аквариум с мягкой водой лучше доливать воду взамен испарившейся. Для хорошего роста криптокорины очень важна заиленность грунта.

Криптокорина Бласса — Cryptocoryne blassii — распространена в водоёмах Юго-Восточной Азии. Её среда обитания — стоячие воды и болота, где она образует труднопроходимые заросли. Листья достигают в высоту 60 см. Из короткого (до 10 см длиной) стебля исходят листья линейной формы, с зауженной и заострённой

вершиной, длиной 40 см и шириной 2 см. Это растение имеет не только подводные листья, находящиеся в толще воды, но и надводные листья, выходящие за пределы водной поверхности. Они обеспечивают растению большую устойчивость. Листья у криптокорины Бласса ярко-зелёного цвета, цветы — светло-коричневые. В аквариуме хорошо чувствует себя в воде с высокой жёсткостью 8–12°. Остальные особенности схожи с общими условиями содержания криптокорин. Размещают её на заднем плане подводного сада. Она очень хорошо сочетается со светло-зелёными мелколистными длинностебельными растениями, такими как лимнофилы, кабомбы, гигрофилы.

Криптокорина сердцевидная — Cryptocoryne cordate — обитает в болотистых местах Юго-Восточной Азии. Это растение может жить и на суше, обычно возле водоемов и в низинах. Растение имеет длину до 50 см, хорошо развита корневая система. Стебель короткий. Листья яйцевидной формы с зауженной вершиной достигают в длину 15 см, в ширину — 7 см. Сверху лист зелёный или сине-фиолетовый, снизу — красноватый или фиолетовый. Окраска молодого растения отличается от окраски взрослого экземпляра. Криптокорина сердцевидная цветёт жёлтыми цветами, расположенными над водой. Размножается грунтовыми побегами. Это довольно теплолюбивое растение. Желательна высокая жёсткость воды (8–12°).

Это лишь несколько видов из обширного семейства криптокорин. Существует ещё много видов, используемых в аквариумах и украшающих их: криптокорины албида, Валкера, ундулата, парва, малая, обратноспиральная, Твайтеза, пурпурная, длиннохвостая и др.

Кубышка

Кубышка жёлтая — Nuphar lutea — это растение распространено почти повсеместно на территории Европы и России. У неё, как и у других кубышек, есть подводные листья, расположенные в толще воды, и листья, плавающие на поверхности. Листья, плавающие на поверхности, у жёлтой кубышки достигают размеров 40 см, зелёного цвета. Подводные листья имеют овальную форму. Они тоже окрашены в зелёный цвет и имеют ширину 20 см. Кубышка цветёт красивыми ярко-жёлтыми крупными цветами. Живёт около двух лет. Хорошо чувствует себя в бедном грунте и без подкормки. В аквариуме растёт довольно быстро. Некоторые барбусовые, харацидовые и цихловые могут добавить жёлтую кубышку в свое меню.

Кубышка японская — Nuphar japonica — распространена в водоёмах крупных островов Японии. Листья длиной до 30 см, шириной около 10 см, стреловидной формы. Окраска листа блестящая, светло-зелёная. Цветы жёлтые. Существует разновидность с красно-коричневыми листьями и ярко-красными цветами, её красота очень ценится аквариумистами. При содержании кубышки японской приходится бороться с быстро появляющимися плавающими листьями, которые заполняют водную поверхность и затеняют аквариум. Высаживается в бедный грунт. Как и другие кубышки, не любит высокой температуры воды.

Кубышка стрелолистная — Nuphar sagittifolium — растение имеет очень красивые светло-зелёные гофрированные листья, высота может достигать 35 см. Отличается равномерным ростом в течение всего года. Требует чистый аквариум, не переносит мути,

растёт в Северной Америке. Листья длиной до 30 см, светло-зелёные, полупрозрачные, с волнистыми краями. Форма листьев — стреловидная, с сердцевидным вырезом у основания.

Жёсткость воды должна быть в пределах 6–12°, кислотность — 6–7,5. Рекомендуется регулярная подмена воды. Освещение — яркое, желательно наличие красного спектра, что обеспечивается лампами накаливания. Продолжительность светового дня должна быть не менее 12–14 часов. В качестве субстрата используют смесь крупного песка и гальки. Грунт берут хорошо заиленный с добавлением глины и древесного угля. Размножают кубышку вегетативно путём отделения части корневища с розеткой листьев. В отличие от большинства кубышек любит тёплую воду (24–30 °C). При выращивании в аквариуме обязательна подкормка в виде глины или древесного угля.

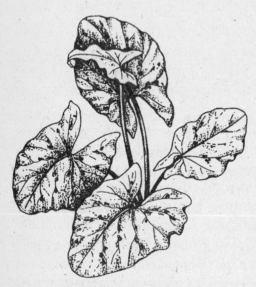

Кувшинка тигровая

Нимфея

Кувшинка тигровая — Nymphaea lotus — это очень красивое растение с очень красивыми цветами, подводные листья покрыты множеством характерных коричневых пятнышек. Окраска плавающих листьев почти гладкая, зелёная или оливковая. В культуре встречаются две фор-

мы этого растения: красная и зелёная. Первая из них имеет более выраженную красную окраску подводных листьев. Для культивирования применяют ёмкости со столбом воды не более 45 см с большой плоскостью поверхности. Зимой замедляет свой рост. Рекомендуемая температура воды — 24—28 °C. Жёсткость воды должна быть не более 4°. Активная реакция воды — 6—6,8. Освещение — яркое. Желательна возможность попадания прямого солнечного света. Грунт необходим питательный, выращивают кувшинку тигровую в горшочках, на дно которых укладывают слоями соответственно: мелкую гальку, песок, слой грунта (смесь 1 части перегноя, 2 частей дерна, 1 части крупного песка). Размножают вегетативно, практикуется и семенное размножение.

Кувшинка «морская роза» — Nymphaea Daubenyana — выращивается в маленьких искусственных водоёмах. Цветы очень красивые, разнообразной окраски. Культивирование в аквариуме вполне возможно, но у этой кувшинки листья менее красивы, чем у других нимфейных. В качестве аквариума следует использовать довольно большую ёмкость с большой площадью поверхности воды. В зимний период после цветения кувшинка замедляет рост.

Содержать «морскую розу» можно в тёплом и умеренно тёплом аквариумах. Растению подходит температура от 20 до 30 °C, оптимальная — 22—25 °C. Летом, в период вегетации, температуру можно повышать до 26—28 °C. Жёсткость воды должна быть небольшой, ниже 6°. Освещение должно быть очень яркое. Для нимфеи очень важен характер грунта. Он должен быть достаточно питательным, содержать много ила, глину, древесный уголь, можно добавлять немного торфа.

В условиях аквариума растение чаще всего размножают вегетативно. В пазухах старых, плавающих листьев образуются молодые растения, которые после формирования 3–4 листочков и мочки корней можно отделить и посадить в грунт аквариума.

Оттелия

Оттелия частуховидная — Ottelia alismoides — крупные листья округлой формы сочного ярко-зелёного цвета, располагающиеся под самой поверхностью воды. Размещают её ближе к центру аквариума, так как длинные, вертикально направленные черенки листьев занимают немного места, в то время как листья покрывают очень большую площадь, однако никогда не поднимаются над поверхностью воды.

Оттелия

Её можно содержать и в умеренно тёплом аквариуме при температуре около 20 °C. Вода должна быть мягкой, с нейтральной или слабокислой реакцией. В жёсткой воде очень нежные и хрупкие листья растения начинают распадаться. Подмена воды должна быть регулярной. Освещение должно быть яркое не только из-за того, что сама оттелия нуждается в нём, но и потому, что тень, создаваемая этим растением, достаточно плотная и покрывает боль-

шую площадь. Продолжительность светового дня должна быть не менее 12 часов.

В аквариуме растение размножается исключительно семенами. Оттелия почти постоянно цветет. Чтобы не допустить потери семян, через 10 дней после цветения на семенную коробочку следует надеть чехол из капрона.

Стрелолист

Стрелолист широколистный — Sagittaria platyphylla — его среда обитания — стоячие воды Нового Света. В природных условиях обладает подводными и надводными листьями, но в аквариуме надводные листья развиваются только при продолжительности светлого дня более 12 часов. Листья лентообразной формы вырастают в длину до 35 см, а в ширину — 3 см. Цвет колеблется от светло-зелёного до тёмно-зелёного. Лучший грунт для стрелолиста или сагиттарии — крупнозернистый песок. Подходящая температура для содержания — 20–28 °C, жёсткость воды — 5–12°, активная реакция воды — 6,0–7,5.

Стрелолист

Стрелолист шиловидный — Sagittaria subulata — очень распространённый у аквариумистов вид сагиттарий. В высоту растение может достигнуть почти

метра. Изогнутые и длинные листья имеют саблевидную форму. Растение окрашено в тёмно-зелёный цвет. Нетребовательно к температурным условиям и жёсткости воды. Может расти и на бедном грунте, хотя желательны подкормки глиной.

В аквариумах могут с успехом использоваться и другие виды стрелолистов: стрелолист злаковый, округлый, нитевидный, катон и др.

Традесканция

Всего в природе насчитывается более 60 видов традесканций. Они распространены в тропиках Центральной и Южной Америки. Большинство из них могут жить на суше и в воде. Листья напоминают по форме язычки. За это традесканция получила название «бабьи сплетни». Она очень быстро растёт, густо ветвится и может создавать целые «живые завесы». У нее гибкие стебли, и, чтобы традесканция росла вертикально, ей надо предоставить опору. Если создать растению благоприятные условия, она цветет красивыми небольшими цветами. В зависимости от вида они могут быть розовыми, белыми, малиновыми или голубыми. В аквариуме их обычно высаживают в горшочках или в надводном грунте так, чтобы листья опускались на поверхность воды. Но можно использовать традесканцию как подводное растение. Для этого традесканцию нужно подготовить к «водному» режиму. Молодой черенок, выпустивший корни, следует поместить в почву, обильно насыщенную водой. Два раза в день растение нужно дополнительно опрыскивать водой. В таком режиме традесканция должна провести около трех недель. Затем ее можно пересаживать в аквариум. При этом её корни должны быть в земле, присыпанной слоем песка. После пересадки в ак-

вариум можно заливать воду. Можно и не ждать три недели и сразу высадить растение в пустой аквариум, но уровень воды постепенно повышать на протяжении месяца.

Лучше всего высаживать в аквариуме зелёную или фиолетово-зеленую традесканции.

Традесканция приречная — Tradescantia fluminensis Vell — изящна и ярко окрашена. Стебли тонкие, фиолетовые. Листья мелкие (3,5 см длина, 1,5 см ширина), сверху зелёные, снизу чисто-фиолетовые или с неправильными фиолетовыми пятнами. Обильно цветёт мелкими (около 1 см в диаметре) белыми цветками. Тычиночные нити с пучком длинных четковидных волосков в основании. Родина — тропические районы Америки (от Центральной Америки до Аргентины). Встречается в одичавшем состоянии в США от С.Каролины до Флориды и в Калифорнии. Растёт во влажных тенистых местах.

Традесканция белоцветковая — Tradescantia albiflora Kunth — самый обычный, хорошо известный вид традесканции. Травянистое растение с ползучими стеблями, образующими куртины. Стебли голые, с одним рядом коротких волосков. Листья почти сидячие, с короткими трубчатыми влагалищами, яйцевидные или широколанцетные, острые, 5 см (до 7,5 см) длина, 2,5 см ширина, голые. Всё растение чисто-зелёное, в отличие от двух вышеприведённых видов. Цветки белые, цветёт крайне редко. Родина — Бразилия. Известно несколько садовых форм: Alba со светло-зелёными листьями с неправильными белыми и тёмно-зелёными продольными полосами, Aurea — с жёлтыми листьями, Laekenensis — с неправильными белыми и розовыми полосами на светло-зелёных листьях.

Эхинодорус

Более 50 видов и культурных форм популярнейших аквариумных растений относят к роду эхинодорус. В природе эти растения распространены в тропических и субтропических областях, начиная с юга Северной Америки, в Центральной и Южной Америке. Различные водные, болотные биотопы, включая влажные, подверженные периодическому затоплению долины рек, — основные места произрастания эхинодорусов.

Эхинодорус амазонский (амазонка) — Echinodorus amazonicus — очень неприхотливо и при этом достаточно эффектно. Образует густую розетку длинных узких листьев ярко-зелёного цвета. Крупные экземпляры достигают в высоту 35–40 см и занимают значительную площадь. Однако содержать эхинодорус можно и в очень небольшой ёмкости. Растёт равномерно в течение всего года.

Температура воды, при которой удовлетворительно растёт эхинодорус амазонский, может колебаться в широких пределах — от 16 до 28 °C. Жёсткость воды также может колебаться в широких пределах. В отличие от большинства эхинодорусов этот представитель рода очень хорошо растёт как в воде со слабокислой реакцией, так и в щелочной воде. Предпочитает свежую, регулярно

Эхинодорус

подмениваемую воду. Выдерживает длительное затенение, но окраска листьев при этом блекнет. Для питания растения обычно хватает естественного заиливания грунта.

В условиях аквариума эхинодорус амазонский размножается вегетативно.

Эхинодорус нежный — Echinodorus tenellus — известен под названием «карликовая амазонка». Образует густые заросли плотных ярко-зелёных розеток удлинённых листьев, не имеющих черенков. Заросли эхинодоруса нежного высотой 7—10 см, размещённые на переднем плане, очень украшают аквариум.

Температура воды, в которой содержится эхинодорус нежный, может колебаться в очень широких пределах, от 18 до 30 °C, оптимальные условия создаются при 24—26 °C. Желательно регулярно подменивать воду. Освещение эхинодорусу нежному требуется сильное. На ярком свету растение приобретает яркую окраску, кустики становятся невысокими и плотными. Продолжительность светового дня может колебаться от 1 до 14 часов.

У каждого куста очень быстро образуется 2—3 уса, на которых друг за другом появляются молодые растения.

Эхинодорус Блехера — Echinodorus bleheri — ярко-зелёные удлиненные ланцетовидные листья образуют крупный, очень густой куст. В условиях аквариума растение достигает высоты 40—50 см, поэтому размещать его следует в центре и на заднем плане.

Растение удовлетворительно развивается как в холодном, так и в тропическом аквариуме, при температуре 28 °C. Предпочитает воду с нейтральной или слабощелочной реакцией. Жёсткость воды может колебаться в значительных пределах. Освещение может быть умеренным и сильным. Эхинодорус выдерживает длительное затенение. Световой день должен быть не менее 8 часов.

Размножается эхинодорус в условиях аквариума только вегетативно. Материнское растение образует одну или сразу несколько очень длинных стрелок, на которых появляется множество дочерних растений. После появления у молодых растений 3–4 листочков и 3–4 корешков их можно отделить от материнского уса и посадить в грунт.

Эхинодорус Горемана — Echinodorus horemanii — имеет две формы: красную и красно-коричневую. Удлинённые листья с хорошо выраженным рисунком жилок образуют густую розетку. В условиях аквариума растение достигает высоты 50–60 см и занимает значительную площадь. Выращивать его можно только в большой ёмкости с достаточной площадью дна, располагая ближе к задней стенке.

Оптимальная температура — 20–26 °C. Повышение температуры воды до 28 и даже 30 °C эхинодорус переносит очень хорошо, но при таких условиях содержания ему дважды в год надо устраивать период покоя по 1–1,5 месяца, снижая температуру до 20 °C. Жёсткость воды желательна не ниже 6–8°. Очень желательно регулярно подменивать до 1/5 объёма воды примерно раз в 2 недели. Обычно для растений с тёмной окраской листьев интенсивное освещение не требуется. Эхинодорус Горемана — одно из немногих исключений. Продолжительность светового дня — около 12 часов. Красно-коричневой форме требуется богатый грунт и частые пересадки.

В условиях аквариума эхинодорус размножается только вегетативно, образуя на корневище дочерние растения. Но количество деток обычно очень невелико, и появляются они сравнительно редко.

Виды растений

Эхинодорус горизонтальный — Echinodorus horizontalis — своё название получил из-за сердцевидных листьев, отходящих от черенков почти под прямым углом и расположенных почти параллельно грунту. Красноватое молодое растение со временем меняет цвет на светло-зелёный. Высота куста обычно небольшая, 20—25 см, но расположение листьев делает растение раскидистым, так что взрослый куст занимает много места. Содержать его надо в аквариуме с большой площадью дна, размещая на среднем плане.

Оптимальна температура 22—24 °C, но может долго расти при температуре 26—28 °C, при этом у него могут наблюдаться выраженные периоды покоя. Вода может быть очень мягкой и умеренно жёсткой — от 2 до 16°. Активная реакция предпочтительна нейтральная или слабощелочная (рН 7—8). Освещение для эхинодоруса требуется очень сильное, обязательно верхнее. Световой день должен продолжаться около 12 часов. При недостатке освещения эхинодорус начинает тянуться вверх, форма куста начинает меняться, ярко-красная окраска молодых листьев тускнеет.

Размножается растение в условиях аквариума чаще всего вегетативно, путём образования дочерних растений на цветочных стрелках.

Эхинодорус озирис — Echinodorus osiris — растёт в Бразилии, достигает в длину 40—60 см, лист имеет продолговатую форму. Одно из самых красивых растений, выращиваемых в аквариуме. Образует крупные раскидистые кусты. Цвет листьев варьирует от карминно-красного у молодых растений до тёмно-зелёного у старых. Отдельные кусты достигают в аквариуме высоты 40—50 см. Подводная форма не образует плавающих и надводных листьев. При сильном освещении растение выходит за пределы воды. Даёт 2—3 новых листа в месяц.

Нетребователен к аквариумным условиям, желательная температура — 22–28 ˚C. Хорошо переносит временное снижение температуры до 15–16 ˚C. Продолжительность светового дня не менее 10–14 часов. При недостатке света листья становятся мелкими, растение болеет и, как правило, гибнет.

В условиях аквариума эхинодорус озирис размножается вегетативно. На старом корневище, стелющемся по поверхности грунта, часто образуются дополнительные растения. Если их не отделять, образуются причудливые разветвления корневища, заканчивающиеся розетками листьев. Такое корневище можно разрезать на части так, чтобы на каждой части было развитое растение. Молодые растения отделяют от корневища после образования 4–5 крупных листьев и 2–3 корешков.

Эхинодорус узколистный — Echinodorus angustifolius — отличается от остальных представителей рода своим внешним видом. Узкие длинные ярко-зелёные листья при первом взгляде напоминают валлиснерию. Высота его куста достигает 40–45 см. Лучше всего расположить эхинодорус у боковой стенки ближе к заднему плану аквариума. Растение неприхотливо и растёт в аквариуме равномерно в течение всего года.

Эхинодорус переносит колебания температуры воды в довольно широких пределах. Подменивать воду желательно регулярно, не реже 2–3 раз в месяц. Растение любит естественное освещение, рассеянный солнечный свет действует на него наиболее благотворно.

В условиях аквариума эхинодорус узколистный размножается вегетативно. Растение образует множество усов, стелющихся по грунту.

РАСТЕНИЯ, ПЛАВАЮЩИЕ В ТОЛЩЕ ВОДЫ

Растения, входящие в эту группу, имеют слабо развитую корневую систему, а иногда она вообще отсутствует. Имеют мелкорассеченные листья, служащие для поглощения растворенных в воде органических и неорганических соединений. Корни служат для укрепления растения. Корни у них обычно мочковатые или ползучие. Эти растения активно насыщают воду кислородом, служат местом нерестилища и укрытием для мальков, а для некоторых видов рыб даже пищевой добавкой. Нуждаются в фильтрации воды, так как чувствительны к загрязнению своих листьев и к перепаду температур. Размножаются обычно вегетативно.

Гетерантера

Гетерантера

Гетерантера остролистная — Heteranthera zosteraefolia — нежное длинностебельное растение со светло-зелёными узкими листьями, распространена в болотистых водоёмах Бразилии и Боливии. Это растение имеет длинный, разветвлённый стебель. Листья растут по всей длине стебля. Они могут быть подводными и надводными. Подводные листья имеют удлиненную форму, достигают в длину 8 см при ширине 0,7 см. Они окрашены в различные оттенки зелёного

цвета. Надводные листья меньших размеров, округлые, блестящие, зеленые. Мелкие бледно-голубые цветы имеют невзрачный вид. Гетерантера больше пригодна для маленького аквариума с невысоким уровнем воды, так как в глубоких аквариумах нижняя часть стебля сбрасывает листья и теряет декоративность.

Гетерантера остролистная, как и другие виды гетерантер, нетребовательна к температуре и грунту. Основное условие содержания — уровень воды в аквариуме должен быть небольшим (около 20 см).

Гетерантеру очень легко размножать черенкованием. Для этого берётся верхушечный побег или средняя часть стебля с хорошо выраженным боковым побегом. Черенки можно оставить плавать у поверхности до тех пор, пока у них не образуются корни.

Гигрофила

Растёт и под водой в местах с тёплым климатом, в основном в юго-восточной Азии.

Гигрофила многосеменная — Hygrophila polysperma — так называемая «индийская звёздочка», длинностебельное растение с овальными светло-зелёными листьями. Выращивать гигрофилу можно в аквариуме любого объёма, размещая на заднем плане.

При температуре воды ниже 22 °C она растёт плохо. Вода мягкая, слабокислая. При жёсткости больше 8° рост ухудшается. Необходима регулярная подмена воды. Освещение должно быть яркое. Продолжительность светового дня — не менее 12 часов. При недостаточном освещении листья становятся значительно мельче, а стебель начинает сильно вытягиваться.

Гигрофила очень легко размножается черенкованием стебля.

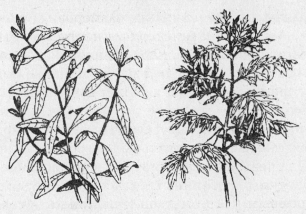

Гигрофила

Гигрофила длиннолистная — Hygrophila spec. Longifolia — длинностебельное растение оригинальной формы и выглядит в аквариуме очень красиво. Попарно расположенные листья достигают в длину 20 см при ширине около 1,5 см. Гигрофилу располагают у боковых стенок и на заднем плане. К условиям содержания она сравнительно нетребовательна и растёт в аквариуме круглый год.

Оптимальная температура — 22–26 ˚C. Вода должна быть средней жёсткости не менее 8˚. Активная реакция — нейтральная или слабощелочная (pH 7–8,5). Не реже раза в неделю необходимо подменивать 1/4–1/3 объёма воды. Освещение гигрофиле требуется очень яркое. Продолжительность светового дня должна быть около 12 часов.

Размножается гигрофила вегетативно — черенкованием стебля и делением ползучего корневища.

Гигрофила красноватая — Hygrophila spec. «Reddish» — длинностебельное растение с узкими нежными листьями красновато-коричневого цвета, сидящими попарно на стебле. Листья достигают длины 7—8 см при ширине около 5 мм. Размещают растение обычно у боковых стенок аквариума. В аквариуме растёт равномерно в течение всего года.

Удовлетворительно себя чувствует при температуре выше 24 ˚C. Оптимальные условия: жёсткость воды — 8—12˚, кислотность — 6,5—8. Растение предпочитает свежую, регулярно подмениваемую воду. Свет, особенно рассеянный солнечный, очень благоприятен для роста гигрофилы. Световой день должен быть примерно 12 часов.

Размножают гигрофилу в аквариуме вегетативно, обычно черенкованием стебля. На каждом черенке должно быть 3—4 мутовки листьев. При удалении верхушки гигрофила начинает куститься.

Гигрофила разнолистная (синема) — Hygrophila difformis (Synnema triflorum) — красивое длинностебельное растение, форма листьев которого в зависимости от освещения изменяется от овальной до крупноразрезной. Размещают растение обычно в центре аквариума.

Гигрофила подходит для тропического аквариума с температурой воды 24—28 ˚C, но содержать её можно и в умеренно тёплом аквариуме при температуре около 20—22 ˚C. Жёсткость и активная реакция воды практического значения не имеют. Очень желательно регулярно подменивать 1/5—1/4 объёма воды.

Размножение синемы не вызывает затруднений. Получить новое растение можно не только из черенка, но даже из старого листа, который помещают в плошку с песком, покрытым водой, и выставляют на яркий свет.

Кабомба

Кабомба растёт в стоячих и медленнотекущих водоёмах Южной и Центральной Америки. Растение имеет длинный стебель и листья веерообразной формы. Это светолюбивые растения, требующие светового дня не менее 12 часов в сутки с использованием красного света. Обычно высаживаются на заднем и среднем плане в аквариуме. В оптимальных условиях кабомба образует плавающие листья и цветы неожиданной формы (наподобие мини-кувшиночек) по сравнению с пушистыми подводными. Для укоренения кабомбы используют грунт, применяемый для эхинодорусов, при этом нижнюю часть стебля сворачивают в виде небольшой петли и засыпают гравием. Существует много видов кабомб.

Кабомба водная — Cabomba aquatica Aublet — распространена в стоячих и медленнотекущих водоемах Америки. В аквариумных условиях может достигать высоты 2 м. Листья красивой веерообразной формы расположены попарно друг против друга. Плавающие листья округлой формы, блестящие, зеленого цвета. Если удалить верхнюю часть стебля, у растения начнут образовываться боковые побеги. На стеблях, достигших поверхности воды, образуются мелкие желтые цветки. Размножается вегетативно, черенками. Подходящий

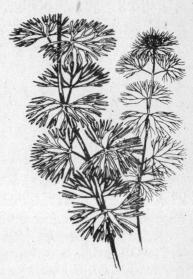

Кабомба

грунт для водной кабомбы — крупнозернистый песок. Не любит прямые солнечные лучи, вообще ей достаточно среднего естественного освещения. Нежелательно пересаживать. В аквариуме водная кабомба может выполнять несколько полезных задач: служить местом нереста, убежищем для мальков, очищать воду и, конечно, быть украшением искусственного водоёма.

Кабомба каролинская — Cabomba caroliniana — обитает в тропических и субтропических зонах Америки. Одно из самых распространённых растений у аквариумистов ввиду лёгкости содержания. Длина этого растения достигает полуметра. Веерообразные листья имеют ширину около 5 см и окрашены в тёмно-зелёный цвет. Плавающие листья ланцетовидной формы достигают размеров 2 см. Цветки белые. В искусственных условиях очень быстро растёт, но погибает при пересадках и нехватке углекислого газа. Любит периодическую подмену воды, нежелательно для него замутнение воды. Рекомендуемая температура воды для кабомбы каролинской 18–28 ˚C. Жёсткость воды должна быть в пределах 8˚, кислотность — 5,5–6,8. Освещение — яркое. Продолжительность светового дня не менее 12 часов. В качестве субстрата используют крупный песок или мелкую гальку. Легко размножается черенкованием стебля или корневища.

Целые стебли, отделённые от корневища или с кусочком его, на новом месте начинают очень быстро расти. Разделяя стебли на части с 5–6 мутовками листьев, также можно получить новые растения, но процесс этот идет довольно медленно.

Кабомба прекраснейшая — Cabomba caroliniana pulcherrima — отличается от своих ближайших родственников красноватой окраской. Это длинностебельное растение с тонкими мелкоразрезными листьями.

Желательна регулярная подмена воды. Рекомендуемая температура для кабомбы прекраснейшей — 20–28 °C. Жёсткость — мягкая, не более 4. Активная реакция воды в пределах нейтральной или слабокислой. Освещение — яркое. Световой день — порядка 12 часов. В качестве субстрата применяют песок или мелкую гальку либо смесь. Грунт берут слабозаиленный. Толщина грунта должна быть порядка 5–8 см.

Размножают черенкованием. Подводные листья округлой формы имеют размеры около 10 см. Плавающие листья ланцетовидной формы вырастают в длину до 3 см. Цветёт фиолетовыми цветами. Не приживается в жёсткой воде.

Кабомба спиральнолистная — Cabomba caroliniana tortifolia — растение обладает очень красивыми закрученными в спираль тонкими игольчатыми листьями с серебристым блеском. Растение чрезвычайно красиво.

При температуре ниже 20 °C рост её замедляется. Растёт она только в мягкой слабокислой воде. Жёсткость больше 6° растение практически не переносит.

При размножении растения надо обязательно учитывать его капризный характер и не пытаться делить стебли на мелкие части.

Людвигия

Различные представители людвигий встречаются по всему миру. Обычно обитает в болотах. Общие признаки для всех людвигий — удлиненный стебель, поочередное или супротивное расположение листьев, размножение черенками. Обычно используется в аквариуме на среднем или заднем плане.

Людвигия

Людвигия ползучая — Ludwigia repens — распространена в тропической зоне Северной Америки. На длинных стеблях попарно расположены листья, имеющие размеры в длину 2,5 см, в ширину 2 см, яйцевидной формы. Верхняя сторона листа имеет более тёмный оттенок зелёного цвета, чем нижняя. Мелкие цветки с 4 чашелистиками и 4 лепестками развиваются на надводной части растения. Этот вид людвигий обладает способностью очень быстро расти, поэтому за ней нужно внимательно следить. Требует много света.

Освещение должно быть достаточно сильным, но избыток света опасен из-за возможности появления водорослей на листьях растения. При температуре 20—26 °C растение развивается достаточно хорошо. Несколько лучше оно растёт в воде жёсткостью меньше 5—6°, со слабокислой или нейтральной реакцией, но и в более жёсткой воде со слабощелочной реакцией чувствует себя удовлетворительно. Для людвигии необходим достаточно питательный грунт. В старом аквариуме для неё вполне достаточно естественного заиливания грунта. В новый грунт желательно вносить дополнительную подкормку в виде комочков глины. Размножать людвигию можно черенкованием стебля. Черенки должны иметь выраженную точку роста, тогда они быстро приживаются на новом месте. Лучше всего брать верхнюю часть стебля длиной не менее 10—12 см. Ос-

тавшаяся в грунте часть стебля с корневой системой дает множество боковых побегов.

Краснолистная и ползучая людвигии — самые распространенные представители этого рода. В аквариумных целях также часто используются людвигии плавающая, рдестовая, лугообразная, гибридная, болотная и другие.

Микрозориум
(папоротник таиландский)

Папоротник таиландский — Microsorium pteropus — широко распространённое растение в тропиках Юго-Восточной Азии. В природных условиях достигает высоты 50 см. Корневище сильно разветвлено. От него вертикально вверх растут длинные листья ланцетовидной формы, ярко-зелёного цвета. Папоротник размножается черенками и спорами, образующимися на его листьях. При посадке в аквариум нужно слегка присыпать черенки грунтом — корни растения сами найдут себе надежную опору. Лучше растет, когда является единственным растением в аквариуме. Плохо развивается в кислой воде. Лучшие условия

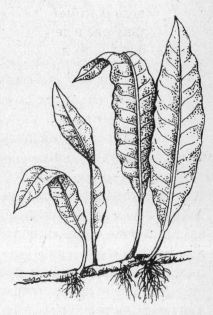

Микрозориум

для него — мягкая вода с нейтральной реакцией при умеренном освещении. Подходящая температура — 18–24 °C. Может приютить икру во время нереста в своих зарослях.

Мох

Мох обыкновенный ключевой (фонтиналис) — Fontinalis antipyretica — живёт в стоячей и проточной воде, реках, ручьях и прудах. Распространён очень широко — в Европе, Азии, Африке, Америке — фактически по всему миру, кроме Австралии. Высота этого растения может колебаться от 40 до 70 см. Обычно мох ключевой произрастает большими группами, прикрепляясь к камням на дне водоёма. Сильно разветвлённые стебли покрыты многочисленными листочками длиной около 1 см и шириной 0,5 см. Цвет растения зависит от места обитания и колеблется от светло-зелёного до тёмно-зелёного.

Мох обыкновенный популярен у аквариумистов, потому что его заросли могут служить убежищем для мальков и местом нереста для многих видов рыб. Его можно пересаживать вместе с камнями, на которых он растёт, но перед помещением в аквариум и растение, и камни необходимо продезинфицировать. Хорошо развивается в воде с слабокислой реакцией. Нежелательно содержать при температуре выше 20 °C. К более высокой температуре растение можно приучить постепенно, и тогда некоторое время его удаётся содержать при температуре около 24 °C. Вода должна быть мягкой (жёсткость не более 8°) с нейтральной реакцией (pH близко к 7). Любит чистую воду, поэтому её надо периодически обновлять. По-

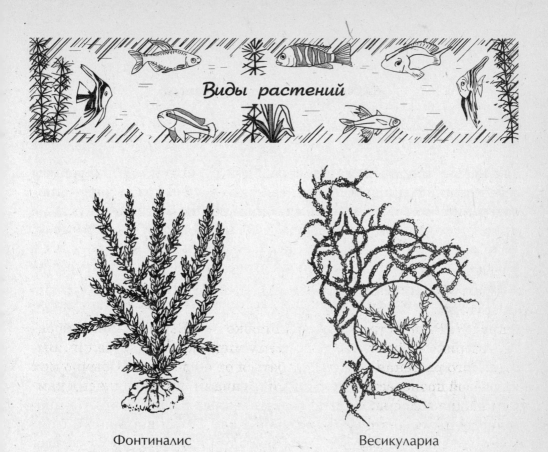

Фонтиналис   Весикулариа

явление даже незначительной мути гибельно для растения. Освещение должно быть среднее.

Мох яванский (весикулариа) — растёт в тропиках Юго-Восточной Азии. Образует заросли. Длинные, сильно ветвящиеся стебли достигают 50 см. Представляет собой переплетение тонких нитей тёмно-зелёного цвета, маленькие (около 0,2 см) листочки окрашены в различные оттенки зелёного цвета. Растение, которое длительно не беспокоят, образует очень красивые заросли. В природе прикрепляется к различным твёрдым предметам. В аквариуме пучок яванского мха можно привязать к камню или просто положить на грунт — растение само найдёт опору. Растёт яванский мох медленно, но равномерно в течение всего года.

Содержится при температуре 22–30 °C. Неприхотлив к условиям грунта, воды и освещения. Растение выдерживает длительное затенение, может расти при минимальном количестве света. При ярком освещении мох приобретает насыщенную зеленую окраску, нити начинают ветвиться. Чтобы яванский мох прожил в вашем аквариуме долгую жизнь, его нужно периодически вынимать и промывать проточной водой.

Яванский мох очень легко размножается вегетативно. Достаточно поместить в аквариум самый маленький кусочек мха, чтобы получить новое растение.

Наяда

Наяда

Наяда гваделупская (наяс) — Najas guadelupensis — образует густые ажурные заросли в толще воды. Расположенная на заднем плане, наяда создаёт прекрасный фон для растений с крупными листьями.

Температура воды, при которой наяс удовлетворительно себя чувствует, может колебаться в довольно широких пределах — от 18 до 30 °C. Жёсткость воды существенной роли не играет, активная реакция воды может быть любой. Подмена воды 3–4 раза в месяц желательна, так как наяс лучше растет в свежей воде.

Выдерживает длительное затенение, но красивые заросли сочного зелёного цвета образуются только при сильном освещении.

Наяс очень легко размножается черенками. Достаточно взять один из многочисленных побегов и создать ему более или менее подходящие условия, чтобы получить новую густую заросль.

Нителла

Блестянка гибкая — Nitella flexilis — образует густые заросли в толще воды, представляет собой заросль перепутанных темно-зелёных стекловидных нитей, последние образованы длинными цилиндрическими клетками.

На блестянке оседают взвешенные в воде частицы, поэтому в аквариумах, где она содержится в больших количествах, вода оказывается более прозрачной, чем в её отсутствие.

Нителла особенно удобна в качестве субстрата для нереста, а также при подготовке воды для размножения нанностомусов, неонов и некоторых расбор.

Нителла неприхотлива, она предпочитает сильный, рассеянный свет и воду средней жёсткости. Наилучших результатов при культивировании блестянки можно добиться, если её не пересаживать.

Нителла

Номафила

Номафила

Номафила прямая (лимонник) — Nomaphila stricta — растение, обладающее высокими декоративными качествами. На длинном, очень прочном стебле расположены попарно овальные остроконечные светло-зелёные листья, серебристые с изнанки. Размещать растение лучше на заднем плане аквариума.

Оптимальная температура содержания — 22–28 °С. Общая жёсткость желательна не менее 8°, кислотность — 7–8,5. Еженедельно нужно производить подмену 1/5–1/4 объёма воды. Очень полезна дополнительная подсветка лампами накаливания. Продолжительность светового дня — не менее 12 часов. Естественный свет улучшает рост растения.

Размножают номафилу в искусственных условиях черенками, отделяя от материнского растения верхушечные побеги.

Папоротник (цератоптерис)

Папоротник крыловидный (капуста водяная) — Ceratopteris pteridoides — его родина — стоячие водоёмы всех тропических зон земли. Его размеры могут превышать 30 см. Мясистые листья на длинных черешках окрашены в светло-зелёный цвет. Листья

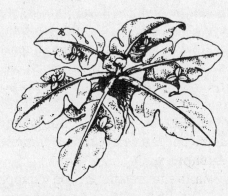

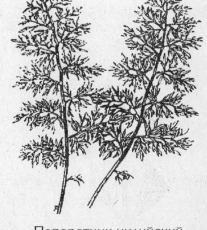

Капуста водяная   Папоротник индийский

и корни папоротника — подходящее место для икрометания и хорошее убежище для мальков рыб. Укореняется в грунте, где, разрастаясь, служит для затенения отдельных участков аквариума.

Оптимальный температурный режим — 22–28 ˚С. Нетребователен к характеристикам воды, но лучше себя чувствует в мягкой воде.

Размножается вегетативно, побегами.

Папоротник индийский — Ceratopteris thalictroides — эта разновидность папоротника распространена очень широко. Её можно встретить в Америке, Азии и Австралии по берегам рек и в болотистой местности. Растёт кустами, высота которых достигает 45 см. Светло-зелёные листья перистой формы очень красивы, и растение может быть настоящим украшением подводного уголка. Обычно индийский папоротник высаживают на заднем плане аквариума

и по боковым стенкам. Растение не слишком требовательно к условиям содержания. Желательная температура воды — 20–28 °C.

Размножается путем образования дочерних растений на старых листьях материнского куста. После образования нескольких листочков и мочки корней дочернее растение отрывается и всплывает к поверхности воды. Там оно может расти как плавающее. Его можно также посадить в грунт.

Перистолистник

Перистолистник бразильский — Myriophyllum aquaticum — распространён не только в Бразилии, его ареал захватывает даже

Перистолистник

США. Толстые и длинные стебли усеяны перистыми маленькими листьями. Листья на поверхности воды окрашены в голубовато-зелёный цвет, подводные листья ярко-зелёные. Подводные листья закрываются с наступлением темноты, а с рассветом открываются. Листья бразильского перистолистника используются многими видами рыб для икрометания.

В аквариуме нужно следить, чтобы все части растения получали достаточно освещения, но недопустим яркий свет, иначе появятся нежелательные водоросли.

Размножается перистолистник корневыми побегами.

Имеется много других видов перистолистников, все они являются украшением аквариума, прекрасным убежищем для мальков и субстратом для нереста.

Роголистник

Роголистник тёмно-зелёный — Ceratophyllum demersum — широко распространён по всему миру. Встречается в стоячих и медленно текущих водах. Образует густые заросли. Взрослые растения часто не имеют корневой системы. Длинный, довольно тонкий стебель усеян хрупкими рассечёнными листьями ярко-зелёного цвета. Цветки у роголистника маленькие, невзрачные. Может быть местом нереста для икромечущих рыб. Сажают группой на среднем или заднем плане или пускают плавать в толще воды.

Роголистник

В аквариуме живёт в толще воды, но, если его закрепить в грунте, может дать тонкие белые корни. Растение является естественным фильтром водоёма, поэтому его надо время от времени промывать под проточной водой. Любит яркое освещение, в остальном к условиям содержания не требователен.

Размножается корневыми побегами. Это многолетнее растение, зимует с помощью побегов, опускающихся на дно.

Роголистник светло-зелёный — Ceratophyllum submersum — среда обитания — медленнотекущие и стоячие водоемы. От длинных, сильно разветвлённых стеблей растут пучками листья от ярко-зелёного до красного цвета. Нужно следить за развитием растения в аквариуме, потому что оно быстро образует густые заросли. Как и многие роголистники, шероховатый роголистник является превосходным естественным фильтром. Он очищает воду, насыщает её кислородом, препятствует появлению водорослей, не даёт проникать в аквариум ярким солнечным лучам. Растение хорошо приспосабливается к различным грунтовым условиям и химическому составу воды. Для красной формы подходит вода 24–28 °C. Любит яркий свет и хорошо чувствует себя при низкой температуре.

Ротала

Ротала индийская — Rotala indica — растёт в тропической зоне Азии, в том числе в Закавказье. Круглый стебель обычно растёт вертикально вверх от основания корневища, боковые побеги бывают редко. Хорошо развита корневая система. У растения есть подводные и надводные листья. Подводные листья ланцетовидной формы достигают в длину 2 см и окрашены в зелёный цвет. Надводные листья округлые, могут менять свою окраску на пурпурную. Побеги растения продолжают расти и над поверхностью воды. Цветёт мелкими розовыми цветами.

Ротала круглолистная — Rotala rotundifolia — широко распространена в тропической зоне Восточной Азии, также встреча-

ется в Гималаях. Имеет развитое, ползучее корневище и боковые побеги. На длинном круглом стебле попарно размещены листья. Подводные листья — узкие, ланцетовидные, зелёные, иногда с вишнёвым оттенком. Надводные листья имеют округлую форму.

Оптимальная температура — 24–28 °С. Жёсткость более 12° губительна для растения. Появление в воде мути приводит к ухудшению внешнего вида растения и замедлению его роста, поэтому желательна еженедельная подмена воды (до 20%).

Размножается побегами.

Ротала крупнотычинковая — Rotala macrandra — её родина Индия. На ползучем корневище имеется множество листовых почек. Стебли длинные, слаборазветвленные, растут вертикально вверх. Листья, расположенные напротив, достигают размеров в длину до 5 см, в ширину до 4 см. Они имеют яйцевидную форму, волнистые края. Верхняя часть листа может быть различных цветов, от зелёного до красного, нижняя сторона окрашена в пурпурный цвет. Цветки розовые на надводном побеге.

В аквариуме это растение требует хорошей освещённости и довольно высокой температуры воды (не ниже 24 °С). В искусственном водоёме оно смотрится очень красиво, если его выгодно разместить на хорошо освещенном месте.

Элодея

Элодея канадская (водяная чума) — Elodea canadensis — её родина Северная Америка, но в прошлом веке она была завезена и акклиматизирована во многих странах Европы. В России она распространена в европейской части страны и Западной Сибири.

Водяная чума

Длинные шнуровидные стебли растения покрыты продолговатыми, прозрачными листьями ярко-зелёного цвета размерами до 1 см в длину и 0,5 см в ширину. Элодея может вырастать до 3 м и образовывать мощные заросли. Понятно, почему многие водоёмы буквально зарастают канадской элодеей, а растение получило второе название «водяная чума». Имеет мужские и женские цветки, размножается вегетативно.

В аквариуме, особенно холодноводном, канадская элодея чувствует себя прекрасно, быстро развивается и, если за ней не следить, занимает много места. Ей достаточно естественного освещения. Зиму переносит плохо.

Элодея очень легко размножается черенкованием стебля. Чтобы растение хорошо и быстро адаптировалось на новом месте, длина черенков должна быть не менее 20 см.

Удалять из аквариума избыточно разросшуюся элодею надо очень осторожно, так как сок растения ядовит.

Элодея густолистная (эгерия) — Elodea densa — растет в водоемах Аргентины и Бразилии. Это крупное растение — его высота достигает 70 см, закрученные листья линейной формы имеют длину до 5 см, ширину до 0,6 см. Цветёт белыми цветами. Всё растение может быть светло-зелёным или ярко-зелёным, в зависимости от условий обитания.

В аквариуме неприхотливо, без особых требований. Размножается вегетативно.

Элодея курчавая — Lagarosiphon muscoides — распространена на юге Африки. Длинный тёмно-зелёный хрупкий стебель достигает в длину до 60 см. Листья, расположенные поочередно, вырастают до 3 см в длину и 0,5 см в ширину. Обычно они сильно загнуты, тёмно-зелёного цвета. Растение активно участвует в обмене веществ, извлекая из воды многие химические элементы и продукты распада, и обогащает воду кислородом.

Хорошо переносит даже самые аскетичные аквариумные условия.

Эгерия

РАСТЕНИЯ, ПЛАВАЮЩИЕ НА ПОВЕРХНОСТИ ВОДЫ

Растения этой группы держатся на поверхности воды. Иногда их жизнь может протекать как в толще воды, так и на поверхности. Например, трёхдольная ряска поднимается на поверхность воды только во время цветения. Растения этой группы выполняют несколько важных задач: они охраняют аквариум от чрезмерно яркого солнечного света, служат местом нереста многих рыб, способствуют биологическому равновесию в искусственном водоёме. Эти декоративные растения могут ассимилировать продукты

жизнедеятельности рыб, могут служить им для постройки гнезда, они могут являться укрытием для мальков. Листья этой группы нежные, с большой площадью поверхности. Размножаются великолепно вегетативным путем, растут очень хорошо. Но эти растения нуждаются в рассеянном комбинированном свете.

Азолла

Азолла каролинская — Azolla caroliniana — папоротник, образующий очень красивые, плавающие на поверхности воды зелёные островки. Растение очень нежное, требует бережного обращения. При благоприятных условиях азолла, быстро разрастаясь, затягивает всю поверхность аквариума, затеняя другие растения, поэтому избыток её надо периодически удалять из аквариума.

Температура воды аквариума может колебаться в достаточно широких пределах — от 20 до 28 ˚C. Вода для азоллы должна быть мягкой, с нейтральной или слабокислой реакцией. Жёсткость желательна не выше 10˚, кислотность меньше 7,0. Растение требует очень яркого света.

Зимой растение надо удалить из аквариума и поместить в плошку с влажным мхом сфагнум. Температура зимовки должна быть не выше 12 ˚C. В конце марта-апреле растение следует перенести в аквариум.

Вольфия

Вольфия бескорневая — Wolffia arrhiza — очень маленькие зелёные эллиптические образования диаметром около 1 мм. Прекрасная добавка к рациону многих рыб.

К температурным условиям вольфия не требовательна. Её можно выращивать в умеренно тёплом и тропическом аквариумах. Содержать вольфию можно как в мягкой, так и в жёсткой воде с нейтральной, слабокислой и слабощелочной реакцией. Для вольфии необходима регулярная подмена воды. Очень важно, чтобы поверхность воды находилась в движении.

Вольфия очень хорошо растёт при естественном освещении. От прямого солнечного света её лучше несколько притенять. Продолжительность светового дня должна быть не менее 12 часов.

При благоприятных условиях вольфия очень быстро размножается делением.

Гидрокотила

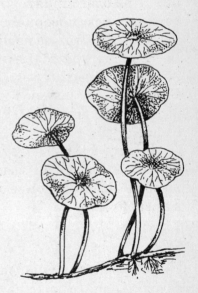

Щитолистник мутовчатый (водяной пупок) — Hydrocotyle verticillata — красивое и оригинальное растение с круглыми листьями ярко-зелёного цвета, достигающими 3 см в диаметре, на черенках высотой до 7–10 см, отходящих от длинного ползучего стебля. В аквариуме размещают на переднем плане.

Наиболее подходящая температура 20–24 °С. Вода желательна мягкая, с нейтральной или слабокислой реакцией. Освещение яркое. Продолжительность светового дня — 12–14 часов.

Размножают гидрокотилу делением корневища.

Гидрокотила

Щитолистник белоголовый — Hydrocotyle leucocephala — длинностебельное растение со светло-зелёными округлыми листьями. Его можно выращивать как плавающим по поверхности воды, так и укоренённым в грунт под водой.

Оптимальная температура воды для гидрокотилы 22–28 °C. Жёсткость и активная реакция воды существенной роли не играют. Необходима регулярная подмена воды. К условиям освещения гидрокотила очень требовательна. При использовании ламп накаливания надо соблюдать осторожность, так как они могут обжечь листья плавающих по поверхности воды побегов. Продолжительность светового дня должна быть не менее 12 часов.

Гидрокотилу очень легко размножать черенкованием. При благоприятных условиях можно получить новое растение даже из маленького кусочка стебля с одним листочком.

Лимнобиум

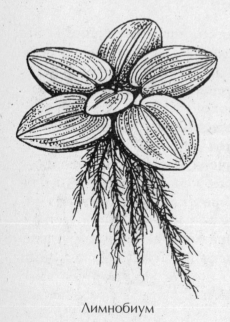

Лимнобиум

Лимнобиум побегоносный — Limnobium stoloniferum — плавающее по поверхности растение с круглыми глянцевыми листьями диаметром 2–3 см, используется не только как декоративное растение, но и в качестве естественного затенителя в аквариуме. Мочковатые корни лимнобиума прекрасно очищают воду от мути.

Его можно содержать при температуре от 20 до 30 ˚С. В мягкой воде лимнобиум растёт несколько лучше, чем в жёсткой. Регулярная подмена воды желательна, но растение неплохо себя чувствует и в старой воде. Освещение для лимнобиума, как и для большинства плавающих растений, требуется сильное, но он выдерживает кратковременное затенение. Световой день должен быть не менее 12 часов.

Размножается лимнобиум очень быстро путём образования дочерних растений на концах боковых побегов.

Папоротник

Папоротник крыловидный — Ceratopteris pteridoides — это растение, распространённое в тропических водоёмах, ещё известно под названием «водяная капуста». Корневая система хрупкая, мочковатая. Мясистые листья, рассеченные по краям, имеют размеры около 15 см в длину и 10 см в ширину. Они окрашены в тёмно-зелёный цвет. Размножается листовыми почками, образующимися на верхней части листьев. В аквариумных условиях очень быстро развивается. Подходящая температура для содержания — 20–24 ˚С. Капустовидный папоротник хорошо очищает воду и служит светофильтром в аквариуме. Корешки растения могут использоваться некоторыми видами рыб для нереста. В искусственных условиях водяная капуста легко размножается путем отделения от растения взрослых листьев. Отделять побеги можно лишь при наличии у них нескольких листиков и корневой системы. Их оставляют на поверхности воды, и они начинают развиваться самостоятельно.

Пистия

Водяной салат — Pistia stratiotes — плавающее на поверхности растение со свисающими корнями и розеткой листьев. Листовая пластинка бархатистая, сверху голубовато-зелёная, снизу бледно-зелёная. При хороших условиях образует на поверхности почти непроницаемые для света заросли, которые затеняют растущие в толще воды и у дна растения. Мохнатые, ветвящиеся корни пистии являются прекрасным субстратом для нереста многих видов рыб. Позволяет прикрывать участки аквариума с тенелюбивыми растениями от чрезмерного света.

Для оптимального содержания освещённость не менее 12 часов, температура воды — 22–28 °C, кислотность — 6–7,5. Под покровным стеклом не должно быть застоя воздуха.

Размножается отводками, образующимися на ползучем побеге.

Пистия

Риччия

Риччия — Riccia flutans — представляет собой разновидность печёночного мха. Она очень широко распространена по всему миру, в том числе и в России. Обитает в стоячих и медленнотекущих водах. У этого растения нет ни стеблей, ни листьев, ни корней. Она состоит из мелких ветвящихся плоских пластинок, так называемого слоевища. Окрашена в сочно-зелёный цвет. Некоторые рыбы строят из частей риччии свое гнездо и мечут в её зарослях икру.

В аквариуме риччия должна получать достаточно освещения, иначе нижние слои могут подгнивать. При слабом освещении сплошная поросль распадается на отдельные бурые пластинки. В летнее время риччия быстро разрастается и препятствует попаданию в аквариум кислорода и солнечного света, поэтому заросли надо прорежать время от времени. Её можно использовать как теневой фильтр для растений, не любящих свет.

Размножается делением слоевища.

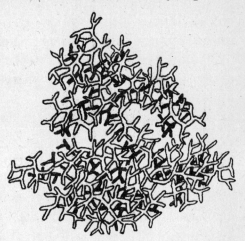

Риччия

Ряска

Ряска трёхдольная — Lemna trisulca — распространённый представитель российских водоёмов со стоячей водой. Она обитает в толще воды, а во время цветения

всплывает на поверхность. Состоит из множества листьев необычной формы — угловатые полупрозрачные пластинки светло-зелёного «ядовитого» цвета. Листья длиной около 1 см, часто соединяются по три и более вместе. Размножается вегетативно, делением.

В аквариуме ряска образует «живые пласты» в толще воды, а во время цветения — на поверхности. Если не следить за ней, она может затянуть всю водную поверхность в вашем аквариуме, как это часто происходит с природными водоёмами. К световым и температурным условиям не требовательна. Может служить местом нерестилища и укрытием для мальков. Хорошо насыщает воду кислородом. В отличие от многих других аквариумных растений нормально переносит зимнее время.

Ряска малая — Lemna minor — распространена повсеместно в медленнотекущих и стоячих водоёмах. Обитает на поверхности воды. Листья округлой формы, диаметром 2–3 мм, ярко-зелёного цвета. Тонкие нитевидные корешки могут достигать в длину 10 см.

В природных условиях не выживает в холодное время года, в аквариуме может перенести зиму при хорошем искусственном освещении.

Размножается дочерними побегами, цветет редко.

Сальвиния

Сальвиния плавающая — Salvinia natans — встречается в водах Европы, Западной Азии и Северной Африки. В России распространена в бассейнах Волги, Дона, Днепра и Кубани. Имеет яркозелёные плавающие листья длиной до 1,5 см, округлой формы,

покрытые снизу тонкими бурыми волосками.

Размножается стеблевыми побегами и спорами. В аквариуме создаёт «живой ковёр», защищающий его обитателей от яркого света, служит нерестилищем и укрытием для мальков. Неприхотливо в искусственных условиях, однако нуждается в хорошем освещении. Зимой обычно погибает, а весной из спор развиваются новые растения.

Сальвиния ушастая — Salvinia auriculata — встречается в медленнотекущих и стоячих водоёмах Южной Америки. Листья мелкие, округлые, похожие по форме на ухо — отсюда и название растения. Лист имеет размеры около 3 см и окрашен в желтоватый цвет. На нём есть две выпуклые ёмкости в виде мешочков, в которых хранятся пузырьки воздуха.

Сальвиния

В аквариумных условиях хорошо растёт и развивается круглый год. Растение требовательно к освещению — зимой световой день должен быть не меньше 12 часов. Неприхотливо к остальным условиям содержания. Создаёт «живой ковёр», защищающий его обитателей от яркого света, служит нерестилищем и укрытием для мальков.

Эйхорния

Эйхорния отличная (водяной гиацинт) — Eichhornia crassipes — представляет собой розетку глянцевых ярко-зелёных листьев оригинальной формы, имеющих у основания воздушную камеру. Благодаря ей растение держится на плаву. Способность извлекать из воды азотистые соединения и другие продукты метаболизма рыб делает эйхорнию очень полезной для аквариума. Эйхорния, прекрасно фильтрующая воду от взвешенных частиц, может заменить самый эффективный фильтр.

Для успешного роста необходим очень тёплый аквариум, 26–28 °C (до 30 °C). Вода должна быть мягкой, со слабокислой реакцией. Предпочтительна кислотность — 6–6,8, жёсткость ниже 6°. Чтобы эйхорния цвела, температура воды и воздуха должна быть не ниже 30–32 °C. Для эйхорнии необходимо очень яркое освещение. Световой день — 12–14 часов.

Размножается эйхорния путём образования дочерних растений на концах боковых побегов. Молодые растения после появления у них 3–4 листочков можно отделить от материнского.

Эйхорния разнолистная — Eichhornia diversifolia — растение

Эйхорния

сильно отличается от своих родственников. Растёт оно только в толще воды и образует длинные стебли, на которых поочередно сидят удлиненные светло- или ярко-зелёные листья. Её размещают на заднем плане, где она образует красивые густые заросли.

Температура воды, при которой растение удовлетворительно себя чувствует, 20−26 ˚C. Вода желательна мягкая, с нейтральной или слабокислой реакцией. Общая жёсткость должна быть не более 6˚, кислотность — меньше 7. Вода должна быть чистая, её следует регулярно подменивать на 1/5−1/4 объема. Освещение для эйхорнии должно быть достаточно сильным. Продолжительность светового дня — около 12 часов.

Растение очень легко размножается вегетативным способом.

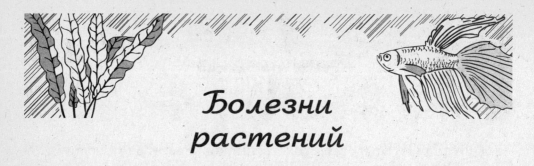

Болезни растений

Если вы хотите, чтобы в вашем аквариуме не нарушалось биологическое равновесие и каждый обитатель водного уголка чувствовал себя хорошо и не болел, то вам нужно следить не только за самочувствием рыб, но и за состоянием растений. Причины болезней растений могут быть связаны с чем угодно — с характеристиками воды, грунта, освещения, нехваткой каких-то химических элементов. Как только растение попадает в условия, отличные от оптимальных, оно вследствие стресса как бы замирает на некоторое время, затем быстро деградирует и, если условия культивации совсем не соответствуют оптимальным требованиям, в скором времени гибнет. Им могут причинять вред и другие обитатели аквариума — рыбы и улитки, объедая растения. Заболевший экземпляр легко распознать — у него искажается естественный цвет, он подгнивает, желтеет, хиреет. Если вы заметили, что какие-то листики или другие части растения начали гнить, как можно быстрее удалите их при помощи скальпеля и пинцета. Многих болезней растений можно избежать, если регулярно заменять в аквариуме воду, производить уборку и следить за условиями содержания.

Корни некоторых растений, особенно барклайи и ряда криптокорин, произрастающих в природе в так называемых анаэробных условиях, то есть в плотных илистых грунтах, куда доступ кислорода ограничен, очень страдают при пересадке и длительной их экспозиции на открытом воздухе. В этом случае они быстро отгнивают, растение всплывает на поверхность и нередко гибнет.

Ниже описаны различные причины заболеваний растений в аквариуме и возможные способы лечения.

Болезни растений

Освещённость. При слабой освещённости растения приобретают бледную окраску, теряют нижние листья. Они стараются приблизиться к свету, у них вытягиваются междоузлия и становятся тоньше стебли, сбрасывают листья в нижней части. В этом случае нужно посмотреть, не забирают ли другие растения в аквариуме слишком много света, и проредить их при необходимости. Можно также сделать освещение более мощным.

Если у ваших растений необычно маленькие листья, это значит, что им не хватает света и требуется подкормка.

Если красная часть спектра осветительной лампы чересчур мощная, у растений могут вытянуться в длину верхние части листьев.

Не забывайте, что чем выше температура в аквариуме, тем больше освещения ему требуется. Если соотношение освещенности и температуры воды нарушается, у растений появляются длинные междоузлия и мелкие листья.

Температура воды играет огромную роль. Так же как и рыбы, при снижении температуры растение может «замёрзнуть» и погибнуть. При повышенной температуре все процессы в растительном организме ускоряются и требуют притока значительно большего количества питательных веществ, в том числе углекислого газа, что, в свою очередь, увеличивает потребность в яркости освещения для осуществления процессов фотосинтеза.

Грунт. Нежелательно, чтобы грунт был слишком плотным. Из-за этого у растений могут деформироваться листья и корни. Особенно это касается молодых растений. Количество и качество грунта должны соответствовать требованиям, предъявляемым отдельными видами растений.

Подкормка. Многим растениям в аквариумных условиях необходима подкормка удобрениями. Из-за недостатка питательных веществ в грунте они могут вянуть, хиреть. На листьях появляются дырки, края теряют ровную форму, окраска становится бледной.

Железо. Если железа в воде недостаточно, растение желтеет, «стекленеет» и может погибнуть. Чтобы избежать этого, достаточно положить на дно несколько камушков оранжевого или красного цвета, в которых содержится много железа. Добавление в аквариум еженедельно около 0,1–0,2 мг железного купороса на 1 л воды значительно повышает яркость зелени большинства растений, особенно улучшается красная окраска молодых листьев и побегов. Если железа в воде, наоборот, больше, чем нужно, то растение пожелтеет, но жилки листьев останутся зелёными. Чтобы уничтожить излишек железа, растворите в воде немножко марганца.

Кальций. При недостатке кальция у растений желтеют края листьев. Чтобы устранить это, в аквариум кладут пустую раковину (обязательно продезинфицированную). После восстановления баланса раковину можно убрать.

Углекислый газ. Листья растений покрываются известью. Значит, в аквариуме слишком мало обитателей, чтобы обеспечить общий баланс углекислого газа, и стоит приобрести еще несколько экземпляров.

Азот. Признаки азотного голодания: преждевременное отмирание старых листьев, пожелтение краев и кончиков листьев, распространяющееся постепенно на всю листовую пластинку, замедление роста. В этом случае нужно постепенно понизить температу-

ру воды на несколько градусов. Это связано с тем, что количество азота в воде с понижением температуры увеличивается. Но не переусердствуйте и не переохладите ваших рыбок и другие растения!

Сера. При недостатке серы молодые листья меняют свою окраску на желтую или красноватую. Растению можно помочь, если отсадить его отдельно и растворить в воде 1—2 крупинки очищенной серы (ее можно купить в аптеке).

Фосфор. Признаками фосфорного голодания являются потемнение окраски молодых листьев, скручивание листьев и побегов, появление на старых листьях бурых и красновато-бурых пятен. В качестве фосфорного удобрения чаще всего используются кальциевые, калиевые и магниевые соли ортофосфорной кислоты. При появлении признаков недостатка минеральных веществ в воду также добавляют комплексные удобрения, в составе которых есть и фосфор.

Калий. Недостаток калия обычно выражается в появлении на краях листьев бурых и жёлтых пятен. Можно использовать комплексное минеральное удобрение нитрофоска. Оно содержит самые необходимые макроэлементы — азот, фосфор, калий — в оптимальном для растений соотношении. Это минеральное удобрение можно вносить в аквариум при каждой подмене воды. Обычная дозировка — от 1 до 2 г на 100 л воды.

Микроэлементы. Это бор, цинк, медь, марганец, молибден, кобальт. Признаками недостатка бора являются почернение и гибель верхушечных точек роста. Недостаток бора в аквариумной воде можно компенсировать, добавив к ней борную кислоту или

буру (0,2 мг на 1 л объема аквариума). Недостаток цинка можно компенсировать внесением сернокислого цинка, который добавляют в количестве 0,1 мг на 1 л воды. При недостатке меди в воде аквариума бледнеет вся листовая пластинка, отмирают мягкие ткани листа. Медь в аквариум можно вносить в виде медного купороса (0,2 мг на 1 л воды). Недостаток марганца проявляется в возникновении мелких, сначала светлых, а потом коричневых пятен между жилками молодых листьев.

Большинство макро- и микроэлементов содержится в комплексных минеральных удобрениях. Производить подкормку минеральными удобрениями нужно периодически. Лучше всего это делать при регулярной подмене воды раз в неделю или раз в десять дней. В подмениваемую воду, объем которой обычно составляет 1/5–1/4 объёма аквариума, и добавляются удобрения.

Аквариумные рыбы

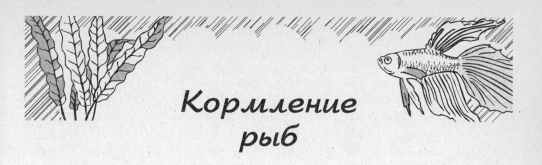

Кормление рыб

Развитие и здоровье рыб зависит от качества и количества пищи, которой вы их кормите. Корм должен содержать белок, обеспечивающий нормальное течение всех жизненных процессов, особенно рост и способность к размножению; углеводы и жиры, являющиеся поставщиками энергии; минеральные вещества, важные для скелета, крови и мускулатуры, и витамины, способствующие нормальной жизнедеятельности организма.

Не так просто подобрать правильный корм для рыб. Ведь если в природных условиях животные сами выбирают свой рацион, исходя из наличия корма, то в аквариуме вы должны сами определить меню для своих любимцев.

Однообразный корм плохо влияет на рыбок и даже может привести к различным заболеваниям. Готовый корм как правило достаточен для нормального существования, но живой корм в самом разнообразном виде совершенно необходим для доведения рыб до нереста. Желательно также составить график кормления.

Необходимо изучить кормовые повадки рыб — где, когда и как они питаются. В природных водоемах рыбы добывают себе пищу в разных условиях и, в частности, в разных слоях воды. В соответствии с этим одни рыбы берут корм у поверхности, другие ловят его в средних слоях, третьи разыскивают пищу на дне. При кормлении рыб необходимо учитывать эти их видовые особенности. Нужно также учитывать, что рыбкам на разных стадиях жизни требуется различный корм. Питание мальков, больных и растущих рыб должно быть более обильным и частым. Ниже мы отдельно рассмотрим вопрос кормления мальков.

Аквариумные рыбы

Очень важен и размер корма. Он должен быть достаточно мелким, чтобы быть переваренным, и довольно крупным, чтобы рыбы прикладывали усилия для его поедания.

Раз в месяц нужно устраивать разгрузочный день — не кормить рыбок совсем. Желательно, чтобы разгрузочный день не совпадал с каким-нибудь изменением обычного режима содержания (например, частичной сменой воды или уборкой).

Если рыбам предлагать избыточный корм, часть его остаётся в воде, начинает разлагаться, загрязняет аквариум и, кроме того, служит пищей массе нежелательных организмов, которые нападают на рыб. Именно поэтому всегда рекомендуется давать корм небольшими порциями по нескольку раз в день. Старайтесь кормить своих рыбок 2 раза в день, в одно и то же время. Рыб, ведущих ночной образ жизни, можно кормить один раз перед выключением света или при освещении синей лампы. Сезонно размножающимся рыбкам требуется больше корма при подготовке к икрометанию.

Кормить рыб лучше в определённое время в одном месте, например у середины передней стенки аквариума. Рыбы вскоре привыкают и подплывают к этому месту в обычное время кормления. Чтобы рыбы сразу находили его, полезно выработать у них условный рефлекс на стук по стеклу или на звон колокольчика. Стучать или звонить нужно всегда непосредственно перед кормлением.

Рыбам требуется гораздо меньше пищи, чем другим животным такого же размера. Частично это обусловлено тем, что рыбы — холоднокровные животные и поэтому у них нет необходимости превращать пищу в тепло. Поэтому не увлекайтесь с разовой порцией в стремлении накормить до отвала своих любимцев — если рыбки

Парусная пецилия

Пецилия "редиска"

Гуппи

Пимелод-ангел

Анцитрус обыкновенный

Синодонт Ньяса

Обыкновенный хоплостернум

Сом флавитонеатус

Мешкожаберный сом

Узорчатый мастацембел

Лепидосирен

Мраморный протоптер

не всё съедают, значит, корма слишком много и порции надо уменьшить. Все должно быть съедено за 5–10 минут. В обогреваемом
аквариуме несъеденный корм очень быстро начинает портиться,
и большинство рыб даже не прикасаются к нему. Избыток корма
необходимо удалить из аквариума как можно быстрее, пока он
не начал разлагаться.

Используйте для удобства кормушки (их описание дано в главе
«Инвентарь»).

Ещё хуже, чем не покормить рыбок, перекармливать их. От слишком обильного корма у них развивается ожирение и бесплодие.
Рыбки не скажут вам, что они уже наелись, скорее, они безропот-
но съедят всё, что им будет предложено. Следите за размерами пор-
ций корма. Избыточное количество пищи, поглощаемое рыбами,
приводит к повышенному выделению рыбами аммиака. В этом случае потребуется более частая смена воды, чтобы не допустить отравления рыб нитратами и такого явления, связанного с избытком
нитратов, как «цветение» воды.

Время кормления можно использовать для наблюдения за вашими питомцами: если какая-то рыбка заболела, её можно будет
отличить от здоровых по отсутствию аппетита.

ЖИВОЙ КОРМ

У живых кормов есть множество преимуществ. В большинстве
своём они имеют высокую питательную ценность, а основные витамины и другие питательные вещества, содержащиеся в них, остаются нетронутыми и не разрушатся в процессе обработки, как это
происходит во время приготовления некоторых сухих кормов.

225

Мальки многих видов и даже некоторые взрослые рыбы вообще признают в качестве съедобной только движущуюся пищу.

Главный отрицательный аспект кормления рыб живыми кормами — это риск занесения болезней и паразитов. Пресноводные ракообразные, такие как циклопы, могут содержать личинок паразитических червей (гельминтов), а трубочник известен тем, что является носителем патогенных вирусов, бактерий и даже некоторых простейших паразитов. Риск занести в аквариум болезни вместе с живым кормом весьма значителен.

В таблице 3 приведён химический состав некоторых живых кормов в процентах от сухой массы.

Самые распространённые виды живого корма: мальки и рыбы небольших размеров, артемия, дрозофилла, инфузории, коловрат-

Таблица 3

Наименование корма	Белок	Жиры	Углеводы
Артемия (науплиусы)	61–64	18–26	
Дафнии	50	16	5
Коловратка	65–75	12–20	
Нематода	10	20	
Моина	67	30	
Мотыль	62	3	30
Червь дождевой	58	12	
Энхитреус	70	14	10

ки, коретра, моллюски, мотыль, нематоды, различные рачки, трубочник, черви дождевые, энхитреус, мухи, комары, тараканы и другие насекомые. Живой корм нужно брать из тех природных водоёмов, где нет рыб, а в противном случае они могут содержать паразитов, вызывающих болезни рыб. Дафния и коретра не имеют опасных возбудителей заболеваний, и их можно ловить в естественных водоёмах, где водятся рыбы

Дальше вы можете прочитать подробное описание основных видов живого корма, способов их разведения и хранения.

Артемия

Artemia salina. Относится к жаброногим ракообразным. Взрослые особи достигают 18 мм длины. Она распространена в водоёмах с солёной водой в южных районах России (Ставрополье, Алтай, Калмыкия и др.). В продаже можно встретить яйца артемии, из которых можно получить её личинок (науплий) и даже, используя специализированный корм, вырастить их. Науплии — отличный корм для молоди большинства рыб, а взрослых особей можно скармливать средним по размерам рыбам. При этом следует учесть, что науплии артемии держатся на освещённых местах, и если мальки прячутся в темноте, то они останутся без корма. Замороженные науплии опускаются на дно аквариума, поэтому подходят для мальков

Артемия

барбусов и сомиков, которые находят обильный корм именно там, где они его разыскивают, у дна.

В 100 г рачков артемии содержится: белков — 57,6 г, жиров — 18,1 г, углеводов — 5,2 г.

В 100 г науплий артемии содержится: белков — 48 г, жиров — 15,3 г, витамина B_{12} — 7,2 мк на 1 г.

Яйца артемии часто бывают в продаже и могут долго храниться в сухом и прохладном месте. Яйца тщательно промывают в воде, сушат и несколько дней выдерживают при 2–5 °C (но не в домашнем холодильнике, потому что там могут находиться бактерии сальмонеллы). В пресной воде науплии артемии живут не более 6–8 часов.

Существует следующий способ разведения артемии, который мы приводим по книге В. Д. Плонского «Мир аквариума»:

В бутылку 0,75 л наливают 0,5 л соляного раствора (20 г поваренной соли на 0,5 л воды), вносят 1 чайную ложку (без горки) яиц артемии и закрывают пробкой, в которой вделано 2 отверстия с пропущенными через них пластмассовыми трубками. На одну из них, на погруженный в воду до самого дна конец, надевают распылитель, а другой конец подключают к компрессору. Другая трубка, короткая, не достаёт до поверхности воды и служит для отвода воздуха. Сильный ток воздуха обеспечивает перемешивание яиц, а для того, чтобы они не скапливались у горлышка бутылки, её время от времени взбалтывают. Созревание первой партии рачков при температуре раствора 24–25 °C происходит через 36–40 часов. Для их сбора выключают подачу воздуха и ставят бутылку с небольшим наклоном на 4–5 минут, чтобы рачки успели осесть на дно. Затем

Кормление рыб

вставляют в бутылку другую пробку с 2 трубками, одна из которых подключена к компрессору и не достаёт до поверхности воды. Один конец второй трубки подходит ко дну бутылки, а другой подведен к стеклянной банке, закрытой мелкой сеткой. Включают компрессор — вода сливается в банку, а рачки остаются на сетке. Промыв водой, их можно скармливать рыбам.

Раствор из банки сливают обратно в бутылку, и операция может быть повторена еще 1–2 раза. Для каждой новой партии яиц приготавливают новый раствор. Недостатком способа является не очень высокий процент выхода рачков из яиц и невозможность полностью освободиться от скорлупок яиц, которые, оставшись в сачке и попав в кишечник малька, могут вызвать неприятные последствия.

Чтобы увеличить процент выклева, яйца артемии можно активировать 3%-ным раствором перекиси водорода или гидропиритом — 1 таблетка на 50 г воды в течение 15–30 минут. После этого порцию (5 г/л воды), промытую в течение 5–10 с под краном, закладывают в инкубатор с солёностью воды 50–80 г/л, с круглосуточной подсветкой (100 Вт лампа на расстоянии 15 см) и активной аэрацией. Вода должна иметь значение pH не менее 7,5. Для увеличения pH в воду надо добавить примерно 1/4 чайной ложки соды на 1 л воды. При температуре 25–27 ˚С через 24–36 часов происходит массовый выклев личинок. Собирают их с помощью шланга в местах массового скопления, используя положительную реакцию артемии на свет. Если кормить науплии специализированными кормами на основе водорослей, дрожжевых клеток, то через неделю её можно вырастить до размера, подходящего для кормления взрослых рыб.

Гамарус

Gammarus sp. Мелкие пресноводные рачки, обитающие в местах с чистой, быстротекущей водой. Их с удовольствием будут есть крупные рыбы. Однако у них твёрдый панцирь, который может быть не по вкусу многим рыбам, и в аквариуме с тёплой водой и недостаточным количеством кислорода они долго не протянут. Но если сухих рачков растереть в пыль, рыбы едят их очень охотно.

Дафния

Cladocera. Сильно сжатое с боков тело у большинства видов покрыто двухстворчатой хитиновой оболочкой. Большое количество дафний встречается в частично стоячих водах с массой разлагающихся растительных остатков и немногочисленными рыбами. Это мелкие, иногда ярко-красные существа размером с булавочную головку. На голове находятся два глаза, которые у полностью развитых экземпляров сливаются в один сложный глаз, у многих видов рядом с ним находится ещё один простой глазок. От головы отходят раздвоенные антенны. Ударяя ими, рачок продвигается толчками вверх, а затем медленно опускается.

Летом, в тёплую погоду, в выводковой камере самки образуются неоплодотворённые яйца (50–100 шт.), из которых выходят только самки, вскоре покидающие тело матери. Затем самка линяет, и в ней опять развиваются новые яйца. Молодь через несколько дней также даёт приплод. Это приводит к бурному массовому размножению рачков, во время которого вода кажется окрашенной в ржавый цвет. С наступлением холодов, в конце лета и осе-

нью из некоторых яиц появляются самцы, а у самок образовываются яйца, которые могут развиваться лишь после оплодотворения самцом. Эти оплодотворённые, заключённые в плотную оболочку, яйца-эфиппии плавают или опускаются на дно, могут переносить высыхание и морозы, сохраняя вид при неблагоприятных условиях. Тепло и влага пробуждают их к жизни, из яиц появляются самки, и цикл начинается снова.

Рачки живут в различных водоёмах — прудах, озёрах, канавах, ямах с водой и т. п. Питаются растительным планктоном, бактериями и инфузориями, которых затягивают в рот током воды, создаваемым движением ног.

Наиболее часто встречаются следующие рачки:

- Дафния магна, самка до 6 мм, самец до 2 мм, личинки — 0,7 мм. Созревают в течение 4–14 суток. Помёты через 12–14 суток. В кладке до 80 яиц. Живут 110–150 суток.
- Дафния пулекс, самка до 3–4 мм. Помёты через 3–5 суток. В кладке до 25 яиц. Живут 26–47 суток.
- Моина (красный рачок), самка до 1,5 мм, самец до 1 мм, личинки 0,5 мм. Созревают в течение 6 суток. Помёты каждые 1–2 дня, до 7 помётов, до 53 яиц. Живут 22 дня.

Ловят дафний сачком, в зависимости от нужного размера корма для рыб. Сачок погружают в воду и перемещают по форме лежащей восьмёрки, причём кривые проводят без нажима, плавно, а пересекающиеся прямые с нажимом. При таком движении создаётся водоворот, который засасывает рачков в сачок. Перевозить рачков лучше на деревянных рамках с натянутой на них тканью. Положив рачков на ткань, рамку быстро опускают в воду и тут же вынимают, что обеспечивает относительно равномерный слой рачков,

который не должен превышать 3 мм. Рамку обертывают влажной материей и перевозят домой. Можно перевозить в сосудах с водой (эмалированных, стеклянных). Дома рачков калибруют (при необходимости) и, удалив погибших, хранят в прохладном и тёмном месте (можно в холодильнике) в сосуде с возможно большей поверхностью и небольшим слоем воды, лучше 3–5 см. Перед скармливанием рачков рыбам их тщательно промывают в сачке. Желудок рачков постоянно наполнен растительной пищей, поэтому они особенно полезны для рыб, нуждающихся в растительной подкормке. Хитиновая оболочка рачков не переваривается и служит ценным веществом, стимулирующим работу кишечника рыб. Босмины, которые входят в состав живой пыли, иногда имеют такую твердую оболочку, что мальки не справляются с ней и выплевывают рачков. Моина очень хороша для выкармливания молоди рыб.

Несколько рецептов для разведения рачков (по Ф. Полканову):

Сосуд из стекла или оргстекла. Вода: 20–24 °C, для моин 26–27 °C, dH 6–18°, pH 7,2–8. Слабая аэрация, не поднимающая грязь со дна, слабый свет не менее 14–16 часов в сутки. Корм: пекарские дрожжи, вымороженные до коричневого цвета и разведённые в теплой воде с температурой не выше 35 °C, из расчета 1–3 г на 1 л воды в сосуде. Давать 2–3 раза в неделю. Оптимальная плотность рачков — 100–150 шт/л. Ежедневно вылавливать 1/3 молоди. 1 раз в течение 5 суток для моин и в 10–15 суток для дафний культуру делать заново. Сосуд очистить от грязи и сменить воду.

Сосуд из стекла или оргстекла не менее 3 л. Вода аквариумная, 18–25 °C. Сильное освещение для развития водорослей. Высушенные элодею, салат или листья крапивы растереть в порошок, процедить через марлю и опустить в воду. Когда вода станет зелёной, внести рачков. 1 раз в 10–15 дней устраивать заново.

Сосуд из стекла или оргстекла. Вода из водоёма, откуда взяты рачки, или аквариумная. 20–24 °C. Слабая аэрация. Освещение не менее 14 ч. Корм: несвежая кровь (0,5–2 см³ на 1 л воды), кровяная мука, мясо-костная мука (0,5–2,5 см³ на 10 л воды).

Инфузории

Infusoria. Одноклеточные организмы размером 0,1–0,35 мм, передвигающиеся с помощью колебательных движений ресничек, покрывающих их тело.

В каждом объёме воды, который способен поддерживать жизнь, обитает определенное количество простейших, называемых общим словом «инфузории». Их существование зависит от наличия в воде разлагающегося органического вещества.

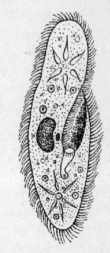

Служат для кормления мальков в первые дни жизни. Наиболее пригодна парамеция или туфелька, которая по своей форме очень похожа на подошву и имеет то преимущество, что совершенно безвредна, в отличие от некоторых других видов инфузорий, повреждающих икру. Следует учесть, что туфелька довольно быстро перемещается (до 0,2 см/с) и малоподвижные мальки некоторых видов рыб могут остаться голодными. Поэтому при кормлении мальков за этим нужно следить и при необходимости отказаться от кормления туфельками.

Туфельки встречаются почти в каждом водоёме со стоячей водой, особенно с опавшей

Инфузория

листвой и гниющими органическими веществами, где она питается размножающимися там бактериями. Её можно обнаружить в аквариуме, взяв пипеткой пробы воды из грунта и рассматривая капли под микроскопом или лупой.

Туфельку отделяют от других инфузорий следующим образом. Взяв пипеткой воду, в которой содержатся инфузории, переносят каплю на чистое стекло, рядом на более освещённое место капают каплю свежей воды и соединяют обе капли водной перемычкой с помощью острого конца заточенной спички. Туфельки быстрее других инфузорий переберутся в свежую воду, которую пипеткой переносят в сосуд, где будут разводить туфелек.

Средой для разведения инфузорий могут служить кожура бананов, сено, листья салата, очистки картофеля, горох, фасоль.

Некоторые способы разведения (по В. Плонскому):

- Прокипятить сено в течение 20 мин из расчёта 20 г сена на 1 л воды, охладить до 22–26 °C, профильтровать и разбавить свежей водой из расчета 1 часть настоя на 20 частей воды. После помутнения воды, вызванного развитием бактерий, внести туфелек. Через 3–4 дня образуется достаточное количество инфузорий и можно кормить мальков. Для поддержания культуры в воду нужно не чаще 2 раз в месяц добавлять кипяченое молоко из расчета 5 капель на 100 мл настоя. Настой хранят в теплом (20–25 °C) и светлом месте (но не под лучами солнца), накрыв стеклом.
- В наполненную свежей водой 3 л стеклянную банку капают 1–2 капли молока, когда вода помутнеет, вносят туфелек. Через 10 дней можно кормить мальков.

- Кубики брюквы 1x1x1 см высушивают и кладут в стеклянную банку со свежей водой (1 кубик на 1 л воды). Кубики, разлагаясь, образуют настил на дне, после чего вносят туфелек. Вскоре в верхнем слое обильно размножаются только туфельки. Сверху сосуд закрывают стеклом. Рекомендуют культуру инфузорий использовать не дольше 20 суток.
- Кожуру спелых неповрежденных бананов высушивают и затем хранят в сухом помещении; сушёную кожуру промывают и в небольшом количестве (1–3 см^2) помещают в культуру.
- Туфелек можно разводить на сушеных листьях салата, помещенных в мешочек из марли, и на пекарских дрожжах.

Перед кормлением мальков туфельку очищают, чтобы не испортить воду в аквариуме.

Способы фильтрации:
- Вставить в воронку фильтровальную бумагу и пролить через нее настой с туфельками, после чего бумагу опустить в аквариум.
- Настоем с туфельками наполняют бутылку до края горла, в которое вставляют ватный тампон так, чтобы он слегка погрузился в настой. Нижнюю часть бутылки затемняют, тампон осторожно поливают свежей водой. Через некоторое время, за которое туфельки переберутся в свежую воду, тампон вынимают и прополаскивают в аквариуме.

Закрыв пробкой конец длинной и тонкой стеклянной трубки, наполняют её из пипетки жидкостью из верхнего слоя настоя и оставляют стоять в вертикальном положении 10–15 часов. Затем собравшихся в верхнем слое туфелек пипеткой переносят в аквариум.

Коловратки

Rotatoria. Очень мелкие (0,1–0,5 мм) многоклеточные разнообразной формы организмы, являющиеся наиболее ценным стартовым кормом для мальков. На передней части тела находится ловчий аппарат, состоящий из многочисленных ресничек, который создаёт круговорот воды, затягивающий ко рту различные микроорганизмы. Многие виды коловраток живородящие, т. е. яйца проходят полный цикл развития в теле самки и её покидают сформировавшиеся малыши. Другие же откладывают яйца, которые часто прикреплены к телу самки.

Коловратки широко распространены в пресных водах всего земного шара, встречаются в различных водоёмах, особенно в богатых кислородом и растениями с небольшим количеством водорослей, а также в небольших, образовавшихся после дождей лужах. Живут они и в водоёмах с солоноватой водой. Питаются они различными микроорганизмами. Размножаясь в огромных количествах, коловратки, подобно инфузориям, способствуют биологическому очищению воды.

Ловят их сачком, погружая его в толщу воды. Поскольку вместе с коловратками в сачок могут попасть другие, более крупные организмы, то, привезя корм домой, его нужно калибровать через систему сит.

Хранить коловраток следует в сосуде с большой поверхностью, например, в тазу, если же поверхность небольшая, то необходима аэрация. Причем хранить нужно в той же воде, из которой они были выловлены, при температуре не выше 15 °C и в течение не более суток.

Мальки рыб берут не все виды коловраток, особенно с тонкими отростками, крючками, твёрдой оболочкой. К таким коловраткам относятся некоторые виды коловраток кερателла (Keratella).

Некоторые виды коловраток можно разводить в домашних условиях. Условия разведения даются по В. Плонскому. Для разведения филодине (Philodinae spec.) в дистиллированной воде кипятят сено (10 г сена на 1 л воды), охлаждают, отстаивают 2–3 дня, фильтруют и полученный настой разбавляют дистиллированной водой (2 л на 1 л настоя). Затем вливают воду с культурой коловраток (1 л культуры на 3 л настоя) и поддерживают культуру добавлением 1–2 капель кипяченого молока 2–3 раза в месяц. При слабой аэрации филодине создаёт скопления на стенках сосуда у поверхности воды.

Таким же способом можно пробовать развести другие виды коловраток. Для этого заготавливают несколько небольших банок, наполненных настоем, и в каждую из них наливают одну из культур, взятых из отдельного водоема. Содержимое банки, в которой отмечено размножение коловраток, переливают в крупный сосуд и занимаются разведением.

Пресноводных коловраток брахионус калицифлорус (Brachionus caliciflorus) разводят, добавляя в сосуд с культурой немного воды из аквариума, в котором «зацвела» вода от большого количества микроскопических водорослей, плавающих во взвешенном состоянии, или подкармливают гидролизными дрожжами (0,2 г на 10 л), а также на настое протёртых и ошпаренных листьев крапивы (настой светло-зелёного цвета) при температуре 25–30 °С.

Очень питательна солоноводная коловратка брахионус пликатилис (Brachionus pliacatilis). Её разводят в сосуде с водопроводной

свежей водой, в которую добавлена аптечная морская соль. Для восточно-каспийской коловратки солёность 20–35 г/л, для дальневосточной — 25–33 г/л, для черноморской — 10–18 г/л. Температура 26–30 °С и рН 7,1–7,6. Слабая аэрация (не более 0,1 л воздуха на 1 л воды в мин). Корм: пекарские или гидролизные дрожжи из расчета 2,5 г на 10 л воды. При внесении корма вода слегка мутнеет, просветление — сигнал к новой порции корма. Раз в месяц половину раствора заменяют новым.

Когда культура угасает, её можно сделать заново с помощью покоящихся яиц, которые находятся в осадке на дне сосуда. Для этого осадок фильтруют через бумажный фильтр, высушивают в темноте на воздухе и хранят в холодильнике. При необходимости его вносят в новый соляной раствор.

Солоноводная коловратка при резком снижении солёности воды опускается на дно и гибнет за 30–60 мин. Такой коловраткой можно кормить мальков, питающихся у дна. Мальки большинства видов рыб берут корм в толще воды, поэтому коловраток нужно «распреснить», т. е. постепенным добавлением аквариумной воды в течение суток снизить солёность до 2–3 г/л. В такой воде коловратка может жить около 3 суток. Воду слабо аэрируют. Для кормления мальков коловратку процеживают, не вынимая из раствора, через сачок и не давая стечь воде переносят в аквариум, т. к. без воды коловратки слипаются и гибнут.

Коретра

Corethra. Прозрачная личинка комара из рода коретра. Это желтоватые прозрачные с черными точками личинки (длиной 10–12 мм) перистоусого комара хаоборус. Чёрные точки — это гла-

за коретры и трахейные пузырьки. Держится в толще воды благодаря двум парам пузырьков воздуха, которые хорошо видны в теле личинки: одна — вблизи головы и вторая — в задней части тела.

Питается планктоном и мелкими рачками, которых схватывает клювообразным ротовым аппаратом. Личинка, из-за хищнического образа жизни, опасна для мальков. Поэтому ею кормят уже подросших рыб. Ловят коретру сачком в течение всего года в мелких местах водоемов, в маленьких лесных лужах, лесных озерах и мелких болотах, окруженных березняком. Коретра отличается от мотыля тем, что не зарывается в песок и длительное время живёт в аквариуме.

Хранить коретру следует в холодном месте (можно в холодильнике), в сосуде с большой площадью поверхности воды (в противном случае нужна аэрация или частая смена воды) с периодически сменяемой водой, а также замороженной, можно для обеззараживания выдержать в слабом растворе марганцовки.

Нематоды (микрочервь)

Nemathelminthes. Это мелкие (длиной 1–2 мм), веретеновидные червячки, они двигаются, изгибаясь всем телом. Служат для питания мальков рыб. Наиболее известны уксусные угрицы, обычно появляющиеся в непастеризованном уксусе при длительном хранении, и панагреллы, встречающиеся во влажных местах, содержащих органические отходы — на свалках, в гниющих растениях и т. п.

В 100 г нематод содержится: белков — 10,1 г, жиров — 19,5 г.

Этих червячков, длиной до 2 мм, разводят в мисках, тарелках, кюветах, сделанных из стекла и пластмасс. На дно посуды кладут

слоем 15—20 мм кашу из геркулеса, толокна или ячменной муки с небольшой добавкой молока, на неё кладут немного нематод или порцию старого корма с нематодами и накрывают стеклом. Посуду держат в теплом месте (23—27 °С). Через 2—4 дня нематоды начинают бурно размножаться. Чтобы их собрать на кашу, кладут какой-нибудь предмет с гладкой поверхностью (деревянный брусок, пластмассовый кубик и т. п.), на котором они соберутся для размножения. Червей собирают кисточкой, которую затем прополаскивают в сосуде с чистой водой. После того как черви осядут на дно, мутную воду сливают и повторяют операцию несколько раз, пока вода не станет прозрачной. Нематоды при скармливании рыбам довольно быстро опускаются на дно, и если не будут съедены, то через сутки погибнут, поэтому их следует давать небольшими порциями. Не все виды рыб едят нематод.

Культуру нематод держат в одной посуде не более 25—35 дней, т. к. потом питательная среда разжижается и прокисает.

Уксусную угрицу, разведенную на моркови, поедают мальки всех видов рыб. Для этого морковь ошпаривают кипятком, натирают на мелкой терке, отжимают от сока, кладут в посуду, а на неё микрочервей. На внутреннюю поверхность крышки приклеивается кусок поролона, смоченный водой, чтобы создать влажную среду.

Выкармливание многих видов рыб нематодами затрудняется значительной примесью к корму питательной среды. Однако тщательное промывание и отбор более мелких червей дают возможность выкармливать ими даже таких рыб, как неоны. При кормлении рыб круглыми червями необходимо чередовать их с другими видами корма.

Мотыль

Общее название червевидных красного цвета личинок комаров из семейства Chironomidae, достигающих длины 25 мм.

В 100 г мотыля содержится: белков — 62,5 г, жиров — 2,9 г, углеводов — 29,7 г, витаминов: витамина А — 0,231 мг, каротина 0,287 мг, витамина B_1 — 0,18 мг, витамина B_2 — 0,483 мг.

Мотыль живёт в иле заросших прудов, озёр и ручьёв. Роясь в иле, он находит себе корм. У него довольно плотная кутикула, но как корм для взрослых рыб мотыль идеален. Этих личинок легко распознать по окраске и способу передвижения — с выгибанием тела внутрь и наружу наподобие буквы S.

Мотыль ловят следующим образом. Зачерпнув верхний слой ила ведром из водоёма, где водится мотыль, его перекладывают в сито, которое опускают в воду и, делая вращательные движения, освобождают от мелких частичек грязи. Затем вынимают из воды, дают немного подсохнуть и снова помещают в воду. Мотыль и часть мусора всплывают, крупный мусор отбрасывают, остальное собирают сачком, завёртывают во влажный холст и перевозят домой. Там кладут в сито с крупной, больше толщины мотыля, ячеей и ставят на таз с водой так, чтобы дно сита касалось поверхности воды. Через небольшой промежуток времени весь мотыль переберётся в воду. Мотыля следует в течение 5–7 суток выдержать в регулярно сменяемой воде.

Хранят мотыля при низкой температуре (можно в холодильнике), но выше 0 ˚C.

Несколько способов хранения:
- В мешке из ткани, помещённом в сливной бачок.

- В специальной мотыльнице, которая бывает в продаже в зоомагазинах. Её можно сделать самостоятельно. В ванночку наливают воду так, чтобы она касалась положенной сверху сетки. На сетку накладывают мотыль, который перебирается в воду. Вялый и мёртвый мотыль, оставшийся сверху, выбрасывают. Операцию проводят ежедневно.

- Держа сачок с ячеёй около 0,5 мм над тазом, в него насыпают мелкий песок и промывают водой. Прошедший в таз песок кладут в низкий сосуд слоем 1–2 см и наливают воду, чтобы она слоем в 1–2 мм покрывала песок. Сверху кладут мотыль, живой закапывается в песок, вялый и погибший остается наверху, и его удаляют. Перед кормлением рыб песок промывают в сачке, в котором останется только мотыль, т. к. песок пройдёт через сетку.

- Во влажной тряпке, разложив мотыль слоем не более 1 см.

- Иногда мотыль хранят вперемешку со спитым чаем. В этом случае он живёт дольше, но зато его сложно выбирать при кормлении.

- Мотыль можно хранить замороженным. Для этого его кладут слоем в 5 мм в плоскую коробочку, немного смачивают водой, коробочку помещают в полиэтиленовый пакет и замораживают. Перед кормлением от замороженной пластины отрезают квадратик необходимого размера, размораживают и незамедлительно дают рыбам.

Взрослым рыбам мотыль лучше давать, насыпая его в плавучую кормушку с сетчатым дном, через которую личинки постепенно выползают в воду. Мелкую рыбу и молодь длиной от 6–7 мм можно кормить резаным мотылем. Для этого кучку мотыля помещают

на стекло или сложенную в несколько раз бумагу и ножницами режут всех вместе. Полученную таким путём кашицу несколькими резкими движениями ножниц вносят в воду. Давать его нужно исходя из расчёта 1—5 червячков на каждую рыбку 1—2 раза в день.

Трубочник

Представители семейства Tubificidae типа кольчатых червей. Они имеют обычно длину 20—40 мм, окраска грязновато-красная. Трубочники широко распространены в нашей стране, обитая в загрязнённых водоёмах, особенно в местах впадения в них сточных вод; поэтому во избежание занесения в воду аквариума различных нечистот и бактерий трубочников следует выдержать перед употреблением в течение 2—3 дней в сосуде, неоднократно сменяя в нем воду. При длительном содержании их помещают в таз или тарелку с водой, которую меняют 2 раза в день.

Трубочники быстро закапываются в песок и с течением времени их набирается много, они портят воду. В больших аквариумах трубочники размножаются. Кормление нужно производить с помощью плавающей или положенной на дно кормушки. Многие рыбы (сомики) выкапывают трубочников из грунта. Перед скармливанием червя иногда разрезают, чтобы он не закапывался в грунт.

Трубочник

Хранят в тарелке с водой, меняемой два раза в день. Этот способ самый хороший, трубочники могут жить в таких условиях месяцами. Несмотря на то, что трубочники хранятся в течение длительного времени, кормление ими можно рекомендовать лишь в качестве временной замены других видов корма, так как очень часты случаи заболеваний, вызванных внесёнными вместе с ними нечистотами.

Циклоп

Cyclops. Из веслоногих рачков аквариумистам наиболее известны циклоп и диаптомус, которых обычно объединяют из-за внешнего сходства под общим названием циклоп. Тело рачка, длиной до 5,5 мм, расчленено на сегменты и имеет на конце вильчатые, покрытые волосками отростки, которые вместе с двумя парами антенн, отходящих от головной части тела, облегчают парение в воде. У циклопов передняя пара антенн короткая, и они скачками передвигаются в воде, у диаптомусов они длиннее, и рачки после скачка медленно парят в воде. Для рыб охота на циклопов — не простое дело: эти рачки очень подвижны, и поймать их не так легко.

Рачки раздельнополы, у оплодотворённых самок циклопа в микроскоп можно увидеть в задней части тела два мешка, заполненных яйцами с развивающимися в них личинками, в отличие от самок диаптомуса, у которых один мешок. Выклюнувшиеся из яиц личинки-науплии совершенно не похожи на взрослых рачков.

Диаптомусы серого или серо-зеленого цвета, а их тело покрыто довольно твердым панцирем, и они менее охотно, чем циклопы

Кормление рыб

поедаются рыбами. Окраска циклопов зависит от вида пищи (серая, зелёная, жёлтая, красная, коричневая).

Циклопы населяют прибрежную полосу водоёмов, диаптомусы держатся в открытой воде. Рачки употребляют в пищу мельчайшие водные организмы: водоросли-взвеси, инфузории, детрит и т. п.

Ловят рачков сачком из капроновой ткани, начиная с весны, когда вода прогреется до 8 °C и до февраля. Сачок погружают в воду и перемещают по форме лежащей восьмёрки, причем кривые проводят без нажима и плавно, а пересекающиеся прямые с нажимом. При таком движении сачка создаётся водоворот, который засасывает рачков в сачок. Перевозить рачков лучше на деревянных рамках с натянутой на них тканью. Положив рачков на ткань, рамку быстро опускают в воду и тут же вынимают, что обеспечивает относительно равномерный слой рачков, который не должен превышать 3 мм. Рамки обёртывают влажной материей и перевозят домой. Можно перевозить и в сосудах (эмалированных, стеклянных) с водой.

Дома рачков калибруют по размеру и, удалив погибших, хранят в прохладном и тёмном месте (можно в холодильнике) в сосуде с возможно большей площадью поверхности и небольшим слоем воды (лучше 3–5 см). Если хранят в стеклянной банке с высоким слоем воды, то нужна аэрация. Погибших рачков нужно ежедневно отсасывать со дна шлангом. Рачков можно замораживать или сушить.

При кормлении науплиусами мальков рыб их нужно давать столько, сколько сразу могут съесть рыбки, т. к. науплиусы растут быстрее и, оставаясь несъеденными, могут напасть на мальков.

В качестве послесловия к этой главе можно добавить, что, конечно, совсем необязательно посвящать всё своё свободное время охоте на различные виды живого корма или превращать свой дом в «рачковую ферму». Практически все вышеописанные виды вы спокойно можете приобрести в любом зоомагазине.

РАСТИТЕЛЬНЫЙ КОРМ

Иногда нельзя обойтись только животным кормом. Некоторым рыбкам необходимо употреблять в пищу растения. Для живородящих карпозубых, некоторых хемиграммусов, тиляпий и др. растительные виды корма должны быть постоянной составной частью пищи. Вот основные виды растительных кормов, поедаемых аквариумными рыбками:

- Мягкие водные растения, например, элодея, лемна, валлиснерия, наяда, вольфия, ряска и др.
- Некоторые виды зелёных водорослей, растущих на стёклах аквариума, камнях, корягах и др. твёрдых предметах. Зелёные водоросли можно выращивать следующим способом: в стеклянную банку, наполненную свежей водой, опускают торцом вниз неплотно свернутую в рулон синтетическую ткань с размером ячеи около 1 см и ставят банку на освещенное солнцем место. Через несколько дней на ткани поселяется водоросль.
- Нарезанные и ошпаренные кипятком листья салата, шпината, одуванчика, капусты, молодой крапивы, подорожника. Сушеный салат растирают пальцами и кормят им с помощью кормушки.
- Различные каши, значительно чаще употребляют нежирные сорта печенья в подсушенном, а затем растёртом пальцами виде.

Кормление рыб

СУХОЙ КОРМ

Сухие корма при правильном употреблении являются хорошей основой диеты многих видов аквариумных рыб, поскольку содержат все необходимые белки, витамины, микроэлементы. В отличие от живой пищи, они не содержат грубых частиц, и рыбы, питающиеся только ими, часто страдают нарушением пищеварения, что может привести к гибели. При увлажнении в желудке сухой корм разбухает, и это может иметь печальные последствия для слишком жадных особей. Чтобы избежать этого, правильно подбирайте дозы.

Сухой корм промышленного изготовления выпускают в виде гранул, хлопьев, соломки и таблеток. Всем знакомые хлопья бывают всех цветов и размеров. Обычно они долго плавают на поверхности воды, что делает их предпочтительным видом корма для рыб, берущих корм с поверхности. Корм в виде таблеток предназначен для донных рыб. Гранулы — обычно это плавающий корм для крупных рыб, например, цихлид. Такой корм может быть тонущим — для рыб, питающихся в слое воды, и донных рыб. Два последних вида корма бывают разных размеров и предназначены для рыб разной величины.

Состав высококачественных сухих кормов подбирается в соответствии с потребностями в питании самых разных рыб. Он подходит для кормления большинства тропических рыб, содержащихся в общем аквариуме. В их состав входят мясо трески и моллюсков, телячья и рыбья печень, яичный желток, личинки поденки и комаров, выжимки проросшей пшеницы, овсяная и картофельная мука и витамины, используемые в различных комбинациях.

Если нет возможности кормить рыб живым кормом, нужно в сухой корм добавлять витаминизированный рыбий жир или витамин D на масле (1–3 капли на спичечный коробок). Корм надо скормить в течение 2–3 суток. Хорошо кормить рыб сухим кормом, смешанным с резаным мотылем.

В России наиболее распространены сухие корма фирмы Tetra Kraft Werke:

- *Tetra Min* представляет собой хлопья, в состав которых входят около 40 компонентов. Его берёт большинство рыб.
- *Tetra Phyll* предназначен для рыб, которым необходимы растительные добавки.
- *Tetra Dero Min* предназначен для рыб, берущих корм с поверхности.
- *Tabi Min* выпускается в виде таблеток и предназначен для рыб, берущих корм с грунта. Содержит все жизненно необходимые вещества, витамины, стабилизированный витамин С повышает сопротивляемость к болезням, способствует здоровому развитию и предотвращает симптомы, связанные с плохим питанием. Состоит из более чем 40 специально отобранных компонентов. Долгое время сохраняется и не мутит воду.
- *Bio Min* выпускается в тюбиках в виде пасты и предназначен для крупных рыб.
- *Micro Min* — стартовый корм.
- *Tetra Oyin* — корм для подросших мальков.
- *TetraMin Granulat* — основной корм для всех видов тропических рыб, содержит четыре типа гранул с группами веществ, необходимых для нормального развития, способствующих росту и повышению иммунитета, стимулирующих окраску.

Кормление рыб

Качественные сухие корма для рыб должны быть расфасованы в герметично закрытые ёмкости для предотвращения их порчи в процессе хранения. Количество сухого корма должно быть рассчитано не более чем на три месяца, потому что со временем содержание витаминов в нём может снизиться. По той же причине не пользуйтесь кормами, если срок их реализации давно истёк.

КОРМОВЫЕ СМЕСИ

Кормовые смеси можно приготовить и самостоятельно. Составные части тщательно перемешивают, стремясь получить максимальную однородность смеси, затем в неё можно добавить жидкие препараты витаминов, а для увеличения водостойкости — желатин (около 2%) или агар-агар (8–9%). Желатин растворяют в воде при 60 °С, агар-агар разваривают и перед внесением этих веществ их охлаждают до 40–50 °С. Такой пастообразный корм можно хранить в холодильнике (но не в морозильной камере). Из густой пастообразной смеси можно сделать гранулированный корм. Для этого смесь пропускают через мясорубку. Выходящие колбаски слегка обсыпают мукой, делят на куски длиной 0,5–1 см и подсушивают (нельзя на огне или солнце) при температуре не выше 50 °С. Затем размалывают в кофемолке или просеивают через сита, получая гранулы нужного размера.

Вот несколько рецептов кормовых смесей:

- 125 г простокваши, 30 г сушеного гаммаруса, 10 г сухой дафнии, 3 г размельченной сухой глины размешать, добавляя мелко нарезанную пузырчатку и пропущенный через мясорубку геркулес,

пока смесь не достигнет пастообразного состояния. Затем сварить, добавив в момент варки яичный белок.

- 200 г сырой говяжьей печени, 100 г отварной говядины, 0,5 стакана геркулеса, 0,5 стакана сухой дафнии, 50 г салата, 0,5 стакана сухого мотыля, 200 г пасты «Океан» измельчить в мясорубке и тщательно перемешать. Выложить тонким слоем на лист пищевой фольги, высушить при комнатной температуре и затем измельчить в миксере. Хранить в холодильнике.

- Сваренный и высушенный желток яйца, 150–200 г отварной (варить в течение 20 минут с 3-разовым сливанием воды) и высушенной рыбы (хек серебристый, треска, навага), 1 стакан сухой дафнии, 1 стакан сухой риччии, 50 г икры окуня или щуки перемешать в миксере, затем добавить 1 столовую ложку ряженки. Хранить в холодильнике.

- В сырое яйцо внести сахар и соль на кончике ножа, взбить венчиком, влить 1 стакан свежего молока и подогревать на чистой от жира сковороде, пока не испарится влага, остатки которой выжимают под грузом. Хранить в холодильнике.

- 1 яйцо, 1 чайная ложка высушенных и размолотых в порошок листьев крапивы, салата или шпината, 0,25 стакана молока смешать и варить на слабом огне, энергично помешивая. Когда смесь превратится в хлопья, дать стечь жидкости и охладить. Хранить в холодильнике не более 2 недель.

- В кипящие 0,5 л воды всыпают тонкой струей 3 столовые ложки манной крупы, тщательно перемешивают и варят 3 минуты. Промыв под струёй холодной воды, отцеживают через сачок и снова кладут в кастрюлю. Добавляют по 1 столовой ложке про-

сеянные через сито (ячея 0,3 см) дафнию, циклопа, гаммаруса и 3 столовые ложки крапивы (собирают в июне-августе, сушат в помещении без солнца, листья протирают через сито с ячеей 0,1 см). Смесь варят 3 минуты, затем добавляют взбитое яйцо и варят ещё 3 минуты. Смесь сливают в низкую посуду, охлаждают и хранят в холодильнике.

Старайтесь добавлять больше зелени в корм. Если вы используете овощи и зелень, то ошпарьте её, чтобы размягчить. Или возьмите замороженную зелень. Иногда в корм добавляется перец-паприка для улучшения окраски рыб, сок чеснока для борьбы с внутренними паразитами. Если вы используете филе, то обязательно добавляйте витамины и минералы, поскольку филе практически их не содержит. Многие рыбы с удовольствием будут есть корм, приготовленный из кальмара, креветок.

КОРМОЗАМЕНИТЕЛИ

Здесь мы приведём несколько рецептов. Следуя им, будет несложно разнообразить рацион ваших рыбок.

- Сырая или мороженая рыба, натёртая на тёрке (например, треска). Некоторые виды рыб (например, минтай) содержат вредные вещества и их следует варить в кипятке в течение 40 минут.
- Сырое мясо (говядина, конина, телятина) без жира отделяют от костей и сухожилий, скоблят ножом и разрезают на куски нужной величины.
- Молоко, налив в тарелку, ставят на кастрюлю с кипящей водой и выпаривают. Полученным порошком кормят рыб.

Аквариумные рыбы

- Из крупы (манная, пшённая, гречневая) варят крутую кашу, которую затем промывают в холодной воде, пока не отделится вся слизь, а затем процеживают через сито. Хранят в холодильнике.

- Рачков веслоногих и ветвистоусых, мотыль, гаммарус сушат в теплый солнечный день в тени на слабом ветре. На рамку из дерева натягивают марлю, смачивают и затем тонким слоем на нее насыпают живой корм. Рамку устанавливают наклонно, чтобы она продувалась теплым воздухом. Чтобы корм не слипался по нижней стороне марли, периодически постукивают пальцем. Хорошо просушенный корм при этом легко отделяется. Его хранят в стеклянных или пластмассовых банках. В такой сухой корм желательно добавить рыбий жир или витамин D на масле (1–3 капли на спичечный коробок с кормом). Его хранят в холодильнике не более 3 суток. Следует учесть, что у некоторых людей сухой корм вызывает аллергию.

- Растёртые листья салата или шпината, смешанные с геркулесом, смачивают водой и намазывают на камень. После образования твёрдой корки камень ставят на грунт аквариума. Первый раз следует намазывать небольшое количество, т. к. рыбы должны привыкнуть к корму. Некоторые свежие или замороженные овощи рыбам нелегко переварить, и их перед использованием следует обработать. Горох нужно отварить, чтобы размягчить его или удалить кожицу, а салат-латук и шпинат полагается бланшировать, чтобы разрушить неперевариваемую клетчатку.

- Яичный желток, сваренный вкрутую, растирают в стакане с водой, затем промывают с многократным отстаиванием, пока вода

после оседания желтка не станет прозрачной. Желток с помощью пипетки вносят в воду аквариума с мальками.

• Обезжиренную простоквашу или кефир промывают в сачке, слегка разминают пальцами и нижнюю часть сачка опускают в воду аквариума с мальками. Сачок при этом слегка покачивают.

• Свежая, хорошо отмытая и очищенная от плёнок икра многих промысловых рыб.

Но не следует злоупотреблять мясом млекопитающих — это приводит к расстройству пищеварения и жировому перерождению тканей.

ВИТАМИНЫ

Витамины являются важными компонентами для биохимических реакций. Отсутствие какого-либо витамина приводит к замедлению роста, ослаблению иммунной системы. Некоторые компоненты корма содержат витамины, но обычно они добавляются как дополнительные компоненты. Особенно это важно для аквариумных рыб, которые не получают живого корма и не дополняют свое меню растительной пищей. Обычно качественный корм содержит следующие витамины:

Витамин А — важен для роста клеток, особенно для мальков. Симптомами дефицита являются плохой рост и искривление спины и плавников. Необходимость в витамине А возрастает, когда рыба находится в состоянии стресса. Витамин А нерастворим в воде и поэтому добавляется в пищу. Он является нестойким и быстро

разлагается на воздухе и свете (одна из причин, по которой нельзя долго хранить корм).

Витамин D$_3$ играет важную роль в развитии костной системы (помните, как в детстве заставляли пить рыбий жир?). Обычно он содержится в достаточном количестве в натуральных компонентах корма.

Витамин Е — важен для репродуктивной системы рыб. Витамины А и Е должны присутствовать совместно, поскольку они неэффективны один без другого.

Витамины группы В (В$_1$ — тиамин, В$_2$ — рибофлавин, В$_{12}$ и т. д.) — необходимы для нормального метаболизма.

Витамин С (аскорбиновая кислота) — важен для формирования зубов и костей, играет важную роль при обмене веществ. Этот витамин очень нестойкий и может быть «потерян» из корма в течение нескольких месяцев.

Витамин Н (биотин) — необходим для роста клеток.

Витамин М (фолиевая кислота) — при его недостатке темнеет окраска рыбы, она становится вялой и т. д.

Витамин К — необходим для кровеносной системы.

Холин (cholin) — необходим для нормального роста, регулирует содержание сахара в крови.

Ниже вы можете познакомиться с содержанием витаминов в некоторых продуктах, что поможет составить правильный график питания для рыбок и сбалансировать витаминный состав:

А — рачки ветвистоусые и веслоногие, зелёные водоросли, печень рыб, яичный желток.

D — дождевые черви, трубочник, яичный желток, моллюски, рачки ветвистоусые, печень рыб.

Кормление рыб

Е — зелёные водоросли, салат, яичный желток.

К — говяжья печень, салат, шпинат, рачки ветвистоусые, зелёные листовые овощи.

B_1 — водоросли (особенно диатомовые), салат, дрожжи, яичный желток, моллюски, горох, свежее сырое мясо.

B_2 — рачки ветвистоусые и веслоногие, говяжья печень, говяжье сердце, рыба, моллюски, яичный желток, салат, дрожжи, горох.

B_3 — говяжья печень и почки, яичный желток, икра рыб, горох, дрожжи.

B_6 — рачки ветвистоусые и веслоногие, говяжья печень, говяжье сердце, рыба, моллюски, яичный желток, салат, дрожжи, молоко, отруби.

B_{12} — мясо, рыба, рыбная мука, моллюски, яичный желток.

Н — дрожжи, говяжья печень и почки, яичный желток, молочные продукты, рыба.

Р — дрожжи, овощи, говяжья печень.

С — зелёные водоросли, водные растения, салат, говяжья печень, икра рыб.

Корм может содержать и другие витамины. Основной проблемой является нестойкость витаминов. Поэтому следует использовать свежий корм, хранить корм и дополнительные витамины в холодильнике. Замороженный корм: необходимо сначала разморозить его или дать ему быстро оттаять в сачке под струей холодной воды из крана и только после этого скармливать рыбам. Кристаллики льда, содержащиеся в замороженном корме, могут проколоть стенку кишечника мелкой рыбы.

КОРМЛЕНИЕ МАЛЬКОВ

Только что выклюнувшаяся личинка, усвоившая содержимое желточного мешка, быстро погибнет, если её вовремя не накормить. Это единственный период в жизни рыбы, когда она не выдерживает даже малейших лишений. Корм должен присутствовать в аквариуме постоянно. Мальки рыб многих видов едят только живую добычу, главным образом потому, что они вообще не воспринимают неподвижный корм как пищу, по крайней мере вначале. Мальки, как правило, имеют очень маленькие размеры и нуждаются в специальных мелких кормах. Мальков в возрасте до 1 месяца кормят часто, через каждые 2,5−3,5 часа. В этом возрасте они не выдерживают голодания и легко гибнут, если их не покормить. Через 2 часа после начала кормления производят чистку аквариума. Некоторые аквариумисты дают корм и ночью при слабом освещении аквариума. В возрасте 1−2 месяцев кормят 4 раза в сутки, чистят аквариум через 1 ч после кормления. Только так вы сможете вырастить достаточное количество молоди.

Желательно при чистке аквариума заменять 1/3 объёма воды свежей. Величина даваемого корма, как правило, должна равняться размеру глаза малька.

На 3−5-й день можно начинать давать нематод, еще дней через пять в рацион мальков можно добавить науплиуса. Правильное кормление мальков в первые дни их жизни очень важно, так как в дальнейшем оно отразится на их размерах и способности к размножению.

Подходящий корм для мальков, помимо вышеперечисленного: инфузории, науплии (или науплиусы) артемии, дафнии или цик-

лопа, коловратки. У артемий есть двойное преимущество — они подвижны в открытой воде, хорошо заметны и привлекательны, а их оранжевая окраска обычно просвечивает через прозрачное брюшко съевших их мальков, свидетельствуя о том, что эти мальки получают достаточно пищи.

Можно применять искусственные корма: варёный яичный желток, яичный порошок или сухой молочный порошок. В крайнем случае можно использовать в качестве корма творог или растёртые сушёные дафнии. Будьте внимательны: почти все искусственные корма портят воду, поэтому их надо давать в ограниченном количестве.

Болезни рыб

Прежде чем приступить к длинному перечню заболеваний рыбок, нужно сказать, что вы можете избежать мучений ваших любимцев, если будете должным образом ухаживать за ними и их средой обитания. Соблюдайте правила содержания рыбок, обеспечьте их подходящими условиями — и вам не придётся наблюдать какие-либо признаки недомогания у ваших любимцев. Будьте настоящим заботливым и внимательным хозяином по отношению к своим питомцам — это поможет вам избежать множества неприятных и хлопотливых процедур, связанных с их лечением.

Важно, чтобы все предметы, с которыми соприкасаются рыбки, и живые, и неживые, были продезинфицированы. Это относится к самому аквариуму, особенно если он попал к вам не прямо из магазина, грунту, растениям, системе аэрации, фильтру, кормушке, сачкам, другим предметам, которые взаимодействуют со средой обитания рыб. Под дезинфекцией подразумевается погружение предмета в горячую или кипящую воду или в раствор дезинфицирующего средства, предназначенного для аквариумов. Дезинфекцию следует применять только для удаления микроорганизмов с предметов оформления и оборудования аквариума, но не с самих рыб. Способ дезинфекции нужно выбрать такой, чтобы он подходил для предмета, который необходимо обработать.

Уделите внимание рациону ваших рыбок — у животного больше шансов сопротивляться болезни, если она питается разнообразной пищей. Обязательно процеживайте живые корма и никогда не выливайте в аквариум воду, в которой они находились — в ней могут содержаться яйца или мельчайшие личинки паразитов.

Болезни рыб

Не давайте в пищу заплесневелый и замороженный корм. Следите, все ли ваши питомцы поглощают свой корм. Если вы заметите, что какая-то рыбка отказывается от пищи, ведёт себя не так, как обычно, выглядит необычно вялой — выловите её сачком и пересадите в карантинный аквариум. Ниже будет описано, какой режим поддерживать в таких аквариумах. В то же время не стоит перекармливать вашего питомца. Помните, что рыбки могут без вреда для себя поголодать 2–3 дня.

Обязательно делайте уборку в аквариуме не реже раза в месяц и заменяйте 10% воды раз в неделю. Эти меры сократят вашим любимцам (растениям в том числе) шансы «подхватить» болезнь. Важно заранее подготовить воду для подмены.

Если в вашем аквариуме живут различные виды, потрудитесь создать им всем благоприятные условия. Не сажайте вместе несовместимых рыбок — это может привести не только к болезни, но и гибели слабейших. Резкое изменение любого из устоявшихся параметров — температуры, жёсткости, кислотности воды, освещенности; режима кормления — может привести к стрессу и последующей болезни животного. Важно избегать внезапных изменений параметров окружающей среды. Такие изменения могут быть крайне опасными, а нередко и смертельными.

Будьте внимательны, выбирая рыбок для своего аквариума. Здоровая рыба не должна быть ни слишком худой, ни слишком жирной, а её тело не должно быть равномерно или асимметрично распухшим. Оба глаза должны быть одинаковых размеров, прозрачными и не выдаваться более, чем это соответствует норме для данного вида. Плавники не должны расщепляться или иметь обтрёпанные края. Жаберные пластины должны иметь ярко-красный

цвет, они не должны быть распухшими и мешать жаберным крышкам закрываться как следует. На теле рыбы не должно быть участков с повреждённой или отсутствующей чешуей. Чешуя должна лежать на теле плоско и не топорщиться. На коже не должно быть ран, необычных пятен, больших пятен неправильной формы или шишек. Слизистое покрытие должно быть однородным и, как правило, невидимым. Рыба должна плавать с нормальной скоростью, демонстрировать нормальную для данного вида активность во время кормления и хорошо принимать корм. Покупая рыб, попросите показать, как они едят, если у вас есть хотя бы малейшие сомнения относительно их здоровья.

По нескольким признакам можно отличить нездоровую особь от остальных. Если у взрослой рыбы, независимо от её вида, появляется необычная окраска и сохраняется в течение длительного времени в сочетании с необычным поведением, все это подозрительно и свидетельствует о том, что рыба больна или испытывает стресс. По нескольким признакам можно отличить нездоровую особь от остальных. Больная рыбка может иметь повреждённые, нездоровой окраски, чешую и плавники, налёт на поверхности тела. Глаза могут быть мутными, местами пятна неестественного происхождения. Поведение такого животного тоже отличается от здоровых особей: рыба плавает резкими рывками или лежит на дне, жадно заглатывает воздух с водной поверхности.

При транспортировке рыб желательно соблюдать несколько несложных правил, которые помогут вашим питомцам обойтись без жестоких потрясений и стрессов. Сосуд для перевозки должен быть изотермическим. Если рыбки небольшого размера, то подойдёт и обыкновенный продезинфицированный термос, наполненный

аквариумной водой. Освещение при перевозке желательно минимальное.

Перед тем как попасть в общий аквариум, рыба должна пройти карантин в отдельном сосуде. Карантинный аквариум — это водоём без грунта, растений и улиток, но может быть оборудован укрытиями для рыб. Он должен быть снабжен аэрацией, подогревом, фильтром, светом. Вода должна обладать теми же характеристиками, что и в главном аквариуме, температуры также должны совпадать. Для ухода за карантинным аквариумом нужно использовать отдельный инвентарь, который после окончания карантина нужно тщательно продезинфицировать. Во время карантина все, что находится или побывало в карантинном аквариуме, не должно входить в контакт с другим аквариумом. Прежде чем новых рыб поместить в общий аквариум, их в течение месяца необходимо содержать в отдельном карантинном сосуде, особенно это относится к животным, купленным у неизвестных лиц, на рынке. После карантина, прежде чем посадить рыб в общий аквариум, их нужно трижды провести через лечебно-профилактическую ванну с одним из следующих составов: раствор перманганата калия из расчета 1 г на 10 л воды, на 10−15 минут через каждые 12 часов; раствор химически чистого сульфата меди из расчета 1 г на 10 л воды на 10−20 мин. ежедневно. При наличии признаков заболевания их придётся лечить. Для этого раз в день рыбок надо сажать в соленую ванночку на 10 минут. Раствор готовится следующим образом: 10−20 г соли на 1 л воды. Можно заставить рыбок принимать ванны с метиленовой синью (3 мг 1%-ного раствора на 10 л воды). Существуют и другие, более слабые растворы, в которых рыба должна проводить около часа несколько раз за день. Это: сочетание

формалина (1 л 35–40%) и метиленовой сини (3,5 г) или сочетание линкомицина (50 мг/л), трихопола (5 мг/л) и нистатина (10 мг/л).

Карантинный период даёт новым рыбам возможность оправиться от стресса, который они испытали, когда их ловили сачком, упаковывали и перевозили, прежде чем они встретятся с новыми соседями и найдут своё место в основном аквариуме.

Водные растения нужно осматривать независимо от того, купили вы их или нашли в дикой природе, чтобы проверить, нет ли на них улиток и других нежелательных организмов, таких, как пиявки и их коконы. Новые растения перед помещением в аквариум также желательно подвергать карантину в отдельном сосуде на период около 10 дней. Раз в день нужно растворять в воде бициллин-5 в пропорции 150 000 ЕД на 10 л. Растения, являющиеся механическими переносчиками возбудителей заразных заболеваний, также нужно обеззараживать.

Не стоит помещать в аквариуме живописные, но острые камни или части раковин — рыбки могут пораниться о них. Еще один совет — если вы пользуетесь компрессором, то нельзя курить в комнате с рыбками. Никотиновый дым попадет в аквариум вместе с воздухом комнаты.

Если вы будете соблюдать все вышеописанные правила, маловероятно, что кто-то из ваших рыбок заболеет. Организм здоровой рыбы имеет ряд защитных приспособлений, препятствующих болезнетворным бактериям. Но сопротивляемость болезни понижается с ослаблением иммунитета организма, а ослабеть он может при неправильном содержании. Легче предупредить болезнь, чем лечить ее, поэтому не экономьте время на профилактических мерах.

ЛЕКАРСТВЕННЫЕ СРЕДСТВА
И СПОСОБЫ ЛЕЧЕНИЯ

Если уж случилось так, что ваши рыбки заболели, то вот список препаратов, который вам необходимо иметь под рукой:

Аммиак — соединение азота с водородом с удушающим запахом. Хорошо растворяется в воде. Применяется для дезинфекции растений.

Английская соль — эффективное средство против запора у рыб. Лечение проводится путём длительной ванны продолжительностью 1—3 дня в больничном аквариуме с использованием следующей дозировки: 2,5 г соли на 18 литров воды.

Генциановый фиолетовый — сочетание трёх красителей: метилового розанилинового, метилового фиолетового и кристального фиолетового. Генциановый фиолетовый обладает бактерицидными и фунгицидными свойствами. 1%-ный раствор генцианового фиолетового иногда используется для местного лечения наружных болезней, таких как бактериальная плавниковая гниль, а также бактериальные и грибковые инфекции ран. На участках, поражённых грибком, можно местно применять 1%-ный раствор генцианового фиолетового. При этом нельзя допускать его контакта с глазами или жабрами рыб.

Левомицетин — белые, горькие таблетки. Плохо растворяются в воде. Применяются в ряде инфекционных и инвазионных болезней. Он эффективен против анаэробных бактерий Aeromonas, вызывающих язвы. Обычно его вводят рыбам путём инъекций, поскольку он не очень эффективен, если применять его в форме ванн. Для инъекций применяется следующая дозировка: 25—40 мг лекарства

на килограмм веса рыбы. Инъекции следует повторять еженедельно, а при определённых обстоятельствах даже ежедневно.

Малахитовая зелень — зеленоватые или желтоватые кристаллы с металлическим блеском. Хорошо растворяются в воде, токсичны. Их не следует применять в щелочной среде, во время процедуры необходимо аэрировать воду. Лечение проводится с помощью ванн, которые могут быть либо длительными: 0,1—0,2 мл 1%-ного раствора на 10 л воды, повторить один или два раза с интервалом в 4—5 дней, каждой повторной обработке должна предшествовать замена 25% воды; либо краткосрочными: 1—2 мл 1%-ного основного раствора на 10 л воды в течение 30—60 минут, повторять через день, всего провести не более 4—5 обработок.

Марганцовокислый калий — тёмно-фиолетовые кристаллы с металлическим блеском. Хорошо растворяются в воде. Мощное окисляющее вещество, которое может применяться для лечения бактериальных кожных инфекций и борьбы с наружными паразитами. Его токсичность возрастает в соответствии со степенью щелочности воды. Используется для лечения костиоза, сапролегниоза, язвенной болезни.

Медный купорос (сульфат меди) — зеленовато-синие кристаллы с металлическим блеском. Хорошо растворяется в воде. Будьте внимательны с дозировкой препарата, так как он токсичен для животных и растений. Применяется только в чистом виде для лечения аргулеза, костиоза, дактилогироза.

Метиленовая синь — мелкие темно-синие кристаллы. Хорошо растворяются в воде. Препарат окрашивает воду, стёкла и различные предметы в синий цвет. Метиленовая синь — это относительно безопасное и эффективное лекарство от наружных бактериальных и грибковых инфекций, а также от некоторых кожных паразитов.

Болезни рыб

Перекись водорода — химическое вещество, обладающее мощным окисляющим действием. Используют как дезинфицирующее средство и как средство для борьбы с наружными простейшими паразитами. В качестве антисептического средства или средства для борьбы с простейшими паразитами перекись водорода применяется в форме краткосрочных ванн со следующей дозировкой: 10 мл 3%-ного раствора перекиси водорода на 1 л воды в течение не более 5–10 минут, а если рыбы явно страдают, тогда продолжительность ванны должна быть меньше.

Поваренная соль — хорошо всем известный препарат, используемый при многих инфекционных и инвазионных болезнях. Вносится в аквариум при повышенной температуре. Следует помнить, что харациновые и сомовые рыбы, а также многие виды аквариумных растений не переносят раствор соли. Поваренная соль в кубиках и кристаллическая морская соль безопасны для рыб, но домашней пищевой солью лучше не пользоваться. Соль следует предварительно растворить в небольшом количестве аквариумной воды и только после этого добавить в аквариум. Дозировка для профилактического применения следующая: 1–2 г соли на 1 л воды, при этом получается 0,1–0,2%-ный раствор. Соль используется также для нейтрализации нитритов, для борьбы с паразитами Piscinoodinim и пиявками.

Трихопол — белые и горькие таблетки. Плохо растворяются в воде. Применяются при гексамитозе, плистофорозе.

Формалин — желтоватая жидкость с сильным запахом. Используется для дезинфекции и лечения тетрахименоза, триходиниоза. Формалин применяется в форме либо длительных ванн продолжительностью несколько дней, либо краткосрочных 10–30 минут.

Ванну следует приготовить заранее, чтобы формалин как следует растворился. Если добавить формалин непосредственно в аквариум с рыбами, это может вызвать химические ожоги кожи или повреждение жабр. Формалин выделяет ядовитые пары, поэтому его не следует открывать в замкнутом пространстве. Держать его лучше в тёмной бутылочке.

Хлорная известь — порошок белого цвета с хлорным запахом. Плохо растворяется в воде. Используется для дезинфекции.

Так же вам понадобятся:

Пипетка для вливания жидких лекарств по каплям.

Тонкая кисточка или ватные тампоны на стержне для местного нанесения антисептических или противопаразитарных средств.

Длинный пинцет для удаления крупных кожных паразитов.

Чистая тряпочка для процедур, проводящихся вне воды.

Острый нож, ножницы.

Большой стеклянный кувшин или банка для предварительного разбавления или растворения медикаментов перед добавлением их в аквариум. Он не должен быть пластмассовым, поскольку пластмасса может вступать в реакцию с некоторыми химическими веществами.

Резиновые перчатки для защиты рук.

Все предметы не должны иметь никаких следов моющих средств или мыла.

Лечить больных рыб можно в общем аквариуме с внесением небольшой дозы лекарств в течение от 6 до 30 суток и больше, в отдельном сосуде при значительной концентрации лекарственных препаратов, но в течение короткого времени — от нескольких минут до нескольких дней, а также с помощью индивидуальных лечебных примочек.

Болезни рыб

При лечении в общем аквариуме лекарственный препарат предварительно растворяют в стакане воды из расчёта на весь объём воды в аквариуме и в течение получаса постепенно переливают в аквариум, перемешивая в нем воду. В общем аквариуме можно применять:

- поваренную или морскую соль из расчета 1–2 столовые ложки на 10 л воды;
- трипафлавин из расчета 0,6–1 г на 100 л воды;
- медный купорос при соблюдении точности дозировки, так как ядовит. Растворяют 1 г в 1 л воды, в результате чего получается 0,1%-ный раствор. Затем 15 мл этого раствора разводят в 10 л аквариумной воды. Лечение нужно проводить не более 10 суток, температуру при этом повышать нельзя. По окончании лечения воду постепенно заменяют на свежую;
- малахитовый зелёный в комбинации с медным купоросом. Для лечения 10 мг малахитового зеленого и 15 мг 0,1%-ного раствора химически чистого сульфата меди разводят в 100 л воды. Препараты вносят в воду аквариума через каждые 7–10 суток. Лечение длится до месяца и более.

При лечении в отдельном сосуде используются три сосуда: все со свежей водой одинаковой температурой и химическим составом. В связи с тем, что дозы препаратов выше, чем при лечении в общем аквариуме, их концентрации должны быть точными. При плохом самочувствии рыб концентрацию нужно уменьшить, добавив свежей воды. После сеанса лечения рыб пересаживают во второй сосуд. Это делается для того, чтобы не погибшие, а лишь находящиеся в шоке паразиты, оправившись, не смогли снова напасть на рыб. При следующих сеансах лечения в первый сосуд, промытый

и продезинфицированный, наливают новую воду и вносят таким же образом свежую дозу препарата, а во второй и третий сосуды, также продезинфицированные, наливают свежую воду с такими же характеристиками. Так продолжается до окончания курса лечения. В первом и третьем сосудах вода должна аэрироваться. Сачки после каждого сеанса лечения нужно обрабатывать кипятком, остальной инвентарь — обеззараживать по окончании всего курса лечения. Кормить рыб можно в третьем сосуде и только живыми кормами.

Если паразиты глубоко внедрились в кожные покровы и прилегающие к ним ткани, а лечение в общем аквариуме и с помощью лечебных ванн не даёт должного эффекта, могут помочь лечебные примочки ватным тампоном, смоченным лекарствами с высокой концентрацией. Примочки следует делать быстро, за 1—2 мин, тело рыбы при этом, за исключением поражённых участков, должно находиться на вате, смоченной водой; ею же прикрывают и жабры, куда лекарство ни в коем случае не должно попасть. Тампон 3—4 раза прикладывают к поражённому участку, затем рыбу выпускают в отдельный аквариум. Каждый раз нужно готовить новый раствор. Преимущество местного лечения заключается в том, что действию лекарства подвергаются только поражённые участки тела рыбы.

Прием лекарств внутрь используется главным образом для лечения системных заболеваний и борьбы с эндопаразитами, особенно с теми, которые поражают кишечник. Лекарства даются вместе с пищей. Главная польза от введения лекарств внутрь заключается в том, что они попадают непосредственно в кишечник, а значит, чрезвычайно эффективны для избавления от кишечных паразитов и патогенных организмов. Лекарство можно ввести в корма следу-

ющим образом: вначале следует растворить лекарство в небольшом количестве воды, а затем замочить в этой воде корм. Частицы корма должны иметь подходящие размеры для рыб, которых предстоит лечить.

При работе с лекарствами и химическими веществами будьте осторожны. Обязательно следуйте конкретным инструкциям производителя относительно мер безопасности и особых условий хранения вещества. Надевайте резиновые перчатки каждый раз, когда вам придётся прикасаться руками к химическим веществам или погружать руки в воду с лекарством. Если химический препарат случайно попал на кожу или в глаза, немедленно смойте его обильным количеством чистой воды. Не применяйте лекарства наобум в надежде на то, что они вылечат неизвестную болезнь. Не допускайте передозировки лекарств — это вряд ли ускорит излечение. Обязательно доводите рекомендованный курс лечения до конца. Из-за незавершенного лечения болезнь может еще больше обостриться.

Болезни рыб делятся на три большие группы: неинфекционные, инфекционные и инвазионные.

НЕИНФЕКЦИОННЫЕ БОЛЕЗНИ

Неинфекционные заболевания рыб могут быть вызваны неблагоприятными условиями обитания или различными повреждениями и травмами. Причины заболеваний различные: нехватка кислорода, стрессы, различные патологии, недоброкачественный или однообразный корм, резкие смены температурного режима, отравление вредными газами (хлор, никотин, аммиак).

Авитаминоз

Может наступить, если долго кормить рыбок однообразным или содержащим мало витаминов кормом. Снижается иммунитет организма, нарушается обмен веществ, рыбы отказываются от корма. Авитаминоз можно предупредить или вылечить, давая разнообразный корм, витаминные добавки. Всегда хорош живой корм, но следите, чтобы он был свежим.

Ацидоз и алкалоз

Это состояние наступает, когда pH аквариумной воды лежит ниже (ацидоз) или выше (алкалоз) диапазона значений pH, оптимального для рыб данного вида. Обе эти болезни могут быть острыми, если изменение pH происходило быстро, или хроническими, если изменения происходили постепенно в течение некоторого периода времени. При острой форме у рыб наблюдается возбужденное поведение, движение стремительными бросками, прыжки, за которыми нередко следует гибель. При хронической форме признаки менее очевидны, среди них — затрудненное дыхание, чрезмерная выработка слизи и зуд кожи в результате раздражения, вызванного повышенной кислотностью или щелочностью воды. Для подтверждения диагноза может возникнуть необходимость определения значения pH.

Ацидоз и алкалоз можно предотвратить путём отбора тех видов рыб, которым вода в аквариуме подходит по значению pH, или путем изменения уровня pH таким образом, чтобы оно подходило предполагаемым обитателям аквариума, при этом сами они долж-

ны быть совместимы между собой по отношению к pH. Для медленной корректировки pH лучше использовать неоднократную частичную подмену воды, причём свежая вода должна иметь pH, близкое к нейтральному. Существует риск возникновения инфекции, сопровождающей ацидоз или алкалоз, в результате подавления иммунной системы рыб.

Воспаление желудка и кишечника

Возникает у взрослых рыб в аквариуме в результате длительного кормления однообразной пищей, чаще сухим кормом (в результате недостатка витаминов, белков или жиров), а также мотылём или трубочником, добытым из водоемов, загрязненных различного рода отходами. При воспалении желудочно-кишечного тракта аппетит у рыб, как правило, не пропадает, движения у них становятся более ленивыми, окраска несколько темнеет. Если при этом слегка распухает брюшко, то можно подозревать воспаление желудка. Воспаление желудка и кишечника ослабляет рыб и открывает дорогу многим инфекционным заболеваниям.

Нехватка кислорода (гипоксия)

Может наступить в различных случаях: если аквариум перенаселен рыбами; если из воды не удалены погибшие рыбы и не съеденные гниющие пищевые остатки; если в аквариуме поддерживается высокая температура — это способствует понижению количества кислорода в воде. При гипоксии рыбы стремятся набрать воздух с поверхности воды, теряют аппетит, способность размножаться,

замедляется их рост. При длительном содержании в условиях дефицита кислорода жаберные крышки оттопыриваются.

Необходимо правильное соотношение между количеством животных, растений и объёмом аквариума, своевременное удаление остатков корма, экскрементов. Необходима интенсивная аэрация аквариума с целью повышения уровня содержания кислорода. Не выключайте компрессор на ночь — в тёмное время суток растения не вырабатывают кислород, а поглощают его. Если невозможно использовать аэрацию, приготовьте 15%-ный раствор перекиси водорода в пропорции 1 г на 1 л и добавьте в акквариумную воду. Внимание: это действие можно производить лишь единожды, повторная добавка может привести к гибели рыб.

Избыток кислорода

Заболевание называется «газовая эмболия» и заключается в закупорке кровеносных сосудов пузырьками кислорода. Рыбы ведут себя неспокойно, наблюдается судорожное дрожание плавников и всего тела, движения жаберных крышек замедляются, а затем прекращаются.

Обычно это наблюдается при интенсивной аэрации воды в ярко освещенном и густо засаженном растениями аквариуме.

Ожирение

Ему подвержены рыбы, поглощающие корм в слишком больших количествах или питающиеся однообразным кормом. Ожирение может наступить и вследствие перенаселённости аквариума.

Больные рыбы малоподвижны, но не теряют аппетит. Ожирение у рыб может привести к тому, что они будут испытывать трудности во время плавания. У них увеличивается брюхо.

Ожирение у рыб — хроническая болезнь, почти всегда приводящая к смерти животного. Чтобы избежать печальных последствий, нужно кормить взрослых рыб 1—2 раза в день разнообразными кормами, а один раз в неделю вообще не кормить. Лечебная диета и строгий режим кормления не повредят.

Не рекомендуется и злоупотреблять сухим кормом.

Аквариум должен быть достаточно просторным, чтобы рыбы могли иметь необходимую свободу передвижений. Не следует допускать чрезмерной плотности населения.

Отравления (токсикозы)

Оно может быть острым или хроническим в зависимости от того, насколько ядовито для рыб вещество, ставшее причиной отравления, а также от его концентрации и времени воздействия. Некоторые яды находятся в аквариуме в малых количествах, однако медленно накапливаются в тканях рыб, вызывая у них хронические болезни.

Острое отравление: рыба задыхается, держится у поверхности воды или лежит на грунте, вибрирует или теряет координацию и контроль движений. При хроническом отравлении наблюдается потеря аппетита, ускоренное дыхание, вибрация, стояние на одном месте, остекленевшие, пристально смотрящие глаза, повышенная уязвимость перед инфекциями.

Аквариумные рыбы

При отравлении газами, в том числе никотиновым дымом, смерть рыбок наступает быстро, но если вы своевременно обнаружили признаки отравления (рыбы хаотично мечутся, заглатывают воздух с поверхности), то можно попытаться спасти их. Для этого нужно отсадить их в карантинный аквариум с сильной аэрацией. В основном аквариуме нужно заменить 1/2 воды. Запомните, что в помещении, где находятся рыбки, нельзя красить, курить или производить дезинфекцию.

После мытья аквариума токсичными моющими средствами может наступить отравление. Чтобы этого не случилось, нужно промыть стенки слабым содовым раствором, который не причинит вреда рыбам.

Если рыбки отравились несвежим кормом, их нужно посадить на диету. Симптомы отравления: потеря равновесия, вялые движения, увеличившееся брюшко. Помогают и «слабительные» ванночки — 10 мг/л метиленовой сини и 1 г/л соли.

С крайней осторожностью относитесь ко всем предметам, которые вы используете непосредственно в аквариуме, рядом с ним или в какой-либо связи с ним. Ни в коем случае не допускайте введения чрезмерной дозы лекарств и никогда не смешивайте лекарства.

При остром отравлении переведите всех рыб в другой незагрязнённый аквариум. В противном случае удалите из аквариума источник загрязнения, если он известен или вероятен, а затем выполните многократную подмену значительной части воды. При хроническом отравлении установите источник отравления и удалите его. Выполняйте подмену 25–30% воды один раз в день в течение нескольких следующих дней, чтобы снизить содержание токсических веществ.

Переохлаждение и перегрев

При переохлаждении у рыб нарушается деятельность плавательного пузыря, они теряют равновесие и падают на дно. Если вы заметили симптомы простуды достаточно скоро, то помочь рыбкам можно, подняв температуру в аквариуме на 2–3 градуса.

К различным заболеваниям может привести и, наоборот, слишком высокая температура воды. Рыбы тогда ведут себя возбуждённо, много плавают, стараются выпрыгнуть из воды. При обнаружении такого поведения следует снизить температуру до подходящей. В тепловодных аквариумах должна быть хорошая аэрация. Нежелательных перепадов температуры легко избежать, если иметь под рукой терморегулятор или термометр. В период сильной жары аквариум можно предохранять от перегрева небольшой частичной подменой воды.

Стресс

Стресс несомненно является неотъемлемой составной частью жизни рыб в природе. Однако в тесных рамках аквариума нередко складываются многочисленные стрессовые ситуации, которые в природе либо вообще не возникают, либо рыбы могут с легкостью избежать их, уплыв прочь, в другое место с более благоприятными условиями.

Он может быть вызван любыми резкими нарушениями устоявшегося режима обитания: температуры, освещенности, периодичности кормления, постоянной или необычной деятельностью поблизости от аквариума и т. д. Уход за аквариумом тоже может

вызвать у рыб стресс. Даже размножение у многих рыб может вызывать стресс.

Часто стресс проходит сам собой, рыбка привыкает к новым условиям и снова чувствует себя комфортно. Все же лучше смягчить стресс, покормив рыбок или затемнив аквариум. Хорошо, если в аквариуме есть несколько укрытий, где они могут прятаться и чувствовать себя в безопасности. Если вы переводите рыбку из основного аквариума в карантинный или наоборот, сделайте так, чтобы характеристики обоих водоемов (температура, кислотность и т. д.) совпадали. Нужно стараться обеспечить рыбкам как можно более свободную от стрессов окружающую среду путем создания подходящих условий обитания.

Травмы

Рыба может получить травму при длительной транспортировке, пересадке из аквариума, испуге и других обстоятельствах. Она может получить повреждения от укусов других рыб, живущих вместе с ней. Некоторые виды макроподов и петушков враждебно относятся к другим особям своего вида. Таких рыбок не стоит содержать в одном аквариуме. Когда вы пересаживаете рыб, пользуйтесь подходящим по размерам сачком, сделанным из не грубого материала. Крупных особей лучше аккуратно вылавливать руками. Новые экземпляры нужно не бросать в воду, а погружать сосуд с ними в аквариум, чтобы рыбы сами сменили место обитания. При оформлении аквариума не используйте острые камни и раковины, об которые можно пораниться. Ранения можно предотвра-

тить, если проявлять здравый смысл при подборе рыб, декоративных предметов, оборудования.

Повреждённые плавники и другие части тела постепенно восстановятся, но нужно позаботиться, чтобы через ранки в организм не проникла инфекция. Для этого травмированную рыбу сажают на 10 минут в ванночку с 5%-ный раствором поваренной соли, повторяя процедуру 3 раза в день в течение 2–3 дней. Всё это время рыбка должна находиться в карантинном аквариуме. Можно ещё использовать измельченный стрептоцид, разводя его в пропорции 15 г на 100 л воды. Большие раны смазываются ватным тампоном, смоченным слабым раствором йода. Обширные раны и ожоги можно заживлять с помощью аптечного вазелина, чтобы создать искусственный барьер для инфекции.

ИНФЕКЦИОННЫЕ БОЛЕЗНИ

Инфекционные болезни вызываются возбудителями растительного происхождения: микроорганизмами — чаще бактериями и вирусами (микобактериоз, или рыбий туберкулёз, язвенная болезнь, лепидортоз, лимфоцистоз, плавниковая гниль, папилломы) и паразитическими грибками — так называемые микозы (дерматомикоз, ихтиофоноз, или ихтиоспоридиоз, бранхиомикоз, биссус, или грибковое заболевание икры). С ними в домашних условиях справляться трудно. Окончательный и точный диагноз может поставить только специалист. К тому же распознать инфекционную болезнь можно не сразу, так как она проходит «невидимый» инкубационный период. Всё же вы можете помочь своим любимцам, хотя для этого и придётся потрудиться.

Во-первых, нужно отсадить рыбку с признаками заболевания в карантинный аквариум. Желательно всех здоровых рыб тоже пересадить, а в аквариуме произвести дезинфекцию стенок, растений и грунта. О том, как это сделать, вы прочтёте ниже.

Для лечения заболевшей особи нужно приготовить три сосуда вместимостью не менее 2 л. Характеристики воды в них должны совпадать с карантинным и основным аквариумами.

При приготовлении лекарственного препарата старайтесь приготовить для вашего пациента точную дозу, для молоди она должна составлять 50—75% от «взрослой» порции.

Посадив рыбу в первый сосуд, в котором уже растворена половина заранее заготовленного лечебного препарата и включена аэрация, вы медленно добавляете оставшуюся часть. При этом нужно следить за реакцией больного: если рыба мечется, переворачивается, прекращайте лить препарат и добавьте воды, чтобы понизить концентрацию лекарства.

После того как время лечения (оно зависит от выбранного вами лекарства и от его концентрации) истекло, пересадите рыбку во второй сосуд, в котором обычная аквариумная вода, на полчаса.

Затем её нужно поместить в третий сосуд с аквариумной водой и аэрацией и покормить. После окончания сеанса рыбку опять сажают в карантинный аквариум. Перед повторением процедур все три сосуда нужно продезинфицировать и наполнить новой водой.

Если симптомы болезни есть не у одной рыбы, а сразу у большинства, то лечение можно проводить прямо в основном аквариуме. Лечебный препарат заливается в 3 приема, перерыв между ними должен быть не меньше 30 минут. Аэрация должна работать, фильтр нужно отключить. Кроме того, вы можете приобрести в зо-

Болезни рыб

омагазине специальные лекарственные добавки или лекарственные корма.

Если вы обнаружите у своих рыб признаки инфекционного заболевания, аквариум необходимо продезинфицировать. Как это сделать? Нужно приготовить дезинфекционный раствор. Для его приготовления можно использовать различные препараты: 0,1%-ный раствор перманганата калия, 3%-ный раствор хлорамина, 4%-ный раствор формалина, 5%-ный раствор хлорной извести, 5%-ный раствор соляной или серной кислоты. Выберите то, что у вас есть под рукой, и залейте раствор в аквариум до краёв на сутки. Рыб, естественно, надо предварительно удалить. Тем же раствором можно обработать инвентарь. Сачки и распылители дезинфицируют кипячением в течение 10–15 минут. Термометр, нагреватель, резиновый и пластмассовый инвентарь (шланги, присоски и т. д.) кипятить нельзя. Грунт аквариума кипятится в течение 30–60 минут или заменяется новым. После дезинфекции все предметы несколько раз тщательно промываются теплой водой. В аквариум на несколько дней заливается вода. После этого её можно вылить и набрать в аквариум постоянную воду со всеми необходимыми параметрами.

Если в аквариуме появились вредные бактерии, то дезинфекционный раствор не поможет. В этом случае надо использовать обыкновенный стиральный порошок. Разведите его в пропорции 0,5 кг порошка на 30 л воды и вымойте раствором аквариум и инвентарь.

Дезинфекцию можно провести с помощью озонирования воды или облучения бактерицидной лампой (10–20 минут). Что касается растений, для них можно приготовить пенициллиновый раствор в пропорции 5 мг на 1 л. В нём они должны находиться 3 суток.

Аквариумные рыбы

Иногда меры предосторожности не приводят к желаемым результатам, и возбудители некоторых болезней продолжают существовать в виде спор. В таких случаях растения, к сожалению, придётся уничтожить.

При ихтиофтириозе, триходинозе, хилодонеллезе, костиозе, оодинумозе, октомитозе, криптобиозе, дактилогирозе, гиродактилезе, возбудители которых, не попав на рыбу в течение нескольких суток, погибают, нет необходимости проводить обеззараживание. Достаточно лишь на 15 суток удалить рыб и в течение 12 суток поддерживать в аквариуме температуру 24–26 °C, а затем 3 суток — 32–33 °C, после чего он будет свободен от паразитов.

Однако основной мерой, позволяющей избежать всех неприятностей, связанных с инфекционными и инвазионными заболеваниями рыб, являются профилактика болезней, создание и поддержание в аквариумах оптимальных и стабильных условий существования, при которых организм рыб будет крепким, способным сопротивляться неблагоприятным факторам.

Следует соблюдать осторожность при манипуляциях с больными рыбами в плане собственной безопасности. К счастью, у рыб есть только один зооноз (болезнь, которая может передаваться от животных к человеку), который имеет значение для аквариумистов, а именно аквариумная гранулёма. Эта болезнь наступает в результате заражения человека бактериями, вызывающими туберкулёз рыб. Обычно эта болезнь не опасна, за исключением случая, когда у больного ослаблен иммунитет. Бактерии, вызывающие эту болезнь, проникают через повреждённый кожный покров, когда аквариумист прикасается к заражённой рыбе или погружает руки в заражённую воду аквариума. Следует избегать контакта с аква-

риумной водой и рыбами, если у вас имеются повреждения на коже рук. Помогут резиновые перчатки, а если аквариум глубокий, нужно пользоваться специальными ветеринарными перчатками, которые покрывают руку целиком.

Биссус

Грибок, поражающий икру, — инфекция, поражающая икру рыб. Икра, поражённая грибком, обычно покрыта пушистыми белыми грибковыми гифами. Грибковые споры присутствуют в аквариумной воде и с готовностью атакуют любое разлагающееся органическое вещество, в том числе нежизнеспособные гниющие икринки. Впоследствии грибок может распространиться и на соседние здоровые икринки. Жизнеспособные икринки, рассеянные на большой площади или прикрепившиеся поодиночке к каким-нибудь предметам — например, к листьям растений — обычно находятся в безопасности и грибок на них не распространяется.

Если икра уже стала объектом атаки грибка, лечение невозможно. Следует икринки, пораженные грибком, тщательно выбрать с помощью пипетки, иглы или пинцета с острыми кончиками. С профилактической целью рекомендуется применять подходящие фунгицидные средства, например, метиленовую синь.

Бранхиомикоз

Возбудитель — гриб, вид которого точно пока неизвестен. Учащённое дыхание, одышка, рыбы держатся у поверхности воды, стоят в хорошо насыщенных кислородом местах. На жабрах отчётливо

видно чрезмерное образование слизи и появляются тёмно-красные и более светлые пятнышки.

Высокий уровень содержания токсических органических веществ, таких как аммиак, нитриты и нитраты; перенаселённость аквариума; бурное размножение водорослей — причины бранхиомикоза.

Усильте аэрацию воды, чтобы повысить содержание кислорода и облегчить гипоксию. Длительные ванны в поражённом аквариуме с использованием фунгицидных препаратов, содержащих феноксиэтанол, могут дать положительный результат.

Водянка

Возбуждается вирусом. Чаще всего водянка поражает личинок, но может быть и у взрослых рыб. Наиболее подвержены заболеванию лабиринтовые и карпозубые. Болезнь легко появляется при недостаточном количестве кислорода в аквариуме или при резкой смене температурного режима. Личинки ведут себя вяло, наблюдается пучеглазие. Причиной смерти является кровоизлияние. У взрослых рыб в брюшной полости скапливается жидкость, из-за чего происходит отёк кожи. Чешуя приподнимается, развивается пучеглазие, кожа становится белого цвета.

Лечение: спасти рыб можно лишь на начальном этапе болезни. Примените хлоромицетиновые ванночки (8 мг на 1 л воды на полчаса). Чтобы болезнь не распространялась, нужно создать благоприятные условия в аквариуме. Больных рыб нужно умертвить, аквариум вместе с грунтом и растениями следует продезинфицировать.

Болезни рыб

Желтуха

Отличить рыбу, заболевшую желтухой, можно по пожелтевшим плавникам и жёлтым пятнам на теле, жёлтым выделениям.

Лечение: раствор фузидина натрия и полимиксина (по 30 мг на 1 л воды). Температура раствора должна совпадать с аквариумной. После исчезновения симптомов желтухи ванночки можно прекратить. В течение 3 недель добавлять в корм метиленовую синь (3 г на 1 кг корма).

Ихтиоспоридиоз (пьяная болезнь)

Возбуждается грибом-водорослью, живущим во внутренних органах рыбы, из группы фикомицетов Ichthyosporidium (Ichthyophonus) hoferi. Болезнь может передаваться через экскременты больной рыбы или при соприкосновении с другими особями. Ее тяжело лечить, потому что ихтиоспоридиоз тяжело выявить. Болезнь может продолжаться несколько месяцев, но в конечном итоге она всегда приводит к смерти рыбы. Движения становятся хаотичными, прерывистыми или, наоборот, вялыми. Часто развиваются пучеглазие и разрушение глаз, ерошение чешуи, шишковатые язвы, появляются омертвевшие участки тела. Рыба теряет аппетит и худеет. Причиной смерти является истощение внутренних органов.

Лечение: к сожалению, всех заболевших рыбок необходимо умертвить. Остальных рыб нужно подвергнуть курсу лечения. Аквариум дезинфицируется раствором перманганата калия (1 г на 1 л воды) или 3%-ным раствором хлорамина. Грунт и растения уничтожаются. Нужно приготовить раствор феноксетола (2 г препарата

на 10 л воды) и смочить им сухой корм, который надлежит давать рыбкам 1 раз в день в течение 3 суток. Повторить процедуру через неделю. В воде аквариума можно растворить леворин (1 мг на 10 л воды) или риванол (30–35 мг на 10 л воды). В случае распространения болезни нужно уничтожить остальных животных, продезинфицировать аквариум и оборудование, обеззаразить растения.

Колумнариоз

Болезнь обычно поражает рот, но может атаковать и другие участки на поверхности тела рыбы. Вначале появляются маленькие отметины, цвет от беловатого до серого. Они возникают на голове, но иногда на плавниках и жабрах. Чаще поражаются губы, причем инфекция может распространиться в ротовую полость. Эта болезнь прогрессирует медленно, в течение определённого времени, и может быть смертельной, если её не лечить. Неблагоприятные условия окружающей среды — например, высокая концентрация азотосодержащих веществ, неподходящий уровень pH, низкое содержание кислорода, недостаток витаминов — способствуют активизации бактерий, которые присутствуют в воде аквариума, на мёртвом органическом веществе и даже на коже здоровых рыб.

Лечение: погружение рыб в ванну с лекарством, в состав которого входит феноксиэтанол. В общий аквариум добавляют левомицитин. В серьёзных случаях, особенно если поражены внутренние ткани, может возникнуть необходимость применения антибиотиков, таких как окситетрациклин. У рыб, выживших после этой инфекции, может в определённой степени выработаться приобретённый иммунитет.

Краснуха (аэромоноз)

Рыбка может заразиться краснухой от новых больных рыб или их выделений. Инфекцию легко занести с непродезинфицированным инвентарём или с мелкими животными, случайно занесёнными в аквариум. Чаще всего ей болеют барбусы и гуппи.

Заражение происходит через поврежденные ткани рыбы. Инкубационный период может длиться от 3 до 8 дней. У больной рыбки все тело, жабры, грудные плавники становятся красноватыми, открываются язвы, появляется пучеглазие. Если своевременно принять меры, краснуху можно вылечить.

Лечение: солевые ванны (3 г на 1 л воды в течение 10–12 часов). Можно чередовать с ванночками 3%-ного раствора марганца. Левомицетин (300 мг на 1 л воды в течение 10–12 часов). Метиленовая синь (100 мг на 1 л воды в течение 4–6 часов). Левомицетин можно добавлять в корм (0,5 г на 1 кг корма). Длительность лечения — 2–3 недели.

Лепидортоз

Возбудители бактерии Aeromonas punctata и Pseudomonas fluorescens. Ерошение чешуи постепенно распрастраняется на все тело, иногда выпадение чешуек, за которым следует гибель рыбы. Подъем чешуи происходит из-за образования под ней маленького пузырька с жидкостью. Такое исследование необходимо провести для уточнения диагноза, так как ерошение чешуи встречается также при туберкулёзе и ихтиоспоридиозе.

Лечение помогает только на ранней стадии заболевания. Ванны лечебные. Общий аквариум — биомицин, стрептоцид белый. В отдельном сосуде — хлоргидрат. При неудаче рыб приходится уничтожать, аквариум, инвентарь, грунт, растения — дезинфицировать.

Лимфоцистоз

Иначе гроздевидная узловатость. Это наиболее распространённая вирусная болезнь, поражающая тропических аквариумных рыб. Возбудитель — фильтрующийся вирус. На плавниках и кожном покрове, а иногда и на внутренних органах появляются сероватые узелки и плоские разрастания из лимфоцитарных клеток величиной до 1,5 мм. Наиболее восприимчивы макроподы, гурами, фундулюсы, некоторые цихлиды (хромисы). Болезнь чаще возникает после механических травм или поражений в результате нападения паразитических ракообразных из семейств Argulidae, Lernaeidae, Ergasilidae. Это очень неприятная болезнь, но она редко бывает опасной. Присутствие больших новообразований на губах может привести к тому, что рыбы будут голодать и умрут от истощения.

Риск занесения вируса можно снизить с помощью длительного 8-недельного карантина. В большинстве случаев этого срока бывает достаточно для проявления болезни. Рыб, поражённых этой болезнью, приобретать не следует. Кисты обычно самопроизвольно разрушаются и исчезают. У поражённых рыб может развиться приобретённый иммунитет.

Болезни рыб

Плистофороз (неоновая болезнь)

Возбудитель — амёбовидный споровик Plistiophora hyphessobryconis. Передача болезни происходит путём случайного проглатывания спор — например, когда рыба пожирает инфицированный труп другой рыбы. У неонов и эритрозонусов яркая продольная полоса на теле становится блёклой, у других видов окраска тела тускнеет. Нарушается координация движений, рыбы начинают плавать хвостом вниз, под углом 45–60°, пытаясь выйти из такого положения, производят скачкообразные движения вверх, но это им удается только на 5–10 с. Ночью рыбы находятся в постоянном движении. Корм не принимают. Чаще поражаются представители родов Hyphessobrycon и Hemigrammus, из харациновых. Отмечался у гуппи. Рыбы погибают.

Важнейшую роль играет профилактика. В некоторых случаях иммунная система хозяина побеждает инфекцию, и тогда наступает самоизлечение. Заражённых рыб приобретать не следует. Если же болезнь появилась после покупки, больных рыб следует изолировать. Если возникают повторные вспышки инфекции, то аквариум следует заново заселить рыбами, аквариум, грунт и инвентарь предварительно продезинфицировать.

Плавниковая гниль

Возбудители — палочкообразные бактерии из группы Pseudomonas. Этой болезнью легко заболевают рыбы, содержащиеся в плохих условиях и при низких температурах. Часто наблюдается сочетание нескольких факторов — например, механическое повреждение

плавников одновременно с плохим качеством воды. Особено ей подвержены лабиринтовые, неоны, барбусы, скалярии, живородящие и мальки любых видов. Началу плавниковой гнили может предшествовать появление необычных красных полос на плавниках. У заболевших рыб на плавниках появляется светло-голубая полоса, постепенно распространяющаяся вокруг. Плавники разлагаются и уменьшаются в размерах. У больных рыб нарушается координация движений. Иногда отмечается помутнение рогового слоя глазного яблока.

Лечение: плавниковая гниль лечится ванночками левомицетина или полимиксина (60 мг на 1 л воды на 30 минут в течение 5 дней). Также годится метиленовая синь (10 мг на 1 л воды) и акварол (1 г на 10 л воды на 30 минут раз в 3 суток). Температура любого раствора должна совпадать с температурой воды в аквариуме. Курс лечения 2–3 недели. Если лечение проходит в аквариуме, можно растворять 1,5 г белого стрептоцида на 10 л воды. В начальной стадии болезни достаточно повысить температуру и создать благоприятные условия обитания. Поскольку эта болезнь чётко проявляется и прогрессирует медленно, серьёзную инфекцию и окончательную потерю плавника можно предотвратить путём своевременного лечения.

Рыбий туберкулёз (микобактериоз)

Возбудитель этой болезни — бактерии Mycobacterium piscium. Её переносчиками чаще всего становятся насекомые — тараканы, комары, муравьи. Легче всего туберкулезом заболевают лабиринтовые, харациновые, карпозубые. Заражение происходит в момент

поглощения корма вместе с заражённой водой. Распространению заболевания способствуют плохие аквариумные условия. Больная рыба теряет аппетит и худеет. Окраска теряет яркость, разрушаются плавники, иногда появляются язвы и пучеглазие. У данио отмечаются пучеглазие, а затем выпадение глаз из орбит, брюшко увеличивается в размерах, у петушков отмечается постепенное увеличение брюшка, кожа растягивается и через 1–2 месяца делается прозрачной, рыбы становятся пассивными, у пецилиевых рыб заболевшие особи держатся отдельно, отказываются от корма, отмечается истощение тела — спина изогнута, брюхо втянуто, глаза ввалившиеся.

Вылечить рыбок можно лишь на начальной стадии заболевания, когда они ещё не отказываются от пищи. Тогда им можно добавлять в корм канамицин (10 мг препарата на 10 г корма). Больных рыб и заболевшие растения необходимо умертвить. Помните, что туберкулёзом могут заболеть и улитки или другие водные животные. Прокипятите грунт и продезинфицируете аквариум и инвентарь 5%-ным раствором хлорной извести или 3%-ным раствором хлорамина. После дезинфекции аквариум нужно несколько раз прополоскать и тщательно протереть все стенки и углы. Через несколько дней можно запустить рыб. Будьте предельно осторожны при всех операциях, связанных с этой болезнью, чтобы не заразиться через рот или ранки.

Сапролегния (дерматомикоз)

Вызывается различными грибками, например плесневыми грибами из родов Saprolegnia и Achlya. Грибки можно найти в большинстве аквариумов. Они существуют там как сапрофиты, питающиеся

289

органическим веществом, в том числе и гниющими трупами рыб. Заболевание развивается, если содержать рыб в слишком холодной воде. Плохая гигиена аквариума, стресс, старость, ранение и другие заболевания также способствуют грибковым заболеваниям. Внешне у больной рыбы на теле, плавниках, жабрах, глазах появляются грязно-белые нити, которые быстро разрастаются и превращаются в ватообразный налет. Грибок может проникать даже в мышцы и внутренние органы. Рыба теряет аппетит и подвижность, много времени проводит на дне аквариума. Если не начать лечение, она погибнет. Грибок может жить и на икре. Чаще он развивается на мёртвой икре, но может и привести к гибели оплодотворенных икринок.

Если поражены многие рыбы, тогда лечение можно проводить в общем аквариуме. Но предпочтительны длительные ванны в отдельном аквариуме.

Лечение: прежде всего нужно аккуратно удалить налет с тела рыбы и обработать раны ваткой, смоченной в растворе пенициллина (500 000 ЕД на 1 см³ новокаина). Чтобы избавиться от грибка, можно провести озонирование аквариума (при объеме 50 л — 30 минут). 5%-ные марганцовые ванны при повышенной температуре (3 раза в день по 5–8 минут). Метиленовая синь (50 мг на 1 л воды на 5–10 минут). Поваренная соль (50 г на 10 л воды на 5 минут), Малахитовая зелень (50 мг на 10 л на 1 час). Курс лечения 15 дней. Рекомендуется местное применение генцианового фиолетового, который одновременно является бактерицидным средством и поэтому вдвойне полезен как профилактическое средство в случае повреждения кожи. Чтобы спасти икру, можно использовать атебрин

(1 г на 15 л воды) или спермасам (500 000 ЕД на 100 л воды). Следует устранить причины неоднократных ранений, а также грибкового поражения, вызванного плохими условиями содержания или общим плохим состоянием здоровья.

Энтерит

Возбудитель этой болезни — аэробная бактерия, развивающаяся в организме растительноядных рыб. Заболевшая особь теряет аппетит и живость движений. Окраска тела темнеет, в области ануса краснеет, появляются опухоли.

Лечение: чтобы сдержать размножение вредоносных бактерий, периодически добавляйте в воду аквариума стрептомицин, биомицин или террамицин. Не забывайте также следить за состоянием грунта и качеством корма. Начните добавлять в корм сульгин или сульфагуанидин (по 0,05 мг на 1 г массы рыбы) в течение 5 дней. В аквариумной воде можно растворить сульфамонометоксин (50 г на 1 л воды).

Язвенная болезнь

Возбуждается бактериями и угрожает в первую очередь таким рыбам, как лабиринтовые, неоны, барбусы, живородящие и скалярии. Бактерии, вызывающие появление язв, обычно присутствуют в воде аквариума. Они безвредны для здоровых рыб, но как только возникнет возможность, они могут атаковать открытую рану. Малькам тоже угрожает эта опасность. Внешне распознать болезнь можно по красным пятнышкам на теле рыбы, со временем

превращающимся в кровоточащие язвы. Если не начать вовремя лечение, рыба может погибнуть.

Лечение: ванночки марганцовокислого калия (0,5 г на 10 л воды на 15–20 минут) раз в 12 часов. Для моллиенезий, меченосцев и гуппи дозировка препарата и время процедуры должно быть вдвое меньше. В воде аквариума можно растворить белый стрептоцид (1,5 г на 10 л воды), биомицин. Необходим хороший уход, сведение стрессов к минимуму и избежание ситуаций, которые могут привести к ранению кожи.

ИНВАЗИОННЫЕ БОЛЕЗНИ

Инвазионные болезни подразделяют на протозойные, вызываемые простейшими — жгутиконосцами (костиоз, оодинумоз, октомитоз, криптобиоз), споровиками (плистофороз, или неоновая болезнь, глюгеоз, узелковая болезнь), инфузориями (ихтиофтириоз, хилодонеллез, триходиноз); на гельминтозы, возбудителями которых являются паразитические черви (дактилогироз, гиродактилез, сангвиниколез, диплостоматоз, кариофиллез), и на крустацеозы, вызываемые паразитическими ракообразными (лернеоз, аргулез). Паразиты часто попадают в аквариум вместе с кормом или плохо продезинфицированным инвентарем. Такие разновидности живого корма, как циклоп и коловратка, могут быть промежуточными хозяевами паразитов-возбудителей болезней.

Лечебные методы при инвазионных болезнях совпадают с процедурами, применяемыми при инфекционных заболеваниях (за исключением, разумеется, используемого препарата и дозировок). Поэтому вы можете прочитать об общих мерах в разделе «Инфек-

ционные болезни». Вкратце напомним, что основными методами лечения остаются: дезинфекция аквариума, соблюдение карантина, ванночки, лекарственные добавки в корм и препараты для добавления в воду аквариума.

Аргулёз

Эта болезнь возбуждается рачком карпоедом — серьёзным врагом для большинства рыб. Карпоеды паразитируют на рыбах. Встретившись с рыбой-хозяином, они прикрепляются к коже с помощью присосок. Используя свой иглообразный ротовой аппарат, они впрыскивают в кровь рыбы антикоагулянт, а потом начинают питаться её кровью. Особо серьёзно то, что в ранки может легко попасть любая инфекция. Рачки могут покинуть хозяина и некоторое время плавать свободно. Один-единственный паразит, если его вовремя не уничтожить, может нанести вред нескольким рыбам. Заболевшие рыбы ведут себя беспокойно, трутся о различные предметы, стараясь уничтожить паразитов, теряют аппетит.

Лечение: прежде всего удалите с тела рыбки всех карпоедов с помощью пинцета. Взрослый паразит виден невооружённым глазом. Он представляет собой полупрозрачный плоский диск диаметром 5–12 мм. В воду аквариума можно добавлять медный купорос (1,5 мг на 1 л воды). Раствор 10%-ного нашатырного спирта (20 капель на 1 л воды на 5–10 минут) 2–3 раза в день. Карбофосные ванны (1 мг на 10 л воды на 3 минуты). Хлорофосные ванны (1 мг на 1 л воды на 3–4 часа). Необходимо провести дезинфекцию аквариума или оставить его без рыб на 5–6 недель. За это время из всех яиц выйдут личинки, потом все личинки превратятся во взрослых рачков и в конце концов все взрослые паразиты погибнут из-за отсутствия хозяина.

Гексамитоз

Своим происхождением она частично обязана простейшим паразитам из рода гексамита Hexamita. Белые полосатые экскременты. Ненормально тёмная окраска, потеря аппетита, истощение, расширение и эрозия чувствительных пор на голове. Пораженные поры обычно заполняются беловатым гноем. Заражение происходит через аквариумную воду.

Лечить только тех рыб, у которых проявляются признаки этой болезни. В отдельном сосуде эритроциклином (40–50 мг/л) с добавлением трихопола (10 мг/л) в течение 10 дней. Для рыб, выдерживающих температуру до 35 °C, горячие ванны в течение 1–2 дней.

Гиродактилёз

Возбуждается несколькими видами гельминтовых сосальщиков рода Gyrodactylus. Эти живородящие паразиты могут жить без рыбы-хозяина в течение недели. Они особено опасны для мальков.

Заболевшую рыбу можно распознать по голубоватому налету на коже, жабрах и плавниках. Образуются язвы, замедляется процесс роста. Рыба становится беспокойной, покачивается или совершает колебательные движения телом, медленно двигаясь вперед или находясь на одном месте, трется о подводные предметы, перестаёт реагировать на разные подводные события, отказывается от корма. Теряется координация движения. Если поражены жабры, рыба задыхается и заглатывает воздух с поверхности воды. Обычно болезнь ведет к смерти животного, но можно попытаться вылечить его.

Лечение: рекомендуемые ванны: с нашатырным спиртом (25 г на 1 л воды на 15—20 минут), с поваренной солью (30 г на 1 л воды на 5 минут) 2 раза в день, с 40%-ным формалином (2 мл на 10 л воды на 30 минут) или с 1%-ным раствором метиленовой сини (на 10 л воды на 15—20 минут). В воду аквариума можно добавлять риванол (0,03 г на 10 л воды) или медный купорос (1,5 мг на 1 л воды). Без рыб паразит погибает через 7—8 суток.

Глюгеоз

Возбудители — споровики из отряда Microsporidia. Пучеглазие, плавание на боку. В соединительной ткани подкожной клетчатки и мышцах возникают опухолевидные выступы, представляющие собой скопления цист паразитов.

При установлении глюгеоза (под микроскопом) животных и растения нужно уничтожить, аквариум и грунт продезинфицировать.

Дактилогироз

Возбуждается особым видом сосальщика из рода Dactylogyros, который прикрепляется к телу рыбы с помощью выделямого клейкого вещества и паразитирует на ней. Он размножается яйцами, откладывая их на жабры своих жертв или на растения. Личинки выходят из яиц через 2—3 дня. Болезнь развивается в аквариумах с плохими условиями содержания, а также при большом количестве мальков, содеращихся вместе. Личинки дактилогируса можно занести вместе с больной рыбой или с недоброкачественным живым кормом. Болезнь наблюдается обычно у карповых рыб

и у мальков. Паразит поражает только жабры. Заболевшая рыба ведёт себя беспокойно и глотает воздух с водной поверхности, держится у пузырьков воздуха аэратора. С течением болезни она становится вялой и теряет аппетит, жабры покрываются нездоровой слизью, возникает некроз отдельных участков жабр, на которых поселяются грибки. Дактилогироз может привести к гибели рыбы.

Лечение: паразит спокойно переносит повышенную солёность, поэтому не стоит применять солёные ванны — этим вы скорее повредите рыбе, чем вылечите болезнь. Лучше использовать ванночки с перманганатом калия (0,2 г на 10 л воды на 30 минут) несколько раз в день. Чтобы удалить мёртвых паразитов и слизь, после ванночек помещайте пациента в проточный или хорошо продуваемый аквариум (но с отстоявшейся водой). В воду можно добавлять хлорофос (0,5 мг на 1 л воды), медный купорос (1,5 мг на 1 л воды) или риванол (0,03 г на 10 л воды). Если вы обнаружили дактилогироз, необходимо провести дезинфекцию аквариума раствором пищевой соды или поваренной соли.

Диплостоматоз (катаракта глаз)

Возбуждается личинками червей-диплостом рода Diplostomum. Взрослые черви паразитируют на птицах, а их личинки — на рыбах и моллюсках. Особенно часто хозяином паразита оказывается прудовик, поэтому примите все необходимые профилактические меры при поселении у себя этого моллюска. Diplostomum не могут размножаться внутри рыбы-хозяина, и, находясь на стадии паразитирования в глазах рыб, они не могут заразить улиток, живущих в аквариуме. В рыбу паразиты проникают обычно через жабры,

после чего личинки трематод переносятся в потоке крови в мелкие капилляры, находящиеся в глазах рыбы. Личинка-диплостома поселяется в глазу рыб. Хрусталик становится белым — появляется бельмо, рыба слепнет. Иногда развивается пучеглазие. В тесных границах аквариума может произойти такое масштабное заражение рыб личинками, что это приведёт к обширному повреждению жабр и смерти.

Вылечить это заболевание в домашних условиях невозможно, поэтому старайтесь предотвратить его путём профилактических мер. Избегайте занесения в аквариум диких улиток. Изолировать поражённых рыб не обязательно, за исключением случаев, когда нарушение зрения вызывает у них в общем аквариуме серьезные проблемы.

Дискокотилус (дискокотилёз)

Эта болезнь возбуждается червем-сосальщиком. Он размножается яйцами. Личинки после выхода из яиц свободно плавают в толще воды, подыскивая себе хозяина. Найдя рыбу, сосальщики прикрепляются к жаберным лепесткам и сосут кровь. Это приводит к малокровию, жабры покрываются неестественной слизью, кровоточат, их окраска бледнеет. Более тяжёлое заражение может проявляться в виде одышки, учащённого дыхания. Тяжёлое заражение может оказаться смертельным.

Лечение: ванночки с перманганатом калия (0,2 мг на 1 л воды на 15 минут), медным купоросом (4 мг на 1 л воды) или с 5%-ным раствором поваренной соли (на 5 минут). Можно применить ванну с формалином. Курс лечения занимает 5—10 дней.

Ихтиофтириоз

Возбуждается одноклеточной ресничной инфузорией Ichthyophthirius multifiliis, которая паразитирует на коже, плавниках, жабрах. Она вызывает воспаление этих участков и способствует тем самым проникновению инфекции. Чаще всего ихтиофтириоз распространяется среди аквариумных рыб, живущих в крайне плохих условиях. Первые дни после заболевания рыба ведёт себя беспокойно, заглатывает воздух с поверхности, трется о подводные предметы, теряет аппетит и худеет. Позже на теле появляются мелкие беловато-серые бугорки. Обычно это отдельные бугорки, но если инфекция очень тяжёлая, то несколько бугорков могут сливаться, образуя скопление, образующее сплошной белый налет. Иногда налёт распространяется на глаза, плавники и жабры. Рыба перестаёт реагировать на окружающую действительность. Часто болезнь заканчивается смертью. Ихтиофтириоз можно занести в аквариум через инфицированную рыбу, воду, в которой присутствуют паразиты на заразной свободно живущей стадии, водные растения.

Ихтиофтириоз нетрудно вылечить, если только начать лечение на ранней стадии заражения. Лечение: аквариум нужно тщательно продезинфицировать. Если заболели теплостойкие рыбы, можно поднять температуру воды до 33–35 °C и использовать аэрацию. В течение 5 дней инфузории погибают от слишком высокой температуры, после этого можно вернуться к прежним условиям. Примените ванны с эритроциклином (0,3 г на 10 л воды на 10 минут) в течение 5–10 дней, в зависимости от возраста и размеров рыбы. В воду аквариума можно вносить несколько препаратов: акварол (0,5 г на 5 л воды на 10 минут), биомицин (1,5 мг на 1 л воды

на 10 минут), метиленовая синь (0,2 мг на 1 л воды на 10 минут), пенициллин (5 мл на 1 л воды на 10 минут). Паразиты быстро умирают в отсутствие хозяина, поэтому заражённый аквариум, а также имеющиеся в нем декоративные предметы и оборудование можно очистить от возбудителей ихтиофтириоза, если оставить аквариум без рыб на 5–10 дней. Чтобы ихтиофтириоз не появился в вашем аквариуме, примите карантинные меры по отношению к новым рыбам и растениям. Карантинный срок для рыб — 3 недели, для растений — 5 суток.

Кариофиллёз

Источником заражения обычно оказываются заражённые рыбы и трубочник — разновидность живого корма. Заболевшие рыбы ведут себя вяло и отказываются от корма. Из-за воспаления кишечника увеличивается в размерах брюшко. Рыба плавает у поверхности воды, плохо координирует свои движения.

Лечение: желательно принимать профилактические меры — выдерживать трубочника перед кормлением в растворе трипафлавина. В сухой корм на протяжении 1–2 недель можно добавлять пиперазин (100 мг на 25 г корма) или сульфамонометоксин (в той же пропорции).

Костиазис (ихтиободоз)

Очень распространённая болезнь среди аквариумных рыб. Она возбуждается жгутиконосцем Costia necatrix, паразитирующим на коже и жабрах. Костиазис чаще поражает слабых рыб и мальков,

чем взрослых и здоровых особей. Внешне болезнь можно распознать по голубоватым пятнам на теле, сливающимся со временем в сплошной серовато-голубой налёт. Чрезмерное образование слизи приводит к тому, что кожа становится тусклой. Может наблюдаться эрозия плавников. Из-за повреждения жабр рыбы поднимаются к поверхности и заглатывают воздух, теряют аппетит, трутся о подводные предметы, ведут себя беспокойно. Если не принять меры, болезнь приводит к смерти.

Простейшие паразиты в небольших количествах присутствуют на рыбах, которые на вид кажутся совершенно здоровыми. Однако когда у рыб из-за неблагоприятных условий окружающей среды происходит ослабление иммунитета, тогда эти паразиты могут размножиться до опасного количества.

Лечат весь аквариум вместе с его обитателями, потому что все рыбы в заражённом аквариуме тоже в той или иной степени заражены.

Лечение: как и в случае с ихтиофтириозом, можно победить болезнь путём повышения температуры до 30 °C на несколько суток. Не делайте этого, если в вашем аквариуме обитают холодноводные рыбы. В этом случае лучше применить ванны: медный купорос (1 г на 10 л воды на 15—20 минут), 1%-ный раствор метиленовой сини (4 мл на 10 л воды на 10—15 минут) или марганцовокислый калий (0,1 г на 10 л воды на 1 час). Любой вид ванн надо повторить несколько раз с промежутком в 5 дней, чтобы избавиться не только от паразитов, но и от их цист. Можно растворить в аквариуме риванол в пропорции 0,03 г на 10 л воды. Сам аквариум тщательно дезинфицируется 10%-ным раствором хлорной извести.

Лернеоз

Вызывается веслоногими рачками Copepoda. Самка является паразитом, частично внедряясь в кожу хозяина с помощью специального органа, который называется фиксаторным аппаратом. У неё появляется пара яйцевых камер, которые придают ей отличительную характерную Y-образную форму. Личинки-паразиты обычно поселяются на жабрах рыб. Из-за этого на коже рыб начинают появляться язвы, чешуя приподнимается, ерошится. Это заболевание опасно тем, что в ранках появляются микробы, и через них может проникнуть инфекция.

Лечение: больные рыбы отсаживаются в отдельный аквариум, в старом аквариуме проводится дезинфекция. В обоих сосудах растворяют левомицетин (0,3 г на 10 л воды). Больным рыбам назначаются ванны: с хлорофосом (100 мг на 1 л воды на час) или с марганцовокислым калием (20 мг на 1 л воды на 40 минут). Взрослых паразитов, если их немного, можно удалить пинцетом. За один приём не следует удалять слишком много паразитов, поскольку при этом неизбежны травмы. Паразитов, находящихся на стадии личинок, можно уничтожить с помощью трихдорфоновых ванн с недельными интервалами в течение 4–6 недель.

Лигулёз

Возбуждается личинкой ленточного червя-ремнеца. Личинки этих животных паразитируют на трех промежуточных хозяевах, в том числе и на рыбах. Из-за сложности жизненного цикла паразитов

они не могут передаваться непосредственно от одной рыбы к другой. Заражение происходит при поедании дафний или циклопов, являющихся носителями паразита. Личинки развиваются в брюшной полости рыбы, постоянно увеличиваясь в размерах. Внешне это выражается в увеличившемся брюшке. Рыба теряет аппетит и погибает.

Лечение: в сухой корм добавляются те же препараты в тех же пропорциях, что и при кариофиллёзе. Подходящие лекарства — никлозамид или празиквантел, которые вводятся в пищу рыб.

Оодиниум («золотая пыль» или «вельветовая болезнь»)

Возбуждается жгутиконосцами из рода Oodinium (класс Flagellata) очень малых размеров, паразитирующих на коже и плавниках. Жизненный цикл этого паразита включает как паразитическую стадию, так и стадию свободного плавания. Длительность жизненного цикла зависит от температуры, и чем выше температура, тем больше ускоряется этот цикл. Болезнь наиболее опасна для кардиналов, лялиусов, гуппи, барбусов. В отличие от других болезней, рыбка, заболевшая оодиниумом, сохраняет аппетит на всех стадиях. «Золотую пыль» тяжело распознать, потому что на первых порах рыбка никак не показывает свой недуг, она может лишь изредка почёсываться о подводные предметы. Если осмотреть её с помощью лупы, будут заметны «песчинки» золотого или серебристого цвета — сыпь, свидетельствующая о заболевании. С течением болезни плавники и кожные ткани разрушаются и от-

слаиваются, рыба плавает толчками, на теле в большом количестве появляется слизь.

Лечение: способ лечения оодиниума отличается от основных методов лечения рыбьих заболеваний. Это связано с тем, что кроме жгутиконосцов, паразитирующих на коже и плавниках, есть ещё паразиты, живущие в подкожном слое. Их нельзя вывести лечебными препаратами, поэтому остаётся лишь создать им благоприятные условия, чтобы ускорить их жизненый цикл. Больную рыбу или нескольких заражённых особей нужно поместить в отдельный аквариум с температурой около 25 °C. В нём нужно часто сменять воду. В это время в старом аквариуме нужно тоже поддерживать температуру 25 °C и усилить освещение. Такие условия должны сохраняться в течение двух недель. За это время паразиты должны погибнуть, не найдя хозяина. Заболевшие рыбы лечатся ванночками с: медным купоросом (0,1 г на 1 л воды на полчаса) раз в день, бициллином–5 (1500 000 ЕД на 10 л воды на 30 минут) раз в день. Можно попробовать, но лишь один раз, малахитовую зелень (0,5 г на 1 л воды на 5–7 часов).

Триходиниоз

Возбуждается инфузориями-триходинами из рода Tichodina. Распрастранение может происходить как через воду, так и путём прямого контакта с заражённой рыбой. Триходиниоз не так-то легко распознать — только если вы хорошо осветите предполагаемую больную рыбу, вы заметите голубоватый налет. Кроме того, здоровые участки кожи будут блестеть, а поражённые покажутся

шероховатыми и матовыми. Больная рыба чаще дышит, чешется о растения и камни, судорожно дёргается без движения.

Лечение: болезнь можно излечить лишь в её начальной стадии. При обнаружении признаков триходиниоза переместите все аквариумные растения в другой сосуд — инфузории не могут долго жить без рыб и погибают. Можно повысить температуру воды до 32–35 °С (если ваши рыбы перенесут эту процедуру) и поддерживать её в течение недели. Примените ванны с раствором 40%-ного формалина (0,2 мл на 1 л воды на 30 минут), трипафлавина. В воде можно растворить повареную соль (2 г на 1 л воды) или метиленовую синь (0,03 г на 10 л воды).

Хилодонеллёз

Вызывается инфузорией-хилодонеллой Chilodonella cyprini. Эта болезнь не опасна для рыб, содержащихся при температуре выше 20 °С. Чаще всего она проявляется в зимний период, когда температура в аквариуме понижается, обычно у карповых и ципринодонов. Больная рыба ведёт себя беспокойно: трётся о подводные предметы, старается выпрыгнуть из воды, плавает кругами. Иногда на теле появляется голубовато-серый налёт. Не всегда хилодонеллёз можно распознать по внешним признакам. При заражении жабр часто происходит массовая гибель рыб.

Лечение: если это возможно, то периодически повышайте температуру в своём аквариуме на несколько дней минимум до 30–32 °С. Больных рыб следует отсадить в отдельный сосуд. Рекомендуются ванны с повареной солью (10–15 г на 1 л воды на 20 минут). В аквариумной воде можно растворить метиленовую синь (0,02 г на 1 л

воды). В этот период надо хорошо кормить рыб, чтобы они окрепли, а затем проводить лечение для избавления от паразита, находящегося в стадии покоя.

ЭВТАНАЗИЯ

В заключение этого раздела хочется дать несколько малоприятных, но необходимых советов, связанных с процедурой умерщвления (эвтаназии) неизлечимо больной рыбы. Во-первых, не надо проявлять сомнительную «жалость» и «гуманность» к смертельно больной рыбе и давать ей умереть самой. Это создаст дополнительные проблемы: больная заразит здоровых особей и будет способствовать распространению животных или растительных паразитов в аквариуме.

От рыбы нужно избавиться по возможности быстро и безболезненно. Чрезмерная доза анестезирующего средства — это подходит для случая, когда необходимо умертвить не одну рыбу, а сразу многих — например, если вы забраковали целый выводок молодых рыбок.

Сотрясение мозга и его разрушение идеально подходит для того, чтобы отправлять на тот свет крупных рыб. Рыбу сильно ударяют о какой-нибудь твёрдый предмет, после этого нужно еще через макушку головы проткнуть мозг каким-нибудь острым инструментом, чтобы убедиться, что рыба действительно мертва.

Перед умерщвлением рекомендуется обезболить рыбу с помощью раствора трикаина. Подождите, пока она перестанет двигаться. После этого острыми ножницами или другим острым предметом перережьте позвоночный столб в районе затылка. Даже после

смерти, которая наступает мгновенно, могут происходить сокращения отдельных участков тела. Если вы хотите препарировать умерщвлённую рыбу, приступите к этой операции сразу после наступления смерти.

Трупы рыб не следует спускать в унитаз или раковину, потому что это может привести к заражению местных рыб экзотическими патогенными организмами. Следует завернуть мёртвую рыбу в полиэтиленовую плёнку и выбросить вместе с домашним мусором или сжечь, особенно рыбу, являющуюся переносчиком инфекции.

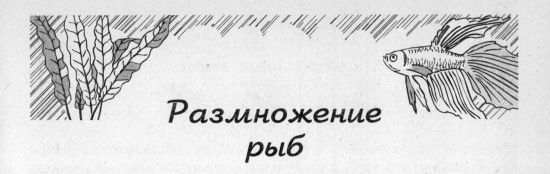

Размножение рыб

Размножение у рыб происходит половым путём. У самца имеются семенники, или молоки, где вырабатываются сперматозоиды. У самок есть яичники, где вызревает икра. Икра имеет тонкую студенистую оболочку. Процесс оплодотворения у рыб называется нерестом. В природе нерест часто проходит в другом месте, иногда сильно удалённом от обычных мест обитания. Так, до сих пор неизвестно, почему угри нерестятся только в Саргассовом море, хотя, чтобы добраться туда, им нужно преодолеть весь Атлантический океан. Такие рыбы, как лосось и осётр, перед нерестом собираются в большие стаи.

Обычно нерест проходит в водной среде. Икринки выбрасываются самкой наружу. Там они оплодотворяются семенной жидкостью, которую извергает самец. Количество икринок в одной кладке сильно рознится у разных рыб. Далеко не вся икра благополучно проходит стадию оплодотворения, часть её гибнет. В оплодотворённой икринке развивается эмбрион. Перед тем как стать взрослым, он проходит стадии личинки и малька. Первое время после выклёвывания личинка не нуждается в дополнительном корме, питаясь запасами из оболочки икринки. Активно питаясь, она всё время увеличивается в размерах и весе, пока наконец не достигнет габаритов взрослой особи.

Выше был описан процесс внешнего оплодотворения. Некоторые виды рыб имеют внутреннее оплодотворение. У самцов таких видов есть специальный половой орган гоноподий. Он используется для введения спермы в тело самки. Во время спаривания самец

плывёт рядом с самкой, и его гоноподий, имеющий форму трубки, направлен вперёд, чтобы ввести сперму в её генитальный тракт. Этот способ размножения более «экономичный», потому что оплодотворяется большее количество яйцеклеток.

У живородящих рыб рождаются вполне жизнеспособные мальки, созревшие в утробе матери. Правда, процесс созревания эмбриона сильно отличается от известных нам примеров из мира млекопитающих. Обеспечение развивающихся личинок питательными веществами носит самый примитивный характер. Сперма, попадающая в тело самки, сохраняет жизнеспособность и активность в течение многих месяцев. Средняя температура, благоприятная для них, находится на уровне 24 °C. Живородящие рыбы обладают одним преимуществом: они находят себе пару даже в переполненном декоративном аквариуме. Через три-четыре недели после оплодотворения рождаются полностью сформировавшиеся и готовые к свободному плаванию личинки. Для них лучшей пищей служат свежевылупившиеся науплии артемии.

РАЗВЕДЕНИЕ РЫБ

Разведение рыб — интересное, но и довольно сложное занятие. Если в аквариуме присутствуют рыбы обоих полов и условия окружающей среды благоприятные, то многие пресноводные тропические рыбы будут стремиться к размножению в неволе без вашего вмешательства. Во время разведения вы сможете наблюдать за брачным нарядом рыбок, процессами нереста и икрометания, рождения мальков. В то же время вам придётся пожертвовать этому занятию много сил и свободного времени. Если вас это не пугает, если

Размножение рыб

вы считаете, что интерес содержать аквариум заключается именно в появлении новых его жителей, то это глава — для вас!

Подавляющее большинство разновидностей аквариумных рыб выведено не специалистами, а аквариумистами-любителями. Аквариумист, занявшийся разведением того или иного вида и приступивший к массовому разведению, может считать себя селекционером.

Селекция — наука о методах сохранения и улучшения существующих и создания новых пород животных и сортов растений, а также гибридов с нужными человеку признаками. Важно подобрать для разведения подходящие экземпляры, достойные того, чтобы дать потомство. В этом случае у вас будут шансы получить потомство, не только не уступающее по красоте своим родителям, но может быть и превосходящее их. Если начинающий селекционер научился разводить интересующий его вид рыб, он может заняться улучшением одной из породных групп. Для того чтобы изучить наследственные особенности имеющейся разновидности, необходимо получить не менее двух поколений. Важно стремиться к реальной цели — закреплению признаков. Для успешной работы по селекции необходимо вести дневник наблюдений, в котором записывать все интересные наблюдения, случаи и изменения, происходящие в вашем аквариуме, также можно вести упрощенные родословные производителей.

В аквариуме необходимо создать условия, соответствующие природным. Поэтому существуют общие предпосылки для успешного размножения ваших питомцев. Для эффективного оплодотворения необходим правильный подбор производителей. Хорошими

производителями считаются молодые, не старше одного года рыбы, которых к тому же содержали в просторных аквариумах с максимальном соблюдением условий жизни для конкретного вида, а также кормили в основном живым кормом без излишеств. Можно ожидать хорошего нереста только тогда, когда рыбы абсолютно здоровы. Удостоверьтесь, что рыбки составляют пару. У многих видов есть половые признаки, которые при внимательном наблюдении можно распознать. Как правило, самец превосходит самку в окраске и величине плавников, да и выглядит он изящнее. Гораздо сложнее определить пол, если рыбы имеют совершенно одинаковую окраску (из живородящих это, например, пецилии, моллиенезии, приапеллы, формозы, из харациновых — неоны, орнатусы, пецилобриконы и др.). В таком случае приходится различать пол по форме плавников, если есть такие различия, или даже по форме тела. Чтобы лучше выявить пол рыбы, нужно дождаться её половой зрелости. У многих видов к нересту появляется брачная окраска.

Как вы уже поняли, для разведения вам потребуются дополнительные аквариумы: нерестовый и молодняковый (или инкубатор). Их основное назначение — создать благоприятные условия для нереста и созревания икры, а также сохранить молодь от собственных родителей. Форма и размер зависят от того, каких по величине рыб собираются разводить. В иных случаях пригодны даже трёхлитровые банки, но чаще всего — аквариумы на 20–30 л. Особое внимание следует уделить чистоте в нерестовом аквариуме. Сосуды перед нерестом промывают с применением питьевой соды, соли. Промытый аквариум тщательно ополаскивают проточной водой.

Размножение рыб

Воду следует готовить того состава, который рекомендован в литературе. При подготовке воды важно соблюдение жёсткости, но ещё важнее её качество, очищенность от белковых соединений, избытка нитратов и нитритов, пригодность для жизни молоди. Для рыбок, у которых состав воды в нерестовике должен быть резко отличен от состава воды в общем аквариуме, лучше производить более плавный перевод, отсаживая их сначала в буферный сосуд, имеющий показатели, средние между показателями общего аквариума и нерестового хотя бы на 3—4 часа. Нерестовый аквариум необходимо закрывать покровным стеклом. Это не только предотвратит попадание пыли, но и снизит потери ценных производителей, которые нередко во время нереста в возбуждении выпрыгивают на пол. Освещённость нерестилища, подобно другим факторам среды, для разных рыб различна. Икру, а также личинок ряда рыб необходимо полностью затенять до тех пор, пока мальки не начнут плавать. Часто стимулом для нереста многих рыб является повышение температуры воды, поэтому следует соблюдать температурный режим. Почти в каждом нерестовике обязательно должен быть подходящий субстрат. Предметы, на которые рыбы откладывают икру, а также растения называются субстратами.

Во многих случаях сохранить и вырастить потомство не менее трудно, чем подготовить производителей и побудить их к икрометанию. Оплодотворенная икра развивается в течение некоторого времени, которое весьма различно у разных видов рыб. Одним из условий нормального развития зародыша и личинки является достаточное поступление кислорода. Личинкам не следует предлагать корм до тех пор, пока они не начнут свободно плавать, то есть

не превратятся в мальков. Отсутствие корма в первые часы перехода личинок к свободному плаванию может привести к гибели потомства. Требуется обилие и даже некоторый излишек корма. Стартовым кормом могут быть инфузория-туфелька, коловратки, «живая» пыль, яичный желток, разведённый в воде и очень маленькими дозами. Для поддержания на должном уровне свежести и чистоты воды желательно в течение всего периода выкармливания мальков применять «пылевидную» аэрацию и донные фильтры. Безопасным является только фильтр, размещаемый под гравием и прокачивающий через него воду. Обычные фильтры становятся безопасными, когда мальки вырастают до размеров, не позволяющих затягивать их внутрь. Немаловажное значение для выживания мальков имеет своевременный перевод в более просторные выростные аквариумы. Выростной аквариум, как правило, должен обладать большой площадью и небольшим слоем воды для лучшего обогащения ее кислородом. В зависимости от вида рыб и скорости роста следует постепенно переходить на все более крупный корм. Рыб, достигших 1/2–2/3 размера взрослых особей, а также перешедших на питание мотылём, можно совмещать в одном аквариуме и содержать в обычных условиях.

Существуют виды аквариумных рыб, разведение которых не представляет никакого труда. Им не нужно создавать особых условий, и размножение часто происходит без участия хозяина. К таким видам относятся: живородящие карпозубые, макроподы и некоторые другие. Для ряда видов рыб можно обойтись без описанных аквариумов, т. к. они нерестятся в аквариуме, в котором содержатся, и не преследуют икру и мальков. А некоторые виды ухаживают за потомством.

Размножение рыб

Метод разведения тесно связан со способом откладки икры у разных видов рыб. Ниже приведена классификация этих способов и, соответственно, советы по разведению. Классификация даётся по книге В. Плонского «Мир аквариума».

Рыбы, мечущие икру на растения или другие подводные предметы и не ухаживающие за ней

Этот способ икрометания характерен для следующих родов: агамиксис, акантодорас, акантофталмус, амблидорас, аплохейлихтис, арнольдихтис, астианакс, афисемион, афиохаракс, барбус, бедоция, боция, брахиданио, брохис, брицинус, гарманелла, гиринохейлус, глоссолепис, гобио, данио, дистиходус, инпаихтис, карассиус, коридорас, коринопома, ктенобрикон, ктенопома, лабео, лукания, маланотения, метиннис, моенкаузия, нонностомус, пантодон, пристелла, псевдоэпипластис, расбора, ривулус синолонтис, танихтис, фоксинус, хасемания, хела, хелостома, хемиграммус, хилодус, эпиплатис.

Нерест завершается более или менее беспорядочным рассеиванием икринок во всех направлениях. Нерестовый аквариум с кустами мелколистных растений, без грунта, устанавливают на подложку темного цвета (из любого материала). Если икра неклейкая, то для рыб, поедающих икру, на дно кладут сепараторную сетку. Освещение обычно слабое. Уровень воды, как правило, невысокий (до 15 см).

Виды, мечущие икру за один раз, большой порцией, и поедающие её, во время нереста мало обращают на неё внимания и лишь иногда нападают на икру. Во время нереста число съеденных икринок

обычно невелико, а вот вспышка интереса к ним служит хорошим показателем завершения этого процесса. В этом случае помогают густые заросли и немедленное удаление рыб после окончания нереста. Одной из мер защиты икры является ослабление освещённости. Икру стряхивают с растений, собирают со дна и переносят в инкубатор. Если же её оставляют в нерестовом аквариуме, который будет выполнять функцию инкубатора, то из него удаляют субстрат, сепараторную сетку, сменяют воду на свежую (с теми же параметрами) и добавляют средства дезинфекции.

Рыбы, мечущие икру небольшими порциями в течение нескольких дней, обычно не поедают икру, и их оставляют в нерестовом аквариуме, пока не получат желаемое количество икры или до окончания нереста. Икру каждый день стряхивают с субстрата в инкубатор или через определённый промежуток времени (например, неделю) накопленную на субстрате икру вместе с ним переносят в инкубатор, а субстрат заменяют новым. Икру желательно переносить в воде, хотя можно и по воздуху в течение 10–15 с, избегая перепада температуры.

В инкубаторе, как правило, низкий уровень дезинфицированной воды с теми же параметрами, что и в нерестовом аквариуме.

Здоровая икра обычно чиста и прозрачна, погибшая — молочного цвета, непрозрачная, часто, деформированная. Её удаляют пипеткой или отсасывают трубкой. Слабая аэрация обеспечивает подачу кислорода и слабую циркуляцию воды. Особое внимание следует обратить на кормление мальков и их отношение к стартовому корму, что удобно контролировать при помощи лупы.

Для отметавших икру рыб лучше создать период покоя, который характерен пониженной температурой, ограничением корма (1 раз в 2 дня) и продлением интервалов смены воды.

Размножение рыб

Рыбы, мечущие икру в грунт и не ухаживающие за ней

Эти рыбы представлены следующими родами: астрофундулус, афиосемион, нотобранхиус, птеролебиас, ролофия, цинолебиас.

Это так называемые «сезонные» рыбы, которые живут от периода дождей до периода засухи. В это время они успевают выклюнуться из икры, достичь половой зрелости и отметать икру, которая в грунте высохшего водоёма пережидает неблагоприятный период.

Приступая к разведению таких рыб, вы столкнётесь с проблемой создания условий, хоть в какой-то мере соответствующих природным, воспроизвести которые в аквариуме очень трудно. Инкубационный период у таких видов достаточно долог.

На дно нерестового аквариума кладут слой торфа и сажают несколько кустов растений, чтобы самка могла спрятаться от самца. Освещение слабое, по крайней мере должны быть затемнённые участки. Уровень воды не более 25 см. Кормовой участок дна оставляют свободным. Торф, в который рыбы откладывают икру, время от времени (не реже, чем каждые 3 недели) вынимают и заменяют новым. Его удобно укладывать на поддон, который легко вынуть из аквариума. Вынутый торф кладут в сачок и отцеживают воду, пока она не будет стекать по каплям, затем укладывают слоем 2−3 см и слегка подсушивают, но он должен сохранять достаточно влаги, чтобы ещё впитать капли воды и быть рассыпчатым.

Торф с икрой хранят в закрытой стеклянной или пластмассовой посуде или в полиэтиленовом пакете (желательно с указанием даты помещения торфа) при температуре 21−23 ˚С. Продолжительность составляет несколько месяцев. Торф в течение первых 2 недель каждый день осматривают и удаляют побелевшие, погибшие

икринки, не допускают их нахождения на поверхности торфа. Затем каждую неделю контролируют с помощью лупы состояние эмбриона в икре, одновременно проверяя торф, чтобы не образовалось плесени. Когда развитие эмбрионов закончено (глаза видны в виде тёмных пятен), торф переносят в сосуд и заливают мягкой водой с температурой на 2–4 °C ниже, чем при хранении. Уровень воды не более 5 см. Затем температуру медленно повышают до 25 °C. Выклюнувшихся мальков переводят в выростной аквариум с таким же уровнем воды и с теми же параметрами. По мере роста мальков уровень повышают и постепенно изменяют параметры воды до оптимальных для содержания данного вида рыб.

Случается, что, несмотря на правильное развитие эмбрионов, выклев не происходит. Тогда нужно потрясти воду с икрой. Если это не помогает, то заменить воду на свежую и холодную (10 °C). Можно на поверхность воды насыпать сухой корм (дафнии или циклопа, например), что приведёт к сильному развитию бактерий и понижению содержания кислорода. Мальки будут стремиться прорвать оболочку икры, чтобы покинуть неблагоприятную среду. Их нужно немедленно перевести в чистую воду с теми же параметрами, что и в нерестовом аквариуме. В торфе обычно остаётся икра. Её подсушивают, повторяя процесс.

Рыбы, мечущие икру на растения и другие подводные предметы и ухаживающие за ней

Представлены следующими родами: аномалохромис, астронотус, копеина, креникара, лэтакара, моноциррус, наннакара, неоламп-рологус, папилохромис, паратерапс, полицентрус, псеводосфроменус,

Размножение рыб

птерофиллум, симфизодон, тетрадон, фарловелла, хемихромис, херотиляпия, цихлозома, эквиденс, эннеакантус, этроплус.

Требуется нерестовый аквариум с субстратом, который соответствует требованиям рыб. Грунт (обычно мелкозернистый песок) нужен, если рыбы в процессе подготовки к нересту делают в нём ямки или просто роют его, для некоторых видов нужны укрытия. Освещение умеренное. Икра, а в большинстве случаев и личинки, находятся под неусыпным надзором родителей. Они выбирают определённые места нереста, подготавливают их и постоянно следят за икрой. Эти обязанности выполняют либо оба родителя, либо один из них.

Необычным образом происходит икрометание у копеин. Рыбы разыскивают свисающий над поверхностью воды лист или какой-нибудь камень, до которого можно допрыгнуть, и самка откладывает на такой субстрат икру. Затем родители постоянно увлажняют икру, проплывая снизу. Выклюнувшиеся личинки падают в воду и уплывают.

Рыбы семейства цихловые, образующие более или менее постоянные пары, разборчивы в выборе партнера, поэтому лучше приобрести не менее 6 экземпляров, из которых в дальнейшем, при наступлении половой зрелости, образуется пара, которую при признаках подготовки к нересту (обычно округлившееся брюхо самки, яркость окраски и повышенная агрессивность самца, выбор субстрата и чистка его) отсаживают в нерестовый аквариум. Пара ухаживает за икрой и потомством. У некоторых видов нередки случаи, когда рыбы поедают первые кладки икры, но обычно это затем проходит. Во всяком случае рыбы должны быть сыты. Бывают случаи стычек между рыбами из-за права заботиться о потомстве,

тогда одну из них удаляют. Когда рыбы достигают зрелости и готовы к нересту, они сами выбирают себе партнёров по вкусу. Если в аквариуме имеется только одна пара, то самец может забить насмерть непонравившуюся ему самку. Можно попробовать расселить партнёров до тех пор, пока брюшко самки не округлится, а яркость окраски и агрессивность самца будут свидетельствовать о том, что он также готов к продолжению рода. Выберите для воссоединения пары время, когда вы сможете за ними понаблюдать. Если между рыбами не возникнет осложнений и самец не начнет нападать на самку слишком свирепо, обрывая ей плавники, подбор можно считать удачным.

Ряд видов рыб образуют пару лишь на время нереста, а уход за потомством производят либо оба партнёра, либо один из них. В последнем случае другую рыбу удаляют из аквариума.

Отложенную икру можно перенести в инкубатор вместе с субстратом (если по воздуху, то в течение не более 15 с, избегая перепада температуры). Ухаживая за икрой, родители постоянно её вентилируют, совершая мягкие колебательные движения грудными плавниками. Эту процедуру можно воспроизвести чисто механически, поместив аэратор недалеко, и направляют слабую струю воздуха так, чтобы вокруг икры вода перемещалась, но пузырьки на неё не попадали. Родители поддерживают икринки в чистоте, время от времени забирая их в рот, это осложняет искусственную инкубацию. Особое внимание следует уделить кормлению мальков и их отношению к стартовому корму, что удобно контролировать с помощью лупы. Личинки большинства членов описываемой группы достаточно крупные, начиная плавать, они могут сразу поедать науплий артемии.

Размножение рыб

Рыбы, мечущие икру в укрытие и ухаживающие за ней и потомством

Эти рыбы представлены следующими родами: анциструс, апистограмма, бадис, брахигобиус, лампрологус, наннакара, нанохромис, паросфроменус, пелвикахромис, полицентрус, псевдосфроменус, ринелорикария, стеатокранус, стигматогобиус, телматохромис, тетраодон, тиляпия, халинохромис, цихлазома.

В естественных условиях они, очевидно, разыскивают какую-либо щель между камнями. Требуется нерестовый аквариум с субстратом, который отвечает требованиям рыб (пещеры или положенные на бок цветочные горшки, керамические или пластмассовые трубки, щели в камнях), при необходимости — растения и грунт. Субстрат располагают в затемнённом месте. Под горшком самец заранее деловито выкапывает ямку, выплёвывая наружу все мелкие кусочки гравия, пока ему не удастся навести полный порядок. Созревшая самка вскоре позволяет подогнать себя к нерестилищу и мечет кучкой икринки, которые самец тут же оплодотворяет.

Рыбы, отложив икру в укрытие, затем ухаживают за ней, причем это, в зависимости от вида, может делать пара, самец или самка. У ряда видов ухаживающая за икрой рыба ведет себя агрессивно по отношению к партнеру — тогда его удаляют. После того как мальки начнут плавать, одни виды продолжают уход, другие его прекращают, и тогда мальков переводят в выростной аквариум.

Икру можно вместе с субстратом перенести в инкубатор со слабой аэрацией (если по воздуху, то в течение не более 15 секунд, избегая перепада температуры).

Рыбы, мечущие икру в углубления в грунте и ухаживающие за икрой и потомством

Это следующие роды: иорданелла, лапомис, эннеакантус.

Создаётся нерестовый аквариум с грунтом из мелкого песка от 5 см, с кустом растений, а для лепомиса — с укрытием для самки. Самец роет ямку в песке, в которую пара откладывает икру. Процесс этот очень прост: самец выбирает подходящее место и готовит углубление, плавая над грунтом кругами и создавая таким образом водоворот. Частицы песка и мелкие камешки, которые не удаётся удалить этим способом, самец собирает в рот и относит в сторону. Самец в одиночку охраняет кладку до выклева личинок. У папилиохромиса уход осуществляет пара, у остальных видов самца или самку можно удалить.

Рыбы, мечущие икру в гнездо и ухаживающие за икрой и потомством

Представлены следующими родами: белонтия, бетта, гастеростеус, дианема, колиза, ктенопома, макроподус, псевдосфроменус, пунгитиус, трихогастер, трихопсис.

Требуется нерестовый аквариум для рыб, строящих гнездо из пены, без грунта, с растениями, в том числе с плавающими. Строители пенных гнёзд сооружают на поверхности воды очень своеобразную шапку пены из покрытых слизью пузырьков воздуха. Это служит сигналом готовности самца к нересту. Созревшая самка

наполняет гнездо сотнями икринок. После нереста самец ухаживает за икрой и личинками, самку удаляют. После того как мальки поплывут и станут брать корм, удаляют самца.

Нерестовый аквариум для рыб, строящих гнездо из частей растений, делают с грунтом из песка и кустами мелколистных растений. Рыбки собирают кусочки растений, веточек и прочие остатки, свивают их в гнездо и прикрепляют его к подводным растениям. Гнездо с входом и выходом, внутри откладывается икра, после чего самку удаляют. Самец ухаживает за икрой и личинками.

Рыбы, носящие икру на теле

Это оризиас, медака японская, кубанихт.

Нужен нерестовый аквариум без грунта с мелколистными и плавающими растениями. Самка мечет икринки небольшими порциями, и они свисают с её брюшка иногда в течение нескольких часов. Оплодотворённая икра после нереста свисает с брюха самки в виде виноградной грозди и, когда она проплывает через кусты, приклеивается к ним. Рыбы об икре не заботятся и не трогают ни её, ни мальков, если получают обильный корм. Личинок можно сразу кормить науплиями артемии.

Рыбы, инкубирующие икру во рту и ухаживающие за потомством

Представлены следующими родами: астатотиляпия, бетта, буржуквина, лабеотрофеус, меланохромис, псевдотрофеус, саратеродон, сферихтис, трофеус, хромидотиляпия, циртокада, цифотиляпия.

321

Аквариумные рыбы

Создаётся нерестовый аквариум с субстратом (плоский камень или песок, в котором самец делает ямку) и, часто, пещера для укрытия. После нереста одна из рыб (чаще самка) берёт икру в рот и его покидают уже способные плавать и брать корм мальки, которые еще некоторое время находятся под охраной родителей. При надвигающейся опасности самец (или самка) раскрывает рот, и мальки с бешеной скоростью скрываются в нём. Особенно забавно выглядит стайка уже немного подросших малышей, пытающихся одновременно протиснуться в спасительное убежище.

При разведении можно использовать несколько способов:

1. Оставить самку с икрой во рту в аквариуме при условии наличия достаточного количества укрытий.
2. Оставить самку в аквариуме, отделив ее перегородкой от остальных рыб.
3. Перевести самку в более маленький аквариум.

Искусственное инкубирование икры производят следующим образом. Самку оборачивают прокипячённой мягкой, предварительно намоченной тканью так, чтобы оставался свободным только рот. Рыбу держат головой вниз и концом пальца или стеклянной лопаткой осторожно открывают рот и медленно то опускают рыбу в воду, то вынимают из неё. В результате она выплёвывает икру, которую переносят с помощью стеклянной трубки в инкубатор с уровнем воды 5–8 см и слабой аэрацией. Воду с параметрами, соответствующими требованиям данного вида рыб и с добавлением средства дезинфекции, меняют не реже раза в день. Икру регулярно осматривают и побелевшую, деформированную, с капельками жира или газа удаляют. После того как мальки поплывут, уровень воды постепенно повышают. Следует отметить, что при искусственной инкубации икры рыбы теряют способность инкубировать её самостоятельно.

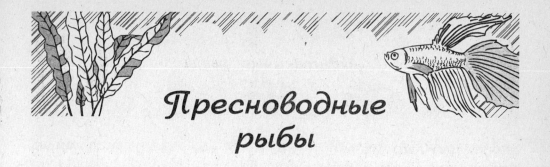

Пресноводные рыбы

Верховка

Представитель карповых рыб, достигающий в длину всего 6—8 см и весящий около 7 г. Это один из самых маленьких видов российских рыб, и поэтому её часто путают с молодью других рыб. Окраска тела в основном серебристо-белая. Голова верховки тёмно-серая, спина зеленовато-жёлтая, выше боковой линии вдоль тела идёт синеватая полоска, плавники прозрачные.

Верховка населяет реки, озёра и пруды Европы. В России среда её обитания — бассейны рек Кубань и Волга. В природе она держится в верхних слоях воды, поэтому аквариум с верховками нужно накрывать сеткой. Аквариумная вода должна быть комнатной температуры и достаточно насыщена кислородом.

Для содержания этих рыбок нужен сравнительно просторный аквариум объемом около 20—40 л, засаженный стрелолистом, роголистником, водяным мхом. Температуру воды во время нерестилища

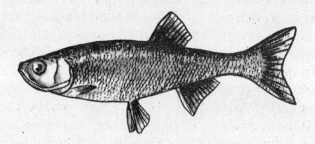

Верховка

желательно держать около 15 °С. Самки откладывают икринки на растения. Самец охраняет икру в течение 3 дней до появления мальков. Первым кормом мальков служит «живая пыль». Половозрелость достигается ко второму году жизни. Взрослые верховки могут питаться мотылем, дафниями, кусочками хлеба.

Нужно помнить, что верховки в аквариуме восприимчивы к болезням, поэтому они требуют тщательного внимания и ухода.

Вьюн

В семейство вьюновых входит более 150 видов рыб. Большинство из них обитает в Азии. Обычно вьюны ведут малоподвижный образ жизни. Многие виды вьюновых отличаются исключительной выносливостью и неприхотливостью. Они могут легко переносить кислородное голодание, так как способны заглатывать воздух в кишечник, поднимаясь на поверхность воды.

Тело вьюна удлинённое, цилиндрическое. Окраска коричнево-бурая, в зависимости от условий обитания может иметь желтоватый оттенок. Вдоль всего тела идут светлые полосы. Около рта находятся

Вьюн

10 усиков: 2 — по бокам и по 4 — на нижней и верхней челюстях. Средняя длина вьюна — 16–30 см, вес достигает 50 г.

В природе эта рыба широко распространена в Европе и России. Вьюн исключительно нетребователен к условиям жизни, поэтому его места обитания — реки, болота, даже канавы. Почти всю жизнь он проводит на дне, а зимой впадает в спячку, зарывшись в ил. Во время икрометания самка откладывает около 150 000 икринок на растения. Личинки вьюна снабжены редким органом дыхания — наружными жабрами.

Вьюн хорошо чувствует себя даже в самых аскетических аквариумных условиях. Он может переносить многомесячное голодание без особого вреда для себя. В корм годятся черви, мотыль, сырое мясо.

Гольян обыкновенный

Этот мелкий представитель карповых рыб довольно красив. Общая окраска гольяна — зеленоватая с золотистым отливом на боках и серебристым на брюшке, на боках большие расплывчатые

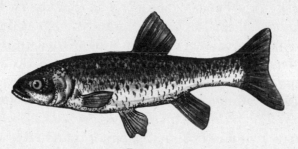

Гольян

пятна. В период нереста у брачного самца пятна становятся яркими, брюшко красным, за жаберной крышкой появляется жёлтый пигмент. Тело, покрытое мелкой чешуёй, имеет цилиндрическую форму. Длина этих рыбок — 5–8 см, вес — 5–9 г.

Обыкновенный гольян распространён от берегов Атлантики до рек и ручьёв тихоокеанского бассейна. Летом гольяны обитают в местах с сильным течением: около водоворотов, водопадов, на каменистых и песчаных перекатах. Зиму они пережидают в более глубоких местах, находясь в малоподвижном состоянии. Нерест длится с мая до июля, икра созревает порциями. Половозрелость наступает в возрасте 2–3 лет. Самки откладывают около 300–600 икринок. Пища гольяна — личинки насекомых, ракообразные.

Содержать этих рыбок нужно в больших просторных аквариумах с хорошей аэрацией, в воде температурой не выше 17 ˚C. Для нереста дно аквариума выкладывается камешками, и высаживаются водные растения. Лучше всего кормить гольянов живым кормом.

Горчак

Эта рыба получила свое название из-за горьковатого вкуса мяса. Длина его тела до 10 см. Форма тела напоминает небольшого карася. Окраска серебристо-зеленоватая с переходами в зеленоватый цвет, глаза золотистые, плавники прозрачные. Во время нереста самец становится ярче: плавники краснеют, чешуя отливает радужным. У самок в брачный период появляется яйцеклад длиной с саму рыбку.

В природных условиях горчак распространён в средней Европе, Черном и Каспийском морях. Предпочитает места с песчаным

или галечниковым дном со стоячей или слабо текущей водой. Ареал его распространения всегда совпадает с местами обитания крупных двухстворчатых моллюсков — это связано со способом размножения горчака.

Горчак в аквариумных условиях неприхотлив и при правильном уходе живет долго. Кормят его нитчатыми водорослями, дафниями, мотылем. Для размножения в аквариум необходимо поместить несколько моллюсков, так как самка откладывает икру в их раковины, где и происходит созревание и развитие мальков в течение 15–20 дней.

Разведение горчака в аквариумных условиях: нерестовый аквариум перегораживают невысокой стенкой из оргстекла или стекла на расстоянии длины аквариума от боковой стенки, чтобы обеспечить перепад уровней грунта из чистого песка порядка 2–3 см. На большей, высокой части грунта сажают заросли растений, на меньшей — кладут несколько двухстворчатых улиток (предпочтительно перловиц, но можно и беззубок). Если на другой день улитки лежат с широко раскрытыми створками раковин, то они погибли, и их заменяют новыми. На нерест через 10–14 дней сажают стайку рыб, лучше с преобладанием самок. У готовой к откладке икры самки появляется тонкий розовый яйцеклад длиной около 5 см, свисающий с её брюшка наподобие червячка. Готовая к нересту пара отделяется, и самка вводит яйцеклад между створками раковины и выпускает в мантийную полость около 40 икринок, которые самец орошает молоками после того, как самка вынет яйцеклад. С водой, постоянно прокачиваемой через жабры моллюска, молоки втягиваются в мантийную полость, где и происходит

оплодотворение икры. Рыб после нереста удаляют. Через 4–5 недель моллюск выбрасывает развившихся, способных плавать и питаться мальков, которых переводят в выростной аквариум. Несколько дней они питаются инфузориями, а затем переходят на артемию и другой, более крупный корм.

Карась золотой (обыкновенный)

Золотой карась живёт в речках и в слабо проточных водоемах. Его пища в природе — личинки различных насекомых, обитающие на дне и в иле.

Окраска золотого карася — бронзовая с красновато-коричневатым оттенком, тело несколько округлое. Он отличается от своего ближайшего родственника — серебряного карася — числом плавниковых лучей. В аквариуме он может вырасти до 20 см, тогда как в природных условиях его длина достигает 45 см.

Карась золотой

Карась золотой может обитать даже в таких заиленных водо-ёмах, в которых другим рыбам не хватало бы кислорода. Он не бо-ится зимнего промерзания всего водоёма и пережидает холодное время года, зарываясь в ил. Также этот карась хорошо перено-сит загрязнение водоемов. Он становится способен к размножению к 3–4-му году жизни, период размножения начинается с мая.

В условиях аквариума золотой карась неприхотлив, лучший корм для него — дождевые черви, мотыль, скобленое мясо.

Карась серебряный

Этот прародитель золотой рыбки широко распространен в уме-ренных водах нашей страны. Окраска серебряного карася, кроме темной спины, светло-серая, с металлическим отливом, форма тела более продолговатая, чем у золотого карася.

Карась серебряный

Размеры серебряного карася сильно варьируются в зависимости от условий обитания. Отличить взрослых карасей от мелких особей можно по чешуе — у взрослых она толще и более шершавая. Для домашнего аквариума лучше подходят взрослые особи небольшого размера.

Его природная среда обитания — водоемы с проточной водой, водохранилища, пруды. Скорость заселения новых водоемов у этого карася очень высока, стоит в них появиться водорослям. Он даже сумел потеснить с обжитых территорий своего родича — золотого карася.

Серебряный карась является одной из самых малотребовательных рыб к условиям содержания. Он способен размножаться в аквариумных условиях. Нерестится серебряный карась при температуре не ниже 14 °C, икра выметывается на растения.

Карп

Это пока единственная полностью домашняя рыба. История разведения карпа берёт начало ещё во времена Римской империи и Древнего Китая. Известно, что римляне доставляли карпов с Кубани. В природе длина его тела достигает метровой величины, а срок жизни — 20 лет. Карп имеет вытянутое тело, покрытое тёмно-золотистой чешуёй. Его маленький рот окружен четырьмя короткими усиками, помогающими в поисках корма. Во рту имеются костная пластинка и глоточные зубы.

В природных условиях эта рыба заселяет водоемы Чёрного, Азовского, Каспийского, Средиземного, Аральского морей, а также бассейны рек Тихого океана и озеро Иссык-Куль.

Карп

В содержании и кормлении карп — одна из самых неприхотливых рыб: его можно кормить дождевыми червями, моллюсками, сырым мясом, хлебом, горохом, гранулами комбикорма. В аквариуме лучше содержать мальков или молодых карпов. Для содержания 3–4 рыб требуется аквариум объемом 100–150 л.

Селекционерами выведена разновидность обыкновенного карпа — карп зеркальный. Его тело покрыто своеобразными чешуйками желтовато-серого цвета, расположенными вдоль боковой линии в несколько рядов. Зеркальный карп считается лучшей породой карпа для содержания в аквариуме.

Колюшка девятииглая

Эта рыба меньше своей родственницы — трехиглой колюшки, ее размеры колеблются от 4 до 6 см. Ее основное отличие — 7–12 (не обязательно 9) игл, зигзагообразно направленных в разные стороны, впереди спинного плавника. Самцы окрашены в буровато-желтый цвет со множеством черных точек, у самок вдоль тела идут

поперечные полоски. Во время нереста самец становится сине-чёрным, а брюшные колючки — белыми.

Самец строит гнездо на высоте 4—8 см от дна. Гнездо может иметь различные размеры и иногда достигать размеров яблока. Самка откладывает около 100 икринок, и самец остается охранять гнездо, а затем опекать мальков первое время. Во время созревания икры самец активно работает плавниками, освежая воду возле гнезда. Если строительство гнезда происходит в аквариумных условиях, необходимо заблаговременно засадить аквариум водными растениями — материалом для строительства. Первоначальным кормом для мальков служат инфузории, дафнии, циклопы. Взрослые колюшки могут питаться личинками комара, скоблёным мясом. Девятииглая колюшка, как и колюшка трёхиглая, нетребовательна к температуре воды.

Колюшка трёхиглая

Один из восьми видов семейства колюшковых. Длина тела — 5—8 см. Тело имеет веретенообразную форму. Характерной особенностью трёхиглой колюшки являются три колючки-иглы, расположенные перед спинным плавником. В спокойном состоянии иглы прижаты к телу, но, если рыба раздражена или чем-то испугана, иглы встают и могут серьёзно и даже смертельно ранить других рыб. Тело вместо чешуи покрыто роговыми пластинками. Окраска взрослых рыб серебристо-серая. Во время нереста, который проходит весной, самец меняет окраску: спина становится изумрудно-зелёной, подбородок и брюхо — ярко-красными, глаза — синими. У самки брачный наряд более скромный.

Места обитания колюшки — Западная Европа, бассейны рек Чёрного, Белого и Балтийского моря, а также восток Северной Америки. Она освоила различные виды водоёмов от чистых ручьёв до стоячих канав. Для икрометания самец строит на песчаном грунте гнездо из различных частей водных растений. После откладки икры самец остается охранять гнездо.

В аквариуме колюшка трёхиглая неприхотлива, нетребовательна к температуре воды и корму.

Краснопёрка

Широко распространенная в реках и озёрах юга Европы и части Азии карповая рыба. В природных условиях длина тела красноперки составляет 30—35 см, вес доходит до 1 кг. Характерные особенности окраски рыбы — ярко-красные плавники и большие оранжевые глаза. У самца в период нереста тело окрашивается в яркие цвета, на спине и голове появляются бородавочки. Самка мечет

Краснопёрка

икру в зарослях водных растений в большом количестве (100–230 000) за несколько приёмов на мелководных, прогреваемых участках. Мальки появляются через неделю. Корм для мальков — инфузории, коловратки и мелкие водоросли. Взрослые красноперки питаются водорослями и водными растениями, но в аквариумных условиях могут употреблять в пищу живой корм. Красноперку следует содержать в просторном аквариуме, засаженном стрелолистом, роголистником, перистолистником. Вода должна быть достаточно насыщенной кислородом.

Линь

Форма тела, типичная для обитателя дна. Спинной плавник у линя высокий, иногда склоняющийся набок. Два небольших усика располагаются в углах как бы припухшего маленького рта. Чешуя, покрывающая тело линя, очень мелкая, находится она под толстым слоем слизи. Окраска линя зависит от мест обитания. Иногда

Линь

встречаются лини тёмно-серого цвета, но обычно они тёмно-бронзовые с зеленоватым отливом на спине. У светлых по цвету рыб этот оттенок переходит в красно-золотистый. Глаза линя ярко-красного цвета. Найти линя можно в небольших тенистых, богатых растительностью прудах и озёрах или в речных затонах и старицах.

Для аквариума берут небольших линьков. Пищу линь подбирает со дна, питаясь резаными дождевыми червями, скобленой нежирной говядиной, мотылем, энхитреусами. Привыкнув к жизни в аквариуме, линь, по некоторым наблюдениям, становится всеядным.

Окунь

В окраске окуня можно найти красные, сиренево-сизые, серебристые и зеленовато-жёлтые цвета. Чем старше рыба, тем ярче её окраска. Спинка окуня тёмно-зелёного цвета, бока серебристые или зеленовато-жёлтые, брюшко желтоватого оттенка. Поперек туловища проходит пять тёмных полос. Глаза рыбы оранжевые. Окунь — настоящий хищник. Уплощённый корпус окуня

Окунь

с горбинкой у головы и два длинных спинных плавника свидетельствуют о силе, маневренности и скоростных качествах рыбы.

Небольшие окуньки, 4—5 см длины, терпеливо акклиматизированные, подолгу живут в неволе. Норма воды для окуня в аквариуме самая высокая — 5—6 л на рыбку длиной до 4 см. Температура воды выше 15 °C считается для окуньков критической. Летом, когда температура в комнатах значительно повышается, воду в аквариуме приходится постоянно освежать и беспрерывно аэрировать. Окуньки берут корм только «на лету». Кормят окуньков циклопами, дафнией и другим движущимся живым кормом.

Пескарь

Главное условие его обитания — чистая свежая вода в реках со слабым течением, песчаным или слегка иловатым дном. Форма тела приспособлена к жизни на дне рек с довольно сильным течением. Голова вместе с телом напоминают сигару, а плоское брюшко позволяет рыбе плотно прижиматься ко дну; рот, в углах которого

Пескарь

имеется по одному усику. Окраска буровато-жёлтая или желтова-то-бурая. Интенсивность окраски неравномерна: спинка темнее брюшка. Единственное украшение пескаря — синеватые или черноватые пятнышки на теле или плавниках, иногда на боках они сливаются в полоску.

Несмотря на то что в природе пескарь предпочитает жить в проточной воде, он неплохо акклиматизируется в аквариуме. Нельзя допускать критически высокой температуры воды: в слишком тёплой пескари гибнут.

Плотва

Обитает почти во всех реках и озёрах нашей страны, предпочитая водоёмы со слабым течением и песчаным грунтом. В реках северных областей плотвы меньше, чем в водоёмах центральных и южных районов. Плотву считают рыбкой с наиболее пропорциональным телосложением. Боковая линия четко выражена на всём протяжении, хвостовой плавник имеет глубокий треугольный вырез. Размер обыкновенной речной плотвы 12—15 см. Тело плотвы

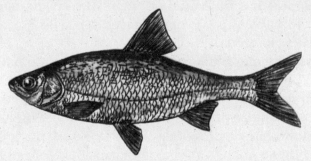

Плотва

серебристо-белое. Все плавники, за исключением прозрачных грудных, имеют красноватый цвет. Глаза ярко-красные за счёт красных пятнышек, расположенных поверх жёлтой радужной оболочки.

Условия содержания плотвы в аквариуме общие со всеми карповыми, а ее всеядность дает возможность расширить рацион питания сухими кормами.

Угорь европейский

Эта рыба, способная без вреда для себя передвигаться по суше (угорь может жить без воды до двух суток), является долгожителем среди рыб — срок его жизни доходит до 57 лет. В природе угорь вырастает в длину до 2 м и достигает веса 6 кг. Форма тела цилиндрическая, змеевидная, с длинным рядом плавников. Молодые угри окрашены в буровато-чёрный цвет на спине, светлый на брюхе. С возрастом появляется серебристый оттенок.

В природных условиях угри распространены в реках Европы, на территории России ареал распространения ограничивается реками, впадающими в Балтийское море. Ведет донный образ жизни. Чтобы отложить икру, угорь плывет через весь Атлантический океан в Саргассово море.

В аквариуме лучше держать молодых угрей небольшого размера. Аквариум должен быть оснащён мягким грунтом и различными укрытиями. Хотя угорь нормально переносит холод, рекомендуется поддерживать температуру в пределах 18–20 °C. В аквариуме ведет донный, малоподвижный образ жизни. Корм предпочтительнее живой, в том числе молодь других видов рыб, хотя допустимо и рубленое мясо.

Уклея (уклейка)

Карповая рыба небольших размеров. Тело взрослой рыбки достигает 15—18 см при весе до 60 г. Окраска её тела зеленовато-жёлтоватая с серебристым оттенком. Уклейку легко отличить от других мелких карповых по ярко выраженному непокрытому чешуей килю, который расположен в нижней части тела. В период нереста самец уклеи имеет яркую перламутровую окраску.

Заселяет большинство водоёмов от Кавказа до севера Европейской части России. Половозрелыми рыбки становятся к третьему году жизни. Условия жизни в природе и содержания в аквариуме уклеи сходны с родственной ей верховкой. Важно помнить, что уклея требовательна к высокому содержанию кислорода.

Уклея

Шиповка

Небольшая рыба семейства вьюновых, шиповка, обязана своим названием выдвижному острому шипу, которым она защищается от врагов. Тело лентообразной формы, достигает в длину 8—12 см.

Шиповка

Окраска жёлтая или сероватая, спинка более тёмная, по бокам чёрно-бурые пятна различных размеров.

Шиповка распространена по всей Европе. Почти всю свою жизнь она проводит на дне, поднимаясь к водной поверхности лишь за кислородом. Период размножения в природных условиях длится с мая по июнь. У личинок шиповки, как и у личинок вьюна, наблюдаются наружные жабры. Самки способны, как и самки серебряного карася, размножаться гипогенетически, то есть без участия самцов.

Шиповки в аквариуме более требовательны к условиям содержания, чем вьюн, поэтому желательно держать молодых особей или мальков. Вода должна быть прохладной, со средним содержанием кислорода. Кормить этих рыб можно мотылем, червями, энхитреидами.

Щука обыкновенная

Главный хищник умеренных пресноводных водоемов Европы и России. Ее ареал один из самых обширных среди пресноводных рыб. Щука может достигать в длину до 1,5 м и весить более 30 кг.

Щука

Самки превышают самцов в размерах. Тело имеет тёмно-зеленоватую окраску с желтоватым оттенком с поперечными полосами и пятнами. Брюхо беловатое с крапинками, плавники — светло-буроватого цвета.

В природе щука питается молодью рыб, взрослыми карасями, гольянами, верховками и другими рыбами. Нерест проходит с апреля по июнь, икра мечется в водоёмах с густой растительностью.

Содержать щуку в аквариуме нужно в большом водном пространстве, обязательно отделив от других особей. Температура должна поддерживаться в пределах 18–22 ˚С. При повышении температуры в аквариуме щука может впасть в тепловое оцепенение, обычно заканчивающееся гибелью. В неволе лучше содержать молодых щучек. Кормить их следует крупными мальками других рыб, мотылем, земляными червями в достаточном количестве.

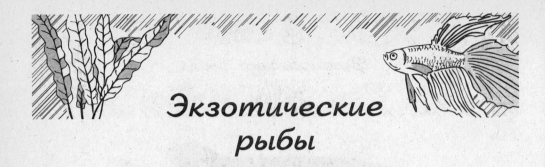

Экзотические рыбы

СЕМЕЙСТВО ЛАБИРИНТОВЫЕ
(АНАБАСОВЫЕ — ANABANTIDAE)

Общая характеристика

В это семейство отряда окунеобразных Perciformes входит около 50 видов. Они населяют водоёмы Африки и юга Азии. Могут жить в пресных и солоноватых водоёмах. Размеры колеблются от нескольких сантиметров до полуметра. Многие представители этой группы — небольшие, ярко окрашенные, мирные, выносливые рыбки, вполне подходящие для содержания в общем аквариуме.

Особенность анабасовых заключается в особом лабиринтовом органе — приспособлении для вдыхания атмосферного воздуха. Благодаря лабиринтовому органу эти рыбы могут жить в испорченной воде, но погибают, если им преградить доступ к поверхности воды. Большинство лабиринтовых рыб заботится о потомстве. Обычно это делает самец. Анабас — уникальная рыба: он способен обходиться без воды в течение нескольких суток, к тому же он довольно быстро передвигается по суше.

Род анабас (Anabas)

Анабас (рыба-ползун)

Населяет Юго-Восточную Азию, от Индии и Шри-Ланки до южной части Китая, Малайзию, Индонезию и Филиппины. Держится в водоёмах с медленно текущей и стоячей пресной водой (илис-

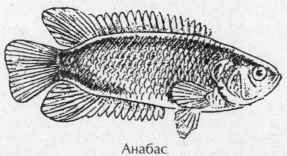

Анабас

тые пруды, озёра, канавы, рисовые поля, заросшие травой), а также в солоноватой воде.

Дышит с помощью лабиринтового аппарата. Рыба, вынутая из воды, способна «разгуливать» на плавниках, как на ножках. Длина до 25 см, в аквариуме обычно до 16 см, число чешуй в продольной линии — 26–31 см.

Тело вытянуто в длину, профиль спины и брюха почти прямой, рот конечный. На краю жаберной крышки многочисленные шипы, мощные грудные плавники.

Основная окраска тела: от серо-коричневой до серо-зелёной, есть оранжевые экземпляры. Спина темнее, брюхо желтоватое. При возбуждении окраска темнеет и появляются тёмные поперечные полосы. Плавники оранжевые или красноватые. У самца более яркая окраска. Самка полнее, особенно в области брюха.

Рыбы хищные, пугливые, довольно драчливы, более активны в вечерние и ночные часы. Покидают высыхающие водоёмы и переползают по суше в поисках воды.

Содержат в видовом аквариуме с закрытым, хорошо прикрепленным покровным стеклом, расположенным на высоте не менее

10 см над поверхностью воды, т. к. рыбы выпрыгивают за воздухом и могут удариться об него. Местами заросли растений, укрытия (камни, коряги), а также свободное место для нереста. Начинать содержание нужно с группы молодых рыб, т. к. взрослые уживаются трудно. Вылавливать рыб сачком нельзя — они зацепляются за него шипами жаберной крышки, поэтому следует осторожно загонять рыбу в стеклянный сосуд.

Аквариум — не менее 100 л, уровень воды около 10 см. Рекомендуемые условия содержания: температура — 20–30 °C, жёсткость — до 20°, кислотность — 6,8–8.

Корм: живой (в том числе мелкие рыбы, можно кусочки сырой говядины), растительный.

Этой рыбе нужен большой нерестовик емкостью по меньшей мере 120 л. Нерест стимулирует частая смена воды и повышение температуры (26–30 °C). Самка мечет до 5000 икринок, которые всплывают на поверхность. Рыбы икру и мальков не трогают. Стартовый корм: живая пыль, предпочтительно коловратки. Половая зрелость в 1,5 года.

Род ктенопома (Ctenopoma)

Населяют в основном тропики западной и центральной частей Африки — бухты крупных рукавов рек, заросшие растениями ручьи и пруды.

Рыбы дышат атмосферным воздухом с помощью жаберного лабиринтового аппарата. Большинство видов можно содержать в общем аквариуме, но не вместе с мелкими рыбами, которые могут стать жертвами ктенопом, которые держатся в среднем и нижнем

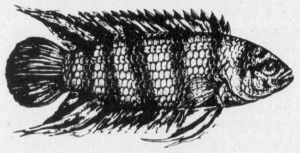

Ктенопома

слоях воды. Аквариум лучше закрыть сверху, чтобы над поверхностью воды был тёплый воздух, т. к. в противном случае рыбы, захватывая холодный воздух, могут простудиться. Местами нужны заросли, плавающие растения, укрытия из коряг и камней.

Аквариум — от 50–100 л. Рекомендуемые условия содержания: температура — 22–25 °C, жёсткость — 4–20°, кислотность — 6,5–7,5. Вода должна содержать дубильные вещества и гуминовые кислоты.

Корм: живой, заменители.

Нерест стимулирует более мягкая, свежая вода и повышение температуры на 2–3 °C. Стартовый корм: коловратки, науплии рачков.

Ктенопома Анзорга

Населяет водоёмы Анголы и Камеруна. Держатся у берегов медленно текущих вод под защитой растений и между корнями деревьев. Длина самца до 8 см, самки — до 7 см. Число чешуй в продольной линии — 28–30. Тело вытянуто в длину с прямыми профилями

спины и брюха, с боков немного уплощено. Спинной и анальный плавники длинные.

Основная окраска коричневая до жёлто-коричневой с зеленоватым, голубым или фиолетовым отливом, нижняя часть тела часто желтоватая. На боку 6–7 красно-коричневых поперечных полос, переходящих на спинной и анальный плавники. У самца последние лучи спинного и анального плавников удлинены и белого цвета.

Нерестовый аквариум для пары рыб от 50 см длины, на поверхности должны быть плавающие растения с крупными листьями, под которыми самец строит гнездо из пены.

Рекомендуемые условия содержания: температура — 24–26 °C, жесткость — до 6°, кислотность — 6–6,5.

Самка мечет до 600 икринок, за которыми ухаживает самец. Самку удалить. Инкубационный период — 24 часа. Мальки плывут через 3 суток, им нужно создать укрытия в достаточном количестве. Стартовый корм — мелкий планктон.

Ктенопома восьмиполосая

Населяет бассейн реки Конго. Держится в мелких местах, заросших растениями, предпочитает водоемы с прозрачной водой.

Длина самца до 8,5 см, самки — до 7 см.

Тело умеренно удлиненное, высокое, яйцевидной формы с острым рылом, с боков несколько уплощено. Спинной и анальный плавники длинные. У самца они нитевидно вытянуты на конце. В зависимости от места обитания тело окрашено в голубой или коричневый цвет, с несколькими темными поперечными полосами на боку. Непарные плавники с многочисленными голубыми

до коричневых пятнышками. Самка окрашена более бледно. Во время нереста она становится коричневатой с белой полосой от жаберной крышки до основания хвоста.

Нерестовый аквариум с плавающими растениями, под которыми самец строит гнездо из пены и укрытиями для самки, которую после икрометания (до 1000 икринок) удаляют, т. к. некоторые самцы её постоянно преследуют.

Рекомендуемые условия содержания: температура — 25–28 ˚C, жёсткость — 2–4˚, кислотность — 6,5–6,8. Инкубационный период — 24–36 часов. Мальки плывут через 4–5 суток.

Ктенопома карликовая

Населяет Заир и Камерун. Держится в мелких реках дождевых лесов, в местах с быстрым течением, под корягами и свисающей над водой береговой растительностью.

Самец длиной до 7,5 см, самка — до 6,5 см.

Тело вытянуто в длину, умеренно высокое, почти прямые профили спины и брюха.

Тело светло-коричневого цвета с тёмными поперечными полосами, переходящими на непарные плавники.

У самца вытянуты и заострены концы анального и спинного плавников. В возбуждённом состоянии и при нересте он окрашивается в почти черный цвет. У самки перед нерестом становится видна продольная светлая полоса, идущая от жаберной крышки до основания хвоста.

Рыбы держатся в среднем слое воды, довольно агрессивны в отношениях между собой, поэтому в аквариуме должно быть достаточное

количество укрытий. Нерестовый аквариум для пары должен иметь плавающие растения, под листьями которых самец строит гнездо из пены, и укрытия для самки, которую в перерывах между икрометаниями преследует самец. Самка мечет до 1000 икринок. После нереста её удаляют. Самец ухаживает за икрой. Инкубационный период — около 24 часов. Через 3 суток мальки плывут.

Ктенопома конголезская

Небольшой представитель семейства размерами 5–8 см, обитающий в бассейне Конго.

Имеет красновато-бурую окраску, от глаз расходятся «лучи».

В аквариуме довольно привередлива, заболевает при однообразном корме.

Ктенопома леопардовая

Достигает в длину 15–20 см.

Окраска бежево-жёлтая с тёмными пятнами. Самец окрашен ярче самки.

Питается исключительно животной пищей, в аквариуме может прожить до 8 лет.

Ктенопома сизая

Населяет водоёмы побережья западной части Африки от Сенегала до Конго.

Длина до 20 см, в аквариуме меньше.

Тело вытянуто в длину, довольно высокое, уплощено с боков, со слабо выгнутыми профилями спины и брюха. На заднем крае жаберной крышки хорошо видны зубцы.

Основная окраска: от серо- до красновато-коричневой, брюхо серебристо-белое, на хвостовом стебле чёрное пятно, у молодых рыб оно со светлой окантовкой, которая у взрослых рыб может быть видна лишь временами. Чешуя с тёмной окантовкой, и всё тело кажется покрытым сетью.

В небольшом аквариуме рыбы становятся драчливыми и к тому же могут объедать нежные растения. При вылавливании рыбы сачком нужно действовать осторожно, потому что она может зацепиться за него зубцами жаберной крышки.

Нерестовый аквариум: для пары длиной от 80 см, местами должны быть укрытия и заросли.

Икрометание происходит в толще воды под открытой поверхностью. Икра (до 20 000) поднимается к поверхности, её следует вылавливать и переносить в инкубатор, т. к. рыбы едят икру. Инкубационный период — 24–36 часов. Мальки плывут через 2 суток.

Ктенопома шоколадная

Населяет бассейн реки Убанга (Заир). Держится в медленно текущей, прозрачной воде. Длина до 10 см.

Тело умеренно вытянуто в длину, уплощено с боков, с высокой спиной, особенно у старых рыб. На заднем крае жаберных крышек видны зубцы.

Основная окраска — от красно-коричневого до коричневого цвета, с тёмным рисунком под мрамор, который резко выступает

у молодых рыб. На боку крупное чёрное пятно или светлая поперечная полоса. Плавники коричневые, края в большинстве случаев черноватые.

При вылавливании рыбы сачком она может зацепиться за него зубцами жаберной крышки. Тогда её следует погрузить в воду, чтобы она отцепилась.

Нерест парный. Аквариум с укрытиями длиной от 60 см. Нерест обычно поздним вечером вблизи грунта. Самка мечет до 2000 икринок. После икрометания рыб удалить. Инкубационный период — около 24 часов. Мальки плывут через 2–3 суток, боятся света и держатся в укрытиях или под листьями растений.

Кроме того, в семейство анабасовые входят следующие виды аквариумных рыб: ктенопома бежевая, ктенопома Кингслей, анабас малочешуйчатый.

СЕМЕЙСТВО АЛЕСТОВЫЕ, ИЛИ АФРИКАНСКИЕ ТЕТРЫ (ALESTIDAE)

Общая характеристика

В семейство алестовые в основном входят стайные рыбки, обитающие в бассейнах рек Центральной Африки. Их размеры сильно различаются в зависимости от конкретного вида (от 3 см до 50 см). Рыб вполне устраивает жесткость воды до 20°, кислотность 6–7,5, температура 22–28 °C. Необходимы аэрация, фильтрация и подмена (1/3 объема раз в неделю) воды. Употребляют и животную, и растительную пищу. Активизирует нерест свежая, мягкая вода, увеличение проточности, повышение температуры и удлинение

светового дня, усиленное питание. Икра вымётывается среди растений или откладывается на дно. В старой воде, из-за повышенного содержания в ней азотистых соединений, малёк перестаёт расти, чахнет и погибает.

Ниже описаны основные аквариумные виды семейства алестовых.

Род арнольдихтис (Arnoldichthys)

Арнольдихтис
(конго красный, тетра красноглазая)

Населяет область Центральной Африки.

Длина до 10 см. Число чешуй в продольной линии: 29–30.

Тело имеет веретеновидную форму, уплощено с боков. Анальный плавник расположен близко к хвосту, имеется жировой плавник, хвостовой плавник двухлопастной.

Спина коричнево-зелёная, бок серебристый с зелёным до зелёно-голубого цвета блеском, брюхо от жёлтого до светло-зелёного

Арнольдихтис

цвета. Все чешуйки с тёмной каймой. На боку чёрная зигзагообразная полоса, которая продолжается уже прямой полосой на хвостовом плавнике. Верхняя половина радужной оболочки глаза —
блестящего красного цвета. Спинной плавник с крупным чёрным
пятном.

Самец меньше самки, анальный плавник с дугообразно выгну-
тым нижним краем и с тёмно-зелёными и жёлтыми продольными
полосами, иногда с кроваво-красным пятном. Самка окрашена
скромнее, нижний край анального плавника более прямой, у его
основания темное пятно.

Арнольдихтисы — рыбы мирные, стайные, подвижные, прыгучие, немного пугливые, держатся в верхнем и среднем слоях воды.
Чувствительны к загрязнениям воды органикой, при содержании
в жёсткой воде могут заболеть туберкулёзом. Можно содержать в общем аквариуме со спокойными рыбами. Аквариум должен быть вытянут в длину, закрыт сверху, иметь свободное место для плавания,
а также местами заросли растений, где рыбы могли бы укрыться.

Рекомендуемые условия содержания: температура — 24–28 °C,
жесткость — до 20°, кислотность — 6–7,5. Воду следует подменивать небольшими порциями.

Корм: живой (предпочитают мотыль, коретру, насекомых), заменители. Рыбки требуют усиленного кормления.

Нерестовый аквариум не менее 100 л на пару рыб с несколь-
ми кустами растений. Вода: температура — 26–28 °C, жёсткость —
2–8°, кислотность — 6–6,9, ежедневно добавлять небольшое количество свежей. Самка мечет до 1000 икринок. Инкубационный
период— 24–35 часов. Мальки способны плавать через 2–6 суток.
Стартовый корм: инфузории, коловратки.

Конголезский многопер

Пестрый многопер

Глазчатый нож

Голубой неон

Бирюзовая акара

Коричневый дискус

Псевдотрофеус ломбардо (самец)

Псевдотрофеус ломбардо (самка)

Полосатая скалярия

Золотая скалярия

Пиранья

Цихлида оскар

Цихлида-колибри

Хромис-красавец

Хаплохромис

Хаплохромис Каданга

Род брицинус (Brycinus)

Брицинус длинноплавничный (конго бриллиантовый)

Населяет проточные водоёмы от Сьерра-Леоне до района реки Конго.

Длина до 13 см, число чешуй в продольной линии: 24–30.

Тело вытянуто в длину, эллипсовидное, сильно уплощено с боков. Боковая линия полная. Хвостовой плавник двухлопастной, имеется жировой плавник. Спина серо-коричневая, бок оливково-зелёного до жёлто-зелёного цвета с сильным серебристым блеском, брюхо розоватое. На хвостовом стебле на золотисто-серебристом поле черная полоса, которая, сужаясь, переходит на хвостовой плавник. Верхняя часть радужной оболочки глаза блестящего красного цвета. Плавники от серо-желтоватого до красноватого цвета.

Самец крупнее самки, плавники красноватые, спинной плавник высокий, коричневатый. У самки плавники желтоватые, перед нерестом выступает яйцеклад.

Брицинус

353

Аквариумные рыбы

Рыбы стайные, мирные, подвижные, немного пугливые, держатся в верхнем и среднем слоях воды, прыгучи, любят свет и чистую, богатую кислородом воду. Можно содержать в закрытом сверху общем аквариуме, который должен быть вытянут в длину, с плавающими растениями, уменьшающими пугливость рыб, местами с зарослями, но и достаточным местом для плавания у поверхности воды.

Рекомендуемые условия содержания: температура — 23–26 °С, жёсткость — 5–10°, кислотность — 6–7. Аквариум от 100 л. Освещение яркое. Обязательны аэрация, фильтрация и подмена воды.

Корм: живой с добавлением растительного, заменители. С грунта корм не берут.

На нерест сажают пару или группу рыб. Нерестовый аквариум длиной от 60 см для пары, с сепараторной сеткой и мелколистными растениями. Вода: температура — 26–28 °С, жёсткость — 2–5°, кислотность — 6–6,5. После нереста (до 1000 икринок), который чаще происходит через 2–3 суток в утренние часы, рыб отсадить. Инкубационный период — 6–8 суток, мальки плывут через 2–4 суток. Стартовый корм: инфузории, коловратки (предпочтительнее), можно яичный желток.

Брицинус Нурзе

Обитает в водоёмах Центральной Африки. Достигает в длину 20–23 см. Тело вытянутое, окрашено в зелёно-оливковый или светло-зелёный цвет. Плавники розовые.

В аквариуме содержатся при 23–28 °С, жёсткости 5–30°, кислотности 6–7,8

Род микралестес (Micralestes)

Микралестес Штормса

Обитает в бассейнах рек Центральной Африки. Длина тела — 10–12 см.

Рыбка окрашена в серебристо-оливковый цвет. Плавники жёлто-серые. Вдоль тела идет заметная голубая полоса, глаза оранжевые. У самца красный жировой плавник.

Условия содержания в аквариуме: температура — 24–26 °C, жесткость — до 5°, кислотность — 6.

Нерестовик — 70–120 л. Нерест парный или в соотношении: 3 самки — 2 самца. Вода — отстоянная в течение 10–14 дней. Жёсткость — до 4°, кислотность — 6,2, температура — 26–27 °C. Необходимы плавающие растения.

Род фенакограммус (Phenacogrammus)

Фенакограммус, или Конго

Населяет бассейн реки Конго.

Длина самца до 10 см, самки — до 7 см. Число чешуй в продольной линии: 23. Тело удлинённой яйцевидной формы, уплощено с боков. Боковая линия неполная. Имеется жировой плавник. Спинной плавник высокий, хвостовой плавник с удлинёнными средними лучами. Спина оливково-коричневая, бок переливается всеми цветами радуги, которые могут образовывать продольные полосы. Плавники серо-голубые до красноватых, частично с белой каймой. Самец лучше окрашен.

Фенакограммус

Стайные, подвижные, прыгучие, относительно мирные рыбы, держатся в верхнем и среднем слоях воды. Можно содержать в общем, закрытом сверху аквариуме, но не с очень мелкими рыбами. Наряду с зарослями и плавающими растениями нужно оставить свободным значительное место для плавания.

Рекомендуемые условия содержания: температура — 23–25 °C, жесткость — 5–20°, кислотность — 6–7,5. Так как конго плохо переносят большое количество свежей воды, её подменивают из расчёта 1/5–1/6 объёма ежемесячно. Рыб, предназначенных для разведения, лучше содержать в воде с жёсткостью до 10°, кислотностью до 7.

Корм: живой, растительный, заменители.

На нерест обычно сажают самца и 2–3 самки. Примерно за 2 недели до предполагаемого нереста самцов и самок следует рассадить в разные аквариумы и обильно, разнообразно кормить. Нерестовый аквариум длиной от 80 см с уровнем воды 15 см, на дне сепараторная сетка, на ней кусты мелколистных растений, можно со слабой аэрацией. Вода — 26–28 °C, жёсткость — до 3°. Температуру плавно

поднимают до оптимального значения. Освещение яркое, желательно солнечное. Нерест обычно начинается с первыми лучами солнца и длится 2–3 дня. Самка мечет до 500 икринок. Затем рыб удаляют. Инкубационный период — 5–7 суток, мальки плывут через 1–1,5 суток. Стартовый корм: инфузории, коловратки. Аквариум необходимо накрывать стеклом. Половая зрелость в 8–9 мес.

Конго золотой

Населяет лесные реки бассейна нижнего течения реки Конго. Длина до 7 см. Число чешуй в продольной линии: 29–30.

Тело вытянуто в длину, умеренно высокое, уплощено с боков. Рот верхний. Спинной плавник высокий. Имеется жировой плавник.

Тело самца прозрачное, желтовато-серое с зеленоватым, голубоватым и золотистым блеском. Плавники желтоватые. Спинной плавник серповидный, вытянутый в высоту. Средние лучи хвостового плавника могут быть немного удлинены, посередине идет темная продольная полоса в белом окаймлении. Тело самки прозрачное, жёлто-серое.

Рыбы мирные, стайные, подвижные, пугливые, держатся в верхнем и среднем слоях воды. Можно содержать в общем аквариуме, местами заросли и плавающие растения, создающие тенистые места, но и достаточное место для плавания.

Рекомендуемые условия содержания: температура — 22–25 °C, жесткость — 5–20°, кислотность — 6–7,5. Для рыб, предназначенных для разведения, лучше жёсткость — до 10°, кислотность — 6–7.

Корм: живой, заменители (любят брать насекомых с поверхности воды).

На нерест обычно сажают 1 самца и 2–3 самки, которых предварительно держат раздельно около 2 недель. Нерестовый аквариум длиной от 80 см, уровень воды — 15 см, на дне сепараторная сетка с кустами мелколистных растений.

Рекомендуемые условия содержания: температура — 24–26 ˚С, жёсткость — 2–4˚, кислотность — 6–6,5. Нерест обычно начинается с первыми лучами солнца. Самка мечет до 500 икринок. После нереста рыб удаляют, уровень воды понижают до 5 см. Инкубационный период — 5–8 суток, мальки плывут через 1–1,5 суток. Стартовый корм: инфузории, коловратки. Мальки плохо переносят загрязнения. Кроме того, в семейство алестовые, или африканские тетры, входят следующие аквариумные виды: алест Дюбонса, лепидарх Адонис и др.

СЕМЕЙСТВО АТЕРИНОВЫЕ (ATHERINIDAE)

Общая характеристика

Размер рыб варьирует от 5 до 50 см. Это подвижные рыбы с удлинённой головой и рефлектирующей продольной полоской на теле. Самцы ярче, стройнее, иногда мельче самок.

Аквариум от 50 л. Рекомендуемые условия содержания: жёсткость — до 20˚, кислотность — 6,8–7,5, температура — 20–28 ˚С. Обязательны аэрация, фильтрация и подмена воды. Животноядные рыбы, растительная пища должна составлять около 20%. Продолжительность жизни в аквариуме — около 3 лет.

Нерест сезонный, сильно растянутый по времени. Личинки выклевываются через 5–10 дней, а еще через 24–28 ч они начинают плавать и питаться мельчайшим фито- и зоопланктоном.

Род бедоция (Bedotia)

Бедоция

Населяет о. Мадагаскар.

Длина до 15 см, в аквариуме — около 7 см.

Тело сильно вытянуто в длину, профили спины и брюха равномерно выгнуты. Внешний край хвостового плавника слегка округлый.

Верхняя половина тела оливково-жёлтая, нижняя — латунно-жёлтая. Через всё тело идёт продольная сине-фиолетовая полоса, переходящая на хвост, в которой отдельные чешуи блестят золотистым или зелёным цветом. Спинной и анальный плавники могут быть от жёлтых до жёлто-коричневых с чёрной полосой. У самца на этих плавниках может быть малиновая кайма, у самки — белая.

Рыбы стайные, взрослые экземпляры плохо переносят транспортировку и пересадку в другой аквариум. В долго несменяемой воде чувствуют себя плохо, заболевают. Аквариум видовой, местами заросли и плавающие растения.

Рекомендуемые условия содержания: жёсткость — не ниже $10°$, кислотность — 7–8, температура — 18, 20–24, 30 ˚С. Рыбы хорошо себя чувствуют и при освещении аквариума неяркими лучами солнца.

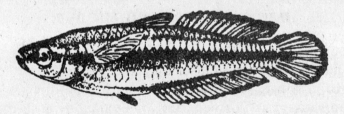

Бедоция

Корм: живой, растительный, заменители. С грунта не берут.

Перед нерестом самцов и самок держат раздельно в течение недели. На нерест сажают 1 самца и 2 самки или группу рыб с преобладанием самок. Нерестовый аквариум с мелколистными растениями. Вода с температурой выше на 2–3 °С, чем при содержании, 1/3 объема аквариумной, остальная свежая такого же состава. Самка мечет на растения в течение недели ежедневно по 20–60 икринок, которые вместе с растениями можно перенести в инкубатор. Рыбы икру не трогают. Инкубационный период — 5–8 суток, мальки плывут через 1–2 суток. Стартовый корм: живая пыль (если ее нет, то яичный желток). Обязательна ежедневная смена воды и механико-биологический фильтр. Половая зрелость в 6 месяцев.

Род тельматерина (Telmatherina)

В него входят следующие аквариумные виды: рыба-солнечный луч, или тельматерина Ладигеза, кубинский алепидомус, твердоголовка Марджори и др.

Тельматерина Ладигеза, или рыба-солнечный луч

Место обитания — о. Сулавеси.

Длина до 7 см. Число чешуй в продольной линии: 28–29. Тело вытянуто в длину, уплощено с боков, профили спины и брюха равномерно выгнуты. Рот верхний, небольшой. Хвостовой плавник двухлопастной.

Тельматерина

Спина и брюхо жёлтые, бок желтоватый с зелёно-голубым блеском, особенно хорошо видны в падающем свете. От середины тела до хвоста идёт зелёно-голубая полоса. Первый спинной плавник чёрного цвета с межлучевой тканью и лучами от белого до жёлтого цвета. Второй спинной плавник у основания оранжевый, середина лимонно-жёлтая, первые лучи черные. Анальный плавник окрашен также. Хвостовой плавник желтоватый с тёмными штрихами по краям лопастей.

Мирные, стайные, подвижные рыбы, держатся в верхнем и среднем слоях воды, с грунта корм берут неохотно, в загрязнённом аквариуме чувствуют себя очень плохо.

Можно содержать в общем аквариуме, если создать местами заросли и достаточное место для плавания.

Рекомендуемые условия содержания: вода должна быть прозрачной, свежей, богатой кислородом, жёсткость — 12–30°, кислотность — 7–8, температура — 23–27 °C, хорошо чувствуют в подсоленной воде (1–3 г/л).

Корм: живой, дополнительно растительный, заменители. Тельматерин можно кормить любыми мелкими живыми кормами, хотя они не отказываются и от сухого и комбинированного корма.

Нерестовый аквариум необходим густо озеленённый (нужны риччия, плавающие в воде мелколистные растения), емкостью не менее 60 л с уровнем воды 15−20 см, можно без грунта. Освещение естественное, можно солнечное. Рекомендуемые условия при нересте: температура — 25−28 °С, жёсткость — 11−20°, кислотность — 7,2−8. На нерест сажают группу рыб с преобладанием самок, в соотношении 1−3 самца на 5−8 самок. Готовые к нересту самцы драчливы, а у самок сильно увеличено брюхо. Нерест растягивается на несколько недель, самка ежедневно мечет несколько икринок. Самка порционно мечет икру среди узколистных растений, обычно оставляя каждый раз по одной икринке. Рыб через неделю пересаживают в новый аквариум или переносят субстрат с икрой в инкубатор, заменяя его новым. Инкубационный период — 7−12 суток, мальки плывут сразу или на другой день. Стартовый корм: инфузории, коловратки и т. п. Производители могут поедать икру и мальков. В выростном аквариуме следует поддерживать чистоту.

СЕМЕЙСТВО БЕЛОНТИЕВЫЕ (BELONTIIDAE)

Общая характеристика

В это семейство входит много разнообразных рыб, хорошо знакомых аквариумистам-любителям. В природных условиях белонтиевые населяют Шри-Ланка, п-ов Малакка, о-ва Калимантан, Суматра и Ява, иначе говоря, Юго-Восточную Азию.

Их особенность — наличие особого дыхательного органа, называемого лабиринтом. Этот орган расположен в придаточной наджаберной плоскости и служит для дыхания атмосферным воздухом. Без атмосферного воздуха они обходиться не могут, поэтому содержание в закрытом сосуде, даже хорошо насыщенном кислородом, приводит к гибели рыбок.

Они довольно пугливы. Их можно содержать в общем аквариуме с такими же по размеру рыбами, но лучше парами в видовом. В аквариуме должны быть заросли и плавающие растения, коряги и другие укрытия.

Подходящие условия для содержания: температура — 22–26 ℃, жёсткость — 4–20°, кислотность — 6,5–7,5.

Корм: живой или заменители.

Многие рыбы из этого семейства ревностно охраняют свое потомство, проявляют заботу о нём. Самцы строят гнездо из кусочков растений, пузырьков воздуха, скрепляя строительный материал своей слюной. Во время нереста самка выметывает икринки в несколько рядов. Самец подбирает их и помещает в гнездо. Обычно он ухаживает за икрой. Описаны случаи, когда самка защищала кладку, но обычно её удаляют из нерестового аквариума, потому что самец ведёт себя по отношению к ней крайне агрессивно.

Род бетта (Betta)

Общая характеристика

В этот род включено около 20 видов рыб, населяющих Индокитай, Малакку, о-ва Калимантан, Суматра и Ява.

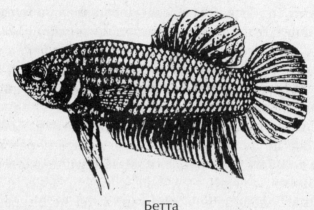

Бетта

Обитают в богатых растительностью ручьях, мелких речках, канавах, а также в болотистых водоемах низменностей и горных мест.

У рыб этого рода отсутствует боковая линия. Тело вытянуто в длину, стройное и гибкое. Спинной плавник короткий, анальный, напротив, длинный.

Рыбы дышат атмосферным воздухом с помощью жаберного лабиринта.

Можно содержать в общем аквариуме емкостью от 10 до 100 л. Заросли растений и коряги предоставят самкам укрытия от преследования самцов, которые к тому же драчливы между собой.

Рекомендуемые условия содержания: температура — 24–26 °C, жёсткость — 4–15°, кислотность — 6,5–7,5.

Преимущественно животноядные виды. В качестве корма можно использовать как живой, так и сухой корм, хотя живому следует отдавать предпочтение.

Нерест парный как в общем, так и в нерестовом аквариуме.

У некоторых видов рыб самец строит на поверхности воды гнездо из пены, под которым происходит икрометание, затем он ухаживает и защищает от других рыб икру и личинок.

Таким рыбкам требуется нерестовый аквариум длиной не меньше 25 см для пары, без грунта, с тёмной подложкой, несколькими кустами растений для самки и плавающими растениями. После нереста самку удаляют, а самца — после появления мальков. Инкубационный период длится 1—2 суток, мальки плывут через 1—5 суток. Уровень воды понижают до 5 см или переводят мальков в выростной аквариум с таким же уровнем воды, который затем повышают по мере роста мальков. Стартовый корм: живая пыль.

У другой группы рыб самец вынашивает икру во рту. Им нужен нерестовый аквариум с мелким грунтом, зарослями и плавающими растениями, можно с пещерой. Пара образует территорию, защищая ее от других рыб в общем аквариуме.

Икрометание обычно происходит над свободным, затенённым участком грунта. Самец инкубирует икру во рту, спрятавшись в укрытие. В общем аквариуме самка охраняет территорию, в нерестовом ее можно удалить. Мальки выплывают через 9—12 суток. Стартовый корм: мелкие науплии циклопа, артемии.

Бетта полосатая

Обитает в Индонезии и Таиланде.

Длина этой рыбки достигает 10 см. В продольной линии 28—30 чешуек.

Окраска варьируется от жёлто- до красно-коричневого цвета с изменчивыми продольными полосами и тёмными пятнами

на голове и плавниках. Самец крупнее самки, с более мощным и округлым рылом. Перед нерестом его тело темнеет, более чётко выступают продольные полосы и появляются блестящие зеленоватые точки. Самка с острым рылом, во время нереста становится светло-жёлтого цвета.

Рыбы довольно пугливы, держатся, в основном, у грунта, охотно прячутся в укрытиях. Можно содержать группу рыб в крупном видовом аквариуме, самцы мало агрессивны.

Особенность этого вида состоит в том, что самка сама инкубирует во рту икринки (обычно около 50 штук).

Бетта смарагдовая

Эта рыбка живёт на рисовых полях Юго-Востока Азии.

Она вырастает до 7 см, в продольной линии 30—35 чешуек.

Смарагдовая бетта окрашена в тёмно-оливковый цвет с зелёными пятнышками по всему телу. Анальный и хвостовой плавники тёмно-красные с зелёно-голубыми полосами вдоль лучей.

Самец крупнее самки, которую можно отличить по поперечным полоскам.

Это мирные рыбки, которые держатся в среднем и верхнем слоях воды. Они не агрессивны по отношению друг к другу, поэтому их можно содержать группой. Правда, этого нельзя сказать о поведении в период постройки гнезда, нереста и ухода за потомством — в этот период самец очень агрессивен. Из одной кладки выходит до 200 мальков.

Смарагдовую бетту можно скрещивать с её близким родственником — петушком.

Петушок чёрный
(бетта чёрная, петушок карликовый)

Эти рыбки в природных условия населяют болотистые водоемы, рисовые поля и канавы п-ова Малакка.

Их длина до 5 см, самцы крупнее самок, с более длинными плавниками.

Тело окрашено в тёмно-синий, почти чёрный цвет. Плавники оранжево-красноватые, на хвостовом плавнике есть чёрно-красная кайма, по телу идут коричневые поперечные полосы.

Аквариум — 15–40 л. Рекомендуемые условия содержания: жёсткость — 5–15°, до 20°, кислотность — около 7, температура — 24–27 °C. Освещение умеренное.

Перед нерестом тело самца приобретает черно-голубую окраску с рядами пятнышек, переливающихся голубоватым до зеленоватого цветом.

Чёрные петушки, в отличие от петушков обыкновенных, довольно мирные. Можно содержать несколько самцов с самками в крупном заросшем растениями аквариуме. Перед нерестом самцы начинают вести себя агрессивно и делить территорию. Гнездо из пены, куда откладывается 200–300 икринок, строится самцом. Нерестовик — 5–20 л. Температура — 27–30 °C.

Черных петушков можно скрещивать с бойцовыми рыбками.

Петушок (бойцовая рыбка)

Эта уникальная рыбка населяет водоёмы Индонезии и Индокитая. В Россию она попала ещё в конце прошлого века — в 1896 году.

Бойцовая рыбка

Петушок достигает в длину всего 7 см, но при этом обладает неукротимым бойцовским нравом, за что рыбка и получила своё второе название.

Природная окраска обычно тёмно-коричневая с рядами блестящих зелёных пятнышек, но в аквариуме богатство окраски этих рыбок не имеет себе равных. Встречаются черные, изумрудные, голубые, красные, розовые, лиловые петушки. К тому же при скрещивании легко достичь смешанной окраски (хотя у специалистов ценится чистота цвета).

Самец обладает крупными плавниками красно-коричневого цвета с лучами блестящей зелёной или голубой окраски. Самка с короткими плавниками, на теле часто видны темные поперечные полосы.

Интересная особенность петушков — они миролюбивы по отношению к любым другим видам, но совершенно не переносят рядом особей своего вида. Это свойство широко используется на их родине — в Южной Азии проводят поединки бойцовых рыбок,

для которых их специально тренируют. Рядом с сосудом, в котором находится петушок, ставится зеркало. Увидев своего противника, петушок раздувает жабры и пытается атаковать своё отражение. Таким образом повышается выносливость и сила рыбок (имеются в виду самцы). Можно заставлять петушка драться с более слабыми соперниками (если вы будете держать в аквариуме вместе несколько самцов, то сможете пронаблюдать за этим). Даже выращенные вместе самцы будут драться за территорию. Как минимум, это закончится оборванными плавниками, как максимум — гибелью одной или нескольких рыбок. Лучше содержать 1 самца с несколькими самками, хуже пару, так как самец постоянно будет преследовать не готовую к нересту самку. Аквариум следует закрыть сверху, т. к. самец иногда выпрыгивает из воды.

В общем аквариуме петушков можно содержать с мирными рыбами средних размеров и с мелкими подвижными видами, особенно если они выращивались совместно. Аквариум — от 3–10 л; лучше 60–100 л на группу рыб. Рекомендуемые условия содержания: жёсткость — 2–12°, до 20°, кислотность — 6,0–7,5, температура — 18, 20–30 °С. Всеядные, склонные к обжорству и ожирению рыбы.

Большой аквариум емкостью не менее 80 л с глубиной слоя воды 10–12,5 см, температурой 28 °С и несколькими плавающими растениями, с укрытиями для самки. Гравий на дне не понадобится, самцу будет трудно подбирать икринки. Нерест стимулируется добавлением свежей воды и повышением ее температуры до 27–30 °С. Нерест начинается со строительства гнезда из пены. Этим занимается самец. После того как всё готово, происходит оплодотворение.

Наблюдайте за парой в первое время, чтобы убедиться, что с самкой обращаются не слишком грубо. Загнав самку под гнездо, самец охватывает самку поперёк туловища, выдавливает из неё порцию икринок и оплодотворяет их. Затем он собирает ртом икринки и помещает их в гнездо. Эта операция многократно повторяется. Затем самец прогоняет самку, её нужно отсадить, а после появления мальков — отсадить самца. За икрой и личинками ухаживает самец. На ночь оставляют слабое освещение.

Кормить мальков можно инфузориями, «живой пылью», яичным желтком, позже — дафниями, циклопами. Молодь быстро растет и достигает половой зрелости в 3–5 месяцев.

Другие виды петушков: ленточный, трехполосый, яванский, масковый, полосатый. Их можно содержать в следующих условиях: температура — 23–28 °C, жёсткость воды — 2–8°, кислотность воды — 6–7,4.

Род белонтия (Belontia)

Общая характеристика

Населяют Шри-Ланку, Суматру и Яву.

Тело эллипсовидное, вытянуто в длину. Рыбы пугливы, засыпая, лежат на боку.

Аквариум должен быть закрыт сверху, чтобы сохранялся теплый воздух. Аквариум густо засаженный растениями. Рекомендуемые условия содержания: температура — 22–26 °C, кислотность — 6,5–7,5. Корм желателен живой, но подходят и разнообразные заменители.

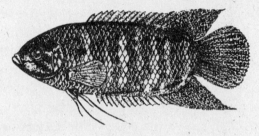

Белонтия

Белонтия Хассельта, или сотохвостый макропод

Места обитания — Ява, Калимантан, Суматра, Сингапур.

Окраска желтовато-коричневая до жёлто-оливковой с тёмной окантовкой чешуек. Мягкие лучи спинного, анального и хвостового плавников с сотоподобным рисунком. Самка окрашена более скромно. Самцы до 19,5, самки до 17,5 см.

Аквариум — от 100 л. Температура — 20–27 °C, pH — около 7.

Нерестовик — от 40–50 л. Нерест стимулируется путем добавления 1/3 свежей воды и повышения ее температуры до 28 °C. Стартовый корм — коловратка и науплии циклопа. Рекомендуется чередование кормов и частая подмена воды, при этом молодь растет очень быстро.

Род колиза (Colisa)

Общая характеристика

Эти пресноводные рыбки живут в Юго-Восточной Азии и Индии. У них немного удлинённое, сжатое с боков тело. Имеется

Колиза

лабиринтовый аппарат, с помощью которого рыбки дышат атмосферным воздухом. Их отличие — два нитеобразных брюшных плавника, служащих органом осязания.

Колизы — мирные рыбы, держащиеся в верхнем и среднем слоях воды. Их можно содержать в общем аквариуме.

Для рыбок этого рода подходят следующие условия содержания: температура — 24–28 ˚С, жёсткость — 5–15˚, кислотность — 6–7,5. Кормить можно как живым, так и сухим кормом, отдавая предпочтение живому.

Нерест стимулирует предварительное содержание самок и самцов раздельно в течение 1–2 недель, более мягкая вода и повышение температуры на 2–3 ˚С. Для нереста используют пару или группу рыб с преобладанием самок. Самец строит гнездо из пены, под которым происходит нерест. Самку обычно удаляют. Самец охраняет икру и личинки.

Инкубационный период — 20–48 часов, мальки плывут через 2–5 суток, после чего самца удаляют. Стартовый корм: инфузории, коловратки.

Колиза полосатая

Обитает в реках Брахмапутра и Ганг (Индия), в прудах и водоёмах с медленным течением.

Самец длиной до 10 см, самка — до 8 см.

Самец оливково-бежевый или красновато-коричневый с 12 косыми зеленовато-голубыми полосками, идущими поперёк тела. Спинной плавник заострён на конце, хвостовой плавник со светлой каймой, анальный — с красной. Самка мельче самца. Окрашена скромнее: обычно жёлто-коричневая с такими же полосками, как у самца. Спинной плавник закруглён.

Аквариум — от 10–20 л. Температура — 18, 24–26 ℃. В аквариумных условиях требуется частая смена воды (около 10%).

Нерестовик — от 15 л, густо засаженный растениями. Желательно боковое освещение, причём верхняя треть аквариума должна быть затенена. Температура — 26–30 ℃. Самец строит гнездо под листом плавающего растения или между растениями на поверхности воды. Самка мечет до 1000 икринок. Инкубационный период продолжается около суток и более (в зависимости от температуры). Рекомендуемая температура в нерестовом аквариуме — 25–28 ℃.

Половая зрелость наступает в 10 месяцев. В аквариумных условиях полосатая колиза может прожить до 5 лет.

Лябиоза (шоколадная колиза)

В природных условиях населяет заросшие растительностью водоёмы Южной Азии.

Аквариумные рыбы

Самец достигает в длину до 10 см. Он окрашен в красновато-коричневый цвет с зеленоватыми полосками на боку. Окраска может варьироваться. Спинной плавник заострён, оливкового цвета с красной каймой. Грудные плавники, которые являются у этих рыбок органами осязания, имеют нитевидную форму и окрашены в красноватый цвет.

Самка меньше самца (до 6 см), окрашена несколько бледнее. Спинной плавник закруглён, нитевидные грудные плавники бесцветные.

В аквариуме это пугливые рыбы, которые предпочитают укрытия открытым водным участкам. Лябиозы нетребовательны к освещению и хорошо себя чувствуют при невысокой температуре (20–24 °C). Жёсткость воды — 2–8°, кислотность — 6–8. Кормить можно живым (мотыль, трубочник и т. д.) и сухим кормом.

Нерестовик — от 15 л, уровень воды — 10–12 см. Температура — 28–30 °C. Рекомендуемые размеры сосуда — 50х25х25. Для нереста необходимо подготовить растения в нерестовом аквариуме таким образом, чтобы они соприкасались с растениями, плавающими на поверхности. Самец, которого сажают в нерестовый аквариум первым, строит гнездо из пены в открытой воде. Самка мечет до 1500 икринок. Лёгкие икринки всплывают на поверхность, самец собирает их и укладывает в гнездо. Инкубационный период длится около суток.

Мальков следует кормить сначала инфузориями, потом «живой пылью». В аквариуме с мальками обязательно должна работать слабая аэрация. Следите за подрастающей молодью — рыбки растут неравномерно, и сильные могут поедать более слабых.

Лялиус

Эта маленькая рыбка живёт в реках Индии. Чаще её можно встретить в водоёмах, заросших растениями.

Длина до 6 см, число чешуек в продольной линии: 27–28. Форма тела овальная, уплощённая с боков, парные грудные плавники служат органами осязания.

Тело окрашено в зелёно-голубой цвет (могут быть варианты) с красными поперечными волнистыми полосами. Жаберные крышки и часть брюшка отливают насыщенным зелёно-голубым цветом. Брюшной плавник красноватый или желтоватый. Есть огненно-красные (без полосок) и голубые формы лялиуса. Они очень красиво смотрятся сами по себе и в сочетании с другими рыбками. Самец окрашен ярче самки. У него заострённый хвостовой плавник, у самки он закруглён.

Лялиус в аквариуме — очень пугливая рыбка, поэтому лучше разместить сосуд в спокойном месте. Необходимы плавающие растения, а заднее стекло должно быть заросшим водорослями. Желательно создать достаточно укрытий. Лялиус мирно уживается с другими рыбками. Аквариум — от 10 л, но лучше не менее 40–50 л с тёмным грунтом и плавающими на поверхности воды растениями. Химический состав особого значения не имеет. Температура — 18–20, 24–27 ˚С. Любят яркое освещение. Корм должен быть достаточно разнообразным, преимущественно живым.

Нерестовик — 5–25 л с укрытиями для самки. Рекомендуемые условия содержания: жёсткость — 2–25˚, кислотность — 6,5–7,2, температура — 26–30 ˚С. Уровень воды — 10–15 см. В нерестовом аквариуме должно быть много растений (чтобы они образовывали

заросли), в том числе плавающих на поверхности. Самец строит гнездо из пены на поверхности воды, в которое включает частички растений. Только после окончания строительства гнезда в нерестовый аквариум можно сажать самку. Икрометание начинается спустя 2–3 суток. Самка мечет до 800 икринок. Инкубационный период длится 2–3 суток. После появления мальков самец удаляется. Молодь достигает половой зрелости в 4–6 месяцев.

Медовый гурами

Место обитания — северо-восток Индии.

Молодь и самки серебристо-коричневые с продольной шоколадной полосой. Взрослые самцы медовые, нижняя часть головы и брюшка, а также большая часть анального плавника чёрно-коричневые, спинной плавник с белой и желтой каймой. Во время нереста тело рыбы становится ярко-красным, пылающим, а анальный плавник тёмно-голубым. На спинном плавнике самца появляется зеленовато-жёлтая полоса. В нерестовый период у обоих производителей через всё тело проходит чёрная широкая продольная линия. Брюшные плавники также приобретают ярко-оранжевый цвет. Длина до 4,5 см.

Пригодна для совместного содержания только с мелкими мирными рыбами. Аквариум — от 10 л. Температура воды — 25–28 °C, жёсткость — 4–15°, кислотность — 6–7,5. Желательно кратковременное солнечное освещение. Кормить надо только мелким, желательно живым, кормом.

Нерестовик — от 5 л. Рекомендуемые условия содержания: жёсткость — до 12°, кислотность — 6,4–7,2, температура — 24–29 °C.

Уровень воды — около 10 см. Самец строит пенное гнездо. После нереста самку следует отсадить. Через 3—4 суток появляются личинки, которые спустя ещё 3—4 дня превращаются в мальков. Стартовый корм — инфузории, яичный желток и т. п. В это время удаляют самца.

Род макропод (Macropodus)

Общая характеристика

Их родина — юго-восток Азии: Южный Китай и Индокитай. Макроподы были завезены в Европу еще в середине прошлого века. В природе они обитают в спокойных водоёмах, могут жить в солоноватой воде.

Размеры колеблются от 5 до 10 см, самец крупнее самки.

Характерная особенность макроподов — отсутствие в большинстве случаев боковой линии. Тело гибкое, удлинённое, сжатое с боков. Грудные плавники нитевидно удлинены. У самца спинной и анальный плавники вытянуты и заострены.

Макропод

Аквариумные рыбы

Макроподы очень красиво и разнообразно окрашены. Особенно красивы эти рыбки в период нереста. Для начинающего аквариумиста это находка, потому что они очень неприхотливы. Макроподы способны выдерживать понижение температуры до 10 °C без вреда для себя.

Их недостаток — рыбы очень агрессивные, особенно во время нереста. Часты случаи нападения макроподов на себе подобных или на других слабых рыбок. Если содержать в тесном аквариуме двух самцов, дело почти неминуемо кончится гибелью одного из них. Макроподов можно содержать в общем аквариуме с рыбами других видов такого же размера, только если они выращены вместе. Обычно содержат одного самца с несколькими самками.

Аквариум должен быть закрыт сверху, потому что макроподы — очень прыгучие рыбы. Чтобы воссоздать природные условия обитания, желательно местами создать заросли, поместить плавающие растения и коряги для укрытия. Аквариум — от 20 л, густо заросший растениями. Рекомендуемые условия содержания: жёсткость — 6–15°, до 25°, кислотность — 6,5–7,8, температура — 8–15, 24–27, 30–38 °C.

Корм: циклопы, дафнии, мотыль, сухой корм. При хорошем уходе макроподы живут в аквариуме до 5 лет.

Перед нерестом выбранная пара в течение недели содержится раздельно. В нерестовом аквариуме должны быть заросли и плавающие растения, температура выше на несколько градусов. Самец делает гнездо из пены на поверхности воды. Самка мечет до 1000 икринок, после нереста её удаляют. За кладкой ухаживает самец. Стартовый корм для мальков — живая пыль. Половая зрелость у макроподов наступает в 5–7 месяцев.

Макропод обыкновенный
(райская рыбка)

Место обитания — стоячие и слабопроточные водоёмы, каналы рисовых полей, заросшие плавающим на поверхности водяным гиацинтом, Тайваня, Вьетнама, Кореи, Китая. Макропод — одна из старейших аквариумных рыб, по распоряжению французского консула Симона в 1869 г. была ввезена во Францию из Нинг-По.

Длина самца — до 11 см, самки — до 8 см. В аквариуме размеры редко превышают 6 см.

У самца удлинены спинной, анальный и хвостовой плавники, они заканчиваются нитями. Основная окраска самца серовато-зеленая с поперечными чередующимися зелёными и красными полосами по бокам. Анальный и хвостовой плавники обычно синего цвета. Самка окрашена скромнее самца, с красными поперечными полосами. В период нереста рыбки становятся более яркими.

Обыкновенный макропод нетребователен к температурным условиям и характеристикам воды. Всё же наилучшими являются:

Макропод обыкновенный

температура — 20–24 ˚С, жёсткость — 5–30˚, кислотность — 6,5–8. Корм можно использовать обычный, лучше живой. Как уже было сказано раньше, макропод отличается повышенной драчливостью, поэтому вместе можно содержать только рыбок, выросших вместе. Не забудьте, что аквариум должен быть надёжно закрыт сверху. Райская рыбка — аквариумный долгожитель и вполне способна прожить до 8лет.

Для нереста подходит аквариум 5–20 л. Оптимальные условия: жёсткость — около 10˚, кислотность — около 7, температура — 26–30 ˚С. Нерест обыкновенных макроподов не представляет проблему для аквариумистов — условия могут не отличаться от обычных. Нужно лишь снабдить нерестовый аквариум плавающими растениями. На ночь следует оставлять слабое освещение. Самку после икрометания отсаживают. Самец приклеивает икринки к пузырькам воздуха. Инкубационный период — 2–3 суток. Корм для мальков: инфузории, коловратки или яичный желток. Половозрелости макроподы достигают в возрасте 5–7 месяцев.

Макропод чёрный

Длина самца до 12 см, самки — до 8 см.

Тело окрашено одноцветно, полос нет. Обычно рыба серо-коричневая с зеленоватым отливом и красными крапинками на плавниках. Спинной плавник с бело-голубой каймой, все плавники удлиненные.

В период нереста окраска рыбок меняется: самец становится почти чёрным, у самки появляются коричневые поперечные полосы.

В условиях содержания сходен с обыкновенным макроподом, за одним важным исключением: не переносит таких сильных температурных колебаний. Рекомендуемая температура — около 25 °C.

Оба описанных вида макроподов могут скрещиваться друг с другом. Кроме того, существуют следующие виды макроподов: цейлонский, круглохвостый и многочисленные селекционные формы (в том числе альбиносные).

Род псевдосфроменус (Pseudosphromenus)

Общая характеристика

Эти лабиринтовые рыбы в природных условиях обитают в водоёмах Индии и Индокитая.

Тело уплощено с боков, имеет удлинённую форму. Плавники удлинены. Спокойные рыбы, предпочитающие держаться в зарослях. Они хорошо уживаются с другими рыбами в аквариуме с крупнолистными растениями и укрытиями.

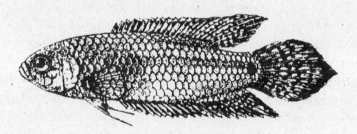

Псевдосфроменус

Рекомендуемые характеристики содержания: температура — 22–26 °С, жёсткость воды— 2–18°, кислотность — 6,5–7,5. К живому и сухому корму нужно добавлять растительный.

Нерест парный, он может проходить как в общем, так и в нерестовом аквариуме с зарослями. При нересте температуру в аквариуме следует повысить до 27–28 °С. Икра откладывается на листья водных растений или в гнездо на поверхности, которое самец строит из пены. Нерест может происходить и в укрытиях (пещерах, гротах и т. д.). После нереста самку удаляют, самец, как это принято у лабиринтовых рыб, ухаживает за икрой и личинками. Инкубационный период длится около суток. После появления мальков самца следует удалить. Корм для мальков обычный: «живая пыль», инфузории, коловратки, яичный желток. Псевдосфроменусы достигают половой зрелости в 5–6 месяцев.

Купанус обыкновенный (бурый)

В природных условиях обитает в спокойных, заросших растениями водоёмах юга Индии.

Эта небольшая рыбка в аквариуме обычно достигает в длину не более 5 см. Число чешуй в продольной линии: 29–32. Тело окрашено в коричневатый цвет с металлическим отливом. На теле заметны тёмные полосы. Плавники голубовато-красные. Самец ярче самки. При возбуждении и во время нереста купанус меняет окраску: самец становится светло-красным, самка окрашивается в черный цвет.

Купанус в аквариуме — мирная и пугливая рыбка. Лучше содержать её в небольшом аквариуме, обильно засаженном растениями. Аквариум — от 20 л. Температура — 15, 20–24 °С. По отношению к составу воды неприхотливы.

Нерестовик — от 25 л. Рекомендуемые характеристики воды: жёсткость — до 12°, кислотность — около 7, температура — 24–30 °C. За икрой ухаживает самец. Стартовый корм: инфузории, коловратки, яичный желток.

Купанус Дея

Обитает в основном в проточных, заросших растениями водоёмах Индокитая.

В природных условиях рыбка вырастает до 7 см, в аквариуме она обычно меньше. Число чешуй в продольной линии: 28–30.

Купанус Лея окрашен в светло- или тёмно-коричневый цвет, горло, грудь и брюхо красные. По бокам расположены 2 темные продольные полосы. Плавники красноватого цвета. Хвостовой плавник оторочен чёрно-голубой каймой, на нём расположены шиповидные отростки.

Аквариум от 20 л. Рекомендуемые условия содержания: жёсткость — до 25°, кислотность — 6,8–7,2, температура — 27–29 °C.

Условия нереста и выращивания молоди — общие для рода (см. выше). Половозрелости эти рыбки достигают к 5–7 месяцам.

Род трихогастер, или гурами (Trichogaster)

Общая характеристика

В этот род входят так хорошо известные любителям рыбки — гурами. Они обитают в водоёмах Южной Азии, Индокитая и Индонезии. Держатся в заросших растениями ручьях, прудах и озёрах.

Трихогастер

Размеры сильно рознятся в зависимости от вида. Промысловые разновидности гурами вырастают в длину более чем на полметра. Они специально разводятся из-за вкусного мяса.

Форма тела плоская, удлинённая, уплощённая с боков. Анальный плавник длинный, спинной, наоборот, небольших размеров. Брюшные плавники, которые служат органами осязания, почти равны по длине самой рыбке и напоминают тонкие усы.

Это мирные рыбы, но всё же их лучше не содержать вместе с рыбками значительно меньших размеров. Для них годится общий аквариум, засаженный растениями, в том числе плавающими на поверхности. Гурами нетребовательны к химическим характеристикам и чистоте воды, что делает их незаменимыми для ленивых аквариумистов. Всё же у них тоже есть свои «капризы»: гурами не переносят резких температурных колебаний. Хотя это и лабиринтовые рыбы, дышащие атмосферным воздухом, им нужна аэрация.

Рекомендуемые характеристики воды: температура — 22–25 °C, жёсткость — 5–15°, кислотность — 6–7,5. Корм: хотя в природных

условиях гурами чаще всего питаются растительностью, в аквариуме они с удовольствием поедают живой и сухой корм.

Для разведения гурами нужно подготовить нерестовый аквариум длиной от 50 см, можно без грунта. Местами создайте заросли из риччии, кабомбы, ряски и т. п. В нерестилище помещается самец, температура повышается на 3–5 ˚С выше обычной. Для стимуляции нереста можно также снизить жёсткость воды. Самец строит на поверхности воды гнездо из пены, иногда включая в него риччию. После постройки гнезда можно сажать самку. Икра (до 2000 икринок) вымётывается в воду, после чего самец укладывает её в гнездо. Некоторые виды нерестятся на дно или на листья растений. После икрометания самку надо удалить. Самец ухаживает за икрой и личинками. Мальки появляются через 2–3 суток. Самца удаляют, уровень воды понижают до 5–10 см и держат таким, пока не сформируется лабиринтовый аппарат и рыбы не начнут хватать воздух ртом у поверхности. Личинок можно кормить инфузориями, микрочервем, мальков — мелким циклопом, коловратками, яичным желтком.

Гурами жемчужный

В природных условиях обитает в водоёмах Юго-Восточной Азии и Индонезии.

Самец, который крупнее самки, достигает в длину 12 см.

Тело окрашено в светло-серебристый цвет с фиолетовым блеском. Спина жёлто-коричневая, бок и плавники голубоватые. По всему телу разбросаны светлые крапинки, напоминающие мелкий жемчуг. По середине тела от рта до хвостового плавника проходит

тёмная, неровная линия, состоящая из многочисленных точек. В брачный период и во время возбуждения самец меняет окраску: его горло, грудь и брюшко становятся яркими, оранжево-красными.

Для жемчужного гурами нужен хорошо освещённый аквариум от 50 л, с тёмным грунтом, густо засаженный растениями. Предпочитают яркое освещение. Рекомендуемые условия содержания: жёсткость — 5–12°, до 25°, кислотность — 6–7, температура — 24–27 ℃. Корм можно давать и живой, и сухой.

Нерестовик — 20–50 л, уровень воды — 15–25 см. Жёсткость — 4–10°, кислотность — 5,8–6,8, температура — 28–30 ℃. При постройке гнезда использует кусочки растений, поэтому в аквариуме должно быть много растительности. Самка разделяет с самцом все заботы о потомстве, если её оставить в нерестовике. Мальков выкармливают инфузориями, «живой пылью», варёным яичным желтком.

Гурами золотой

Это искусственно выведенная разновидность голубого гурами. Длина тела около 12 см. Тело окрашено в золотисто-оранжевый цвет с разбросанными голубыми пятнышками. По бокам расположены два темных пятна. Условия содержания сходны с общими условиями рода, описанными выше.

Гурами лунный

В природных условиях обитает в водоёмах Юго-Восточной Азии. Этот крупный представитель гурами достигает в длину 18 см. Число чешуек в продольной линии 58–65.

Экзотические рыбы

Тело окрашено в голубовато-серый цвет с серебристым блеском. Лунный гурами обладает очень длинными усами-нитями; у самца они оранжевые, у самки — жёлтые. При возбуждении грудь становится красновато-жёлтого цвета.

Самка меньше самца, она скромнее окрашена, спинной плавник закруглён.

Аквариум — от 50 л. Рекомендуемые условия содержания: жёсткость — до 20°, кислотность — 6,8–7,8, температура — 23–26 °C. При надлежащем уходе живут в аквариумных условиях до 7 лет.

Нерестовик — около 100 л. Уровень воды — 10–15 см. Температура — 27–29 °C. Обязательны плавающие на поверхности воды растения. После нереста самку удаляют. За икрой ухаживает самец. Стартовый корм: инфузории, «живая пыль», варёный яичный желток.

Гурами мраморный

Ещё одна разновидность голубого гурами.

Он достигает в длину 10 см. Общий фон тела серебристо-голубой, по которому разбросаны тёмные пятна различных размеров, похожие на рисунок на мраморе. Эти пятна особенно хорошо заметны в период нереста. Условия содержания сходны с общими условиями рода, описанными выше.

Гурами пятнистый

Обитает в водоёмах Индокитая и Индонезии.

Его размеры: 10–12 см. Число чешуй в продольной линии: 40–42.

Сверху тело оливковое, бока серебристого оттенка. Есть малозаметная тёмная полоса, идущая вдоль тела. Спина оливковая. Как у золотого гурами, на боку есть два чёрных пятна, одно посередине, другое — у корня хвоста. Плавники окрашены в зеленоватый цвет, по ним разбросаны разноцветные пятнышки. В период нереста окраска темнеет, и появляются чёрные блестящие полосы.

Условия содержания сходны с общими условиями рода, описанными выше.

В аквариумных условиях часто содержатся другие виды гурами: бурый, серебряный, целующийся, Шаллера.

Род трихопсис (Trichopsis)

Общая характеристика

В природных условиях обитают в водах Индокитая, Малакки, островов Суматра и Ява. Предпочитают водоёмы, заросшие растениями.

Тело вытянутое, сжатое с боков. Рыло заострённое. Имеют длинные, нитевидные грудные плавники и крупный анальный плавник, который заострён у самцов.

Основная особенность этих подвижных рыб: в период нереста самцы издают ворчащие звуки. Ворчащий гурами даже получил своё имя благодаря этому свойству.

Рекомендуемые условия содержания: температура — 25–27 °C, жёсткость — 5–20°, кислотность — 6–7,5. Корм можно давать как живой, так и сухой. Для стимулирования размножения нужно повысить температуру до 27–30 °C. Нерестовый аквариум должен быть довольно просторным, желательно с уровнем воды не более 15 см.

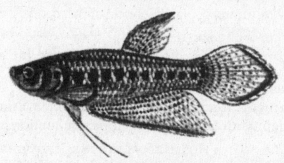

Трихопсис

Как и в случае с другими лабиринтовыми рыбами, в нерестили-ще должны быть растения, в том числе плавающие на поверхности. Самец создаёт гнездо из пены под листом растения у поверхности или в толще воды. Самка мечет икру до 700 икринок. После икрометания её удаляют из аквариума, и дальнейшую заботу об икре и личинках несёт самец. Инкубационный период продолжается 1–2 суток. После появления мальков самца нужно удалить. Стартовый корм для мальков: обычно «живая пыль».

Гурами ворчащий

Обитает в водоёмах Индии.

Длина рыбки от 6 до 8 см. Своё имя она получила за ворчащие звуки, напоминающие кваканье лягушки и издаваемые в возбуждённом состоянии, всплывая ночью к поверхности воды за очередной порцией воздуха. Основная окраска тела желтоватая, с сине-зелёным блеском. По телу проходят 2–3 тёмно-коричневые продольные полосы. Плавники могут быть различной окраски: красноватые, голубоватые или фиолетовые с тёмными крапинками.

У самца имеются шипообразные отростки, расположенные на хвосте. Самка меньше и бледнее самца.

Это мирные рыбки, для которых подходит аквариум от 15 л средних размеров, густо засаженный растениями. Температура 24–28 °С.

Нерестовик — от 15 л, уровень воды 10–20 см. Рекомендуемые условия для нереста: жёсткость — до 20°, кислотность — около 7, температура — 28–30 °С. После нереста самку желательно высадить.

Гурами карликовый

Населяет водоемы Индокитая.

Это небольшой представитель гурами, длина рыбки 3–3,5 см. Число чешуй в продольной боковой линии: 27–28.

Общая окраска оливково-зелёная, иногда с голубоватым оттенком. Спина темнее брюшка. От рта до хвоста идёт продольная тёмная полоса, состоящая из голубовато-чёрных точек. Плавники зеленоватые или голубоватые, с красной каймой и тёмными точками. Самец карликового гурами ярче и крупнее самки.

Мирный, пугливый вид. Рекомендуемые условия содержания: жёсткость — до 20°, но лучше 6–12°, кислотность — 6,5–7,2, температура — 22, 26–32 °С. Предпочитают живой корм мелких размеров. Продолжительность жизни в аквариуме — около 3 лет.

Нерестовик — 5–20 л. Эти рыбки могут метать икру в подводных укрытиях. За икрой и личинками ухаживает самец, его высаживают через 2–4 дня после выклева. Стартовый корм: инфузории, коловратки и т. п. Лабиринтовый орган у мальков образуется в возрасте 4–5 недель.

Род сферихтис (Sphaerichthys)

Гурами шоколадный

В природе обитает в юго-восточной части Азии, предпочитая стоячие или медленно текущие водоёмы, заросшие растительностью.

Достигает размеров до 6 см. Число чешуек в продольной линии: 26–30.

Тело немного вытянуто и сжато с боков. Рыло острое. Хвостовой и анальный плавники удлинённые.

Тело окрашено в шоколадно-коричневый, иногда светло-коричневый цвет с зеленоватым отливом. Чешуя с тёмной каймой. На теле 4–5 вертикальных золотых или светлых полос. Анальный плавник украшен узкой жёлтой каймой.

В период нереста самец становится почти чёрным, у самки горло окрашивается в красноватый цвет.

Рыбы довольно миролюбивы по отношению к другим видам, но самцы в одном аквариуме могут устраивать склоки. В аквариуме должны быть растения, в том числе плавающие. Лучше, если уровень воды в аквариуме не будет превышать 20–30 см. Рекомендуемые условия содержания: температура — 27–30 °C, жёсткость — 1–10°, кислотность — 6–7.

Перед нерестом шоколадных гурами в течение недели надо кормить энхитреями. Нерест парный. Самка мечет икру в ямку, поэтому в нерестовом аквариуме должен быть мелкий песок. Самка вынашивает икру и личинок во рту. После нереста самца удаляют.

Мальки покидают рот самки через 2 недели. Когда это произойдёт, нужно будет повысить жёсткость воды до 8–10°. Начальный корм для мальков: «живая пыль».

Семейство броняковые (Doradidae)

Общая характеристика

Это обширное семейство включает в себя около 100 видов рыбок, обитающих в заросших и заболоченных водоёмах Южной Америки. В условиях жизни в болоте, где затруднено дыхание кислородом, растворённым в воде, эти необычные рыбы выработали особый способ дыхания. Они поднимаются к водной поверхности и набирают атмосферный воздух в кишечник. Вы должны помнить об этом и не закрывать им доступ к поверхности воды.

Ещё одна интереснейшая особенность броняковых сомов: они способны переползать по суше из одного водоёма в другой, делая это с очень приличной скоростью. Иногда летом, когда водоёмы пересыхают, целые стаи броняковых, помогая себе плавниками, перемещаются по суше в поисках воды. При неблагоприятных условиях эти рыбы просто закапываются в грунт в ожидании дождей.

Тело мощное, удлинённой формы, покрытое костными пластинками. На морде находятся три пары длинных усов. Плавники снабжены острыми шипами.

Любителей содержать необычных, экстравагантных рыб может отпугнуть два обстоятельства: во-первых, броняковые рыбы ведут ночной образ жизни, во-вторых, издают не очень приятные звуки, скрежеща плавниками.

Род Агамиксис (Agamyxis)

Агамиксис белопятнистый

Обитает в бассейне реки Амазонки Предпочитает мелководья, богатые корягами и укрытиями.

В природных условиях вырастает до 15 см, в аквариуме — редко более 10 см.

Тело удлинённое, мощное, с крупной треугольной головой. На голове расположены три пары усов. Хвостовой плавник имеет закруглённую форму. Анальный плавник крупный, грудные, наоборот, маленьких размеров.

Тело окрашено в тёмно-коричневый цвет, по нему разбросаны круглые пятнышки. У молоди пятнышки белого цвета, у взрослых рыб они желтые.

Самка отличается от самца наличием большого брюха. Из-за него она крупнее самца.

В аквариуме это мирные и спокойные рыбы. Правда, наблюдение за ними затрудняется тем, что агамиксы ведут ночной образ жизни. В основном они передвигаются по дну. В аквариуме с ними

Агамиксис

обязательно должны быть укрытия (пещеры, гроты, коряги, заросли растений).

Аквариум — от 100 л. Рекомендуемые условия содержания: температура — 25–30 °С, кислотность — 6–7,5, жёсткость воды не имеет большого значения. Поедают любой живой корм, 20% рациона должен составлять растительный корм. При кормлении вы должны помнить о том, что агамиксы берут корм с грунта, и следить, чтобы рыбы, обитающие в среднем и верхнем водных слоях, не съедали чужую порцию.

По скорости развития самки обгоняют самцов вдвое. Нерестовик — от 50 л. Субстрат — ивовые корешки. При нересте самка мечет около 1000 икринок. Активную замену воды сочетают с добавлением метиленовой сини и поваренной соли. Инкубационный период продолжается около 2 суток. Стартовый корм для мальков: коловратки, мелко нарезанный трубочник.

Род Амблидорас (Amblydoras)

Амблидорас Хэнкока (амблидорас колючий)

В природных условиях обитает в сильно заиленных водоёмах низменности бассейна Амазонки.

Достигает в длину до 14 см.

Тело мощное, вытянуто в длину, крупная уплощенная голова снабжена тремя парами усиков. На боках имеются острые шипы-колючки, расположенные на костных пластинках.

Амблидорас

Тело бежево-серого цвета с фиолетовым отливом. По бокам головы проходят тёмно-коричневые полосы, по всему телу рассеяны тёмные пятна. Брюшко желтовато-белое со светло-коричневыми пятнами (особенно у самца). Плавники покрыты светло-коричневыми точками.

Эти мирные рыбы ведут ночной образ жизни. Дни они проводят в укрытии или зарываются в грунт так, что видна лишь верхняя часть головы с глазами. Активизируются лишь с наступлением темноты. В аквариуме с амблидорасами обязательно должны быть укрытия (пещеры, гроты, коряги, заросли растений). Поскольку это донные рыбы, грунт в аквариуме должен быть мягким, лучше всего, если это будет речной песок.

Рекомендуемые условия содержания: температура — 22–25 ˚C, кислотность — 6–7,5, жёсткость воды особого значения не имеет. Кормить можно живым или сухим кормом, обязательно с растительными добавками. При кормлении вы должны помнить о том, что амблидорасы берут корм с грунта, и следить, чтобы рыбы, обитающие в среднем и верхнем водных слоях, не съедали чужую порцию.

Нерестовик — 60–150 л. Рекомендуемые условия разведения: жёсткость — 4–6°, кислотность — 6–7, температура — 25–27 °C. В период нереста самка мечет на дно около 700 икринок. После инкубационного периода, длящегося 1–2 суток, мальков можно кормить науплиусами циклопа или мелко порезанным трубочником.

Род Платидорас (Platydoras)

Анадорос пятнистый

Эта рыбка обитает в заболоченных водоёмах Южной Америки.

В природных условиях она вырастает до 15 см, в аквариуме — обычно меньше.

Тело массивное, окрашенное в бежево-серый цвет с серебристым оттенком. По туловищу разбросаны тёмные пятна неправильной формы. В аквариуме ведёт спокойный, донный образ жизни.

Рекомендуемые условия содержания: температура — 22–28 °C, жёсткость воды— 2–15°, кислотность — 6–7,5. Кормить следует живым и растительным кормом, следя, чтобы рыбам, ведущим донный образ жизни, доставалась пища.

Трахикорист мраморный

Этот крупный представитель броняковых достигает в природных условиях размеров 20–25 см.

Он красиво окрашен: тело шоколадно-золотистого цвета усеяно пятнышками и полосками, напоминающими рисунок на мраморе.

В аквариуме он ведёт ночной образ жизни. Будьте бдительны: трахикорист может напасть на зазевавшуюся маленькую рыбёшку, поэтому лучше не искушайте его и не поселяйте вместе с рыбками небольших размеров.

Рекомендуемые условия содержания: температура — 22–28 °C, кислотность — 6–7,5, жёсткость особого значения не имеет. Кормить можно живым и сухим кормом, отдавая предпочтение живому.

Семейство бычковые (Gobiidae)

Общая характеристика

Основные аквариумные виды рыб этого семейства обитают в тропических водоёмах Азии, включая Индонезию и Филиппины. Их среда обитания — мелкие водоёмы, реки, каналы и даже канавы с пресной и солоноватой водой. Любопытно отметить, что среди бычков имеются виды, являющиеся самыми маленькими представителями ныне живущих позвоночных животных.

Тело короткое, цилиндрической формы. Самец обычно окрашен ярче самки. В период нереста окраска рыбок обоих полов становится ярче. Почти все виды бычков имеют тёмные пятна и полоски на туловище и плавниках. Представители семейства характеризуются сросшимися в виде присоски брюшными плавниками.

Это спокойные и несколько пугливые рыбы, ведущие донный образ жизни. Интереснее наблюдать за бычками, если содержать их группой в видовом аквариуме, снабжённом укрытиями: пещерами, корягами, водными растениями.

Рекомендуемые характеристики: температура — 24–30 °С, жёсткость воды — 5–20°, кислотность — 6,5–8. Чтобы повысить устойчивость рыб к болезням, можно добавлять поваренную соль из расчёта 1–3 г на 1 л воды. Кормить в первую очередь живым кормом. При кормлении вы должны помнить о том, что амблидорасы берут корм с грунта, и следить, чтобы рыбы, обитающие в среднем иверхнем водных слоях, не съедали чужую порцию.

Нерест парный, может проходить как в видовом, так и в нерестовом аквариуме. Температуру поднимают на 2–3 °С. В ряде случаев жёсткость воды доводится до 15–17°. Икра (около 300 икринок) откладывается в укрытие, которое охраняется самцом. Местом кладки может стать коряга, грот, пещера и т. п. Самку можно удалить сразу после икрометания, после появления личинок (обычно через 4–6 суток) удаляется и самец.

Начальный корм для мальков: «живая пыль». Половой зрелости бычки достигают в 8–12 месяцев.

Род брахигобиус (Brachygobius)

Общая характеристика

Тело их спереди цилиндрическое, сзади сильно уплощённое с боков. Голова короткая, имеются два спинных плавника, передний с жёсткими, задний с мягкими лучами. Рыбы водятся как в пресной, так и в солоноватой воде.

Это спокойные рыбки, чуждающиеся общества беспокойных соседей и предпочитающие спокойное времяпрепровождение.

Аквариум — от 10 л. Рекомендуемые условия содержания: жёсткость — 5–20°, кислотность — 6,8–8,0, температура — от 20

до 24—30 °С, солёность — 2—5%. Обязательны аэрация, фильтрация и регулярная подмена воды (15—20% ежедневно).

Аквариум для нереста — от 15—20 л, уровень воды около 10 см. Температура на 1—3 °С выше, чем при содержании. Субстрат — керамическая или пластиковая трубка, цветочный горшок, гроты, каменные пещерки. Самец охраняет кладку.

Бычок бледный (брахигобиус бледный)

Обитает в мелких водоёмах Индонезии и на Филиппинах.

Длина до 4,5 см. Число чешуек в боковой линии колеблется от 22 до 26.

Его отличительная особенность — анальный и спинной плавники окрашены в жёлтый цвет.

Бледный бычок готов к размножению при добавлении свежей воды и повышении температуры на несколько градусов.

Бычок обыкновенный (золотополосый)

Обитает в природных условиях в устьях рек с солоноватой и пресной водой. Населяет водоёмы Индонезии.

Размеры этой рыбки составляют 4—6 см. Число чешуек в боковой линии — более 50.

Это жёлтая рыбка с тремя чёрными широкими вертикальными полосами: одна спускается с верхней части головы через глаз почти до рта, вторая начинается на первом спинном плавнике и через основание грудных плавников доходит до брюшных, третья

начинается у второго спинного плавника и пересекает тело, доходя до анального. На корне хвоста большое чёрное пятно.

Рекомендуемые условия содержания: солёность — 2–5%, температура — 24–28 °C.

В брачный период самец окрашивается в красный цвет. Для нереста нужен большой аквариум ёмкостью не менее 40 л с множеством растений, толщиной слоя воды около 10 см и маленьким цветочным горшком в одном из углов. Температура воды — 24 °C. Самка уходит на дно и прикрепляет первую цепочку икринок к нижней части горшка, а самец оплодотворяет их. Икра брахигобиусов очень восприимчива к грибку, для защиты от которого в нерестовик следует добавить 5%-ный раствор метиленовой сини. Стартовым кормом служат инфузории.

Род стигматогобиус (Stigmatogobius)

Бычок пятнистый

Обитает в водоёмах с пресной, солоноватой и морской водой. Ареал распространения включает п-ов Индокитай, Индонезию, Филиппины, Малайзию.

Длина до 10 см. Число чешуй в боковой продольной линии: 27–30.

Тело коренастое, вытянутое, хвост несколько уплощён с боков.

Основная окраска: серо-голубая (возможны варианты), на боку несколько рядов чёрных пятнышек округлой формы. Те же точки есть на плавниках. Самка меньше самца и окрашена в желтоватый цвет. В брачный период хвост самца становится дымчато-чёрным.

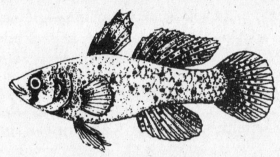

Бычок пятнистый

В аквариуме это мирные рыбы, предпочитающие находиться в нижнем слое воды. В аквариуме должны быть растения и укрытия (пещеры, гроты, камни и т. д.).

Рекомендуемые условия содержания: температура — 22–28 °C, жёсткость — 10–25°, кислотность — 7–8,5. Для профилактики болезней можно добавлять соль в пропорции 3–5 г на 1 л. Предпочтение отдается живому корму, он должен быть разнообразным.

Икрометание происходит в каком-нибудь укрытии. Самка мечет около 1000 икринок. За икрой ухаживает самец. Приблизительно через 4 суток появляются мальки. На первых порах их следует кормить «живой пылью».

Семейство вьюновые (Cobitidae)

Общая характеристика

В семейство вьюновые входит более 150 видов рыб, объединенные в 30 родов. Большинство из них обитают в водоёмах тропической Азии. Это пресноводные рыбы, населяющие водоёмы самого

различного типа: реки с песчаным или каменистым дном, горные ручьи, озёра и небольшие пруды.

Их тело имеет форму, наиболее подходящую для донного образа жизни. Обычно оно вытянутое, цилиндрическое, покрытое мелкой чешуёй или голое. Голова маленькая, снабжённая несколькими усиками. У некоторых видов имеются колючие шипы в области глаз. Плавники небольшие. Самцы мельче самок, но ярче окрашены.

Вьюновые ведут ночной образ жизни. Дневное время они проводят, зарывшись в грунт, а с наступлением сумерек становятся активными и передвигаются по дну в поисках пищи. Кормом им служат личинки комаров, мух, черви и другие мелкие животные, обитающие в грунте.

Рекомендуемые условия содержания: жёсткость — 5–18°, кислотность — 6–8, температура — 20–30 °C, оптимальная — 24–26 °C, для холодноводных — до 18 °C, обязательны аэрация, фильтрация и подмена воды — до половины объёма еженедельно. При отсутствии грунта рыбки подвержены заболеваниям.

Для стимулирования нереста вьюновых рыб следует часто заменять воду в аквариуме, а перед самим нерестом повысить температуру воды на 5–7 °C и снизить жёсткость на 2–3°. После икрометания рыб надо удалить из нерестилища, так как они поедают икринки. Инкубационный период длится около 2–3 суток. На ранней стадии мальков нужно кормить «живой пылью», мелко порезанным трубочником.

У личинок многих вьюновых имеется необычный орган дыхания — наружные жабры. Другие виды набирают атмосферный воздух в кишечник, поднимаясь за ним к поверхности воды.

Эти рыбы, как правило, неприхотливы в аквариуме, и содержать их даже начинающему любителю несложно. Единственное, вьюновых нельзя перекармливать, так как это легко приводит к ожирению, а оно у рыб, как известно, не лечится.

Род акантофтальмус (Acanthophthalmus)

Общая характеристика

В этот род входят виды рыб, часто содержащиеся в аквариуме. В природных условиях они обитают в водоёмах Юго-Восточной Азии и близлежащих островов. Предпочитают воды со слабым течением и мягким грунтом.

Тело удлинённое, цилиндрическое, боковой линии нет. Голова маленькая, не защищена чешуёй. Под глазами расположены раздвоенные на концах шипы. Имеются шесть усиков, по три с каждой стороны. Плавники небольших размеров.

Основная окраска светлая с поперечными темными полосами. Их количество, расположение и цвет зависят от каждого конкретного вида. Самка выглядит крупней самца за счет массивного брюха. Иногда оно прозрачное, и сквозь кожу видны икринки.

Акантофтальмус

Аквариумные рыбы

Эти спокойные рыбы ведут донный образ жизни, становясь активными с наступлением темноты. Их можно содержать в общем аквариуме. Любят чистую, прозрачную воду, укрытия от света и мягкий грунт, в котором они проводят много времени. Укрытиями служат заросли растений, камни, пещеры и т. д. В природе питаются мелкими, живущими в грунте организмами, а также отбросами органического и растительного происхождения. В аквариумных условиях в качестве пищи используется живой корм (мотыль, трубочник, дафния) с обязательной добавкой растительного корма. По достижении половой зрелости самки заметно полнеют, принимая нередко грушевидную форму.

Аквариум от 50 л. Грунт мягкий, песчаный, покрытый вываренной торфяной крошкой. Рекомендуемые условия содержания: температура — 22–28 °C, жёсткость — 2–20°, кислотность — 6,5–7,2.

Нерест проходит в верхних слоях воды. Клейкая икра светлозеленого цвета опускается на дно или приклеивается к растениям. Рыбы поедают икру, поэтому после нереста родителей удаляют. Мальки появляются на свет через сутки. Начальный корм: инфузории, мелко нарезанный трубочник. Половозрелость наступает в возрасте 1 года.

Акантофтальмус Кюля

В природных условиях обитает в медленнотекущих водоёмах Индонезии.

Самка крупней самца и достигает в длину 12 см. Тело окрашено неравномерно: темней на спине и более светлого оттенка в нижней части тела.

Основная окраска: желтовато-оранжевая с 15–20 широкими поперечными полосами чёрного цвета.

Добиться размножения в аквариумных условиях довольно трудно. Рекомендуемые условия: температура — 27–28 °C, жёсткость воды — 5–6°, кислотность — 6,5. Вода после нереста и удаления рыб дезинфицируется слабым раствором трипафлавина.

Акантофтальмус Майерса

В природных условиях встречается в водоёмах Индокитая.

Размер этих рыбок в длину — около 10–12 см. Тело окрашено в жёлтый или красноватый цвет. По туловищу проходят широкие чёрно-коричневые поперечные полосы, опоясывая его.

Аквариум от 50 л. Рекомендуемые условия содержания: жёсткость — 5–20°, кислотность — 6–8, температура — 23–26 °C.

Чтобы стимулировать размножение, нужно часто менять часть воды на свежую. Нерест проходит при следующих условиях: температура — 25–30 °C, жёсткость — 12–16°, кислотность — 7. Не забудьте удалить рыб после икрометания.

Акантофтальмус полуопоясанный

Встречается в водоёмах Юго-Восточной Азии.

Эта рыбка имеет длину около 6–8 см, уступая своим родственникам. Тело золотисто-розового цвета, нижняя часть светлее. По всему телу идут широкие поперечные полосы тёмно-коричневого цвета. Они не опоясывают рыбу целиком, заканчиваясь в районе брюха. Условия размножения общие для семейства (см. выше).

Род боция (Botia)

Общая характеристика

Эти рыбки, обитающие в Юго-Восточной Азии, держатся в мелких ручьях.

Тело удлинённое, на голове шесть усиков, по три с каждой стороны.

В аквариуме это мирные рыбы, держащиеся в нижнем слое воды. Они ведут ночной образ жизни: днём держатся в укрытиях, ночью обследуют грунт в поисках пищи. Не следует держать на маленькой территории сразу много боций: возможны стычки между ними, при которых боции демонстрируют своё вооружение, издают громкие пощёлкивания, запугивая соперника. Впрочем, некоторые виды держатся группами и мирно сосуществуют бок о бок. В аквариуме с боциями должны быть укрытия (пещеры, гроты, камни) и заросли растений. Вода должна быть чистой, часто заменяться.

Рекомендуемые условия содержания: температура — 24–26 °C, жёсткость — 3–15°, кислотность — 6–7,5.

Боция

Кормить боций можно живым и сухим кормом (с добавками растительного).

Нерестовик — от 200 л. Рекомендуемые условия для нереста: жёсткость — 2–4°, кислотность — 6–6,5, температура — около 30 °С. Разводить боций довольно сложно, так как требуется частая смена всего объёма воды. Если учесть, что свежая вода должна в точности обладать характеристиками старой, то понятно, что на процедуру подготовки воды будет уходить всё свободное время.

Боция Бая

Длина около 8 см.

Тело вытянутое, цилиндрической формы.

Общая окраска серо-коричневая, более тёмная на спине, брюхо почти белое. Бока покрыты темными поперечными полосками и точками. Желтовато-красные плавники тоже покрыты рядами пятнышек, образующих полосы.

Перед нерестом 1/3 объёма воды сменяется свежей, более мягкой и тёплой (на 1,5–2 °С). Мальки появляются на свет спустя 1–2 суток. Начальный корм — «живая пыль» (моина).

Боция Леконта

Этот крупный представитель рода боциевых достигает в длину до 15 см.

Тело окрашено в серо-зелёный цвет с голубоватым отливом, на хвосте есть тёмное пятно.

Плавники оранжевые или красные.

Рекомендуемые характеристики воды при нересте: температура — 28–30 °C, жёсткость — 3–5°, кислотность — 7. Инкубационный период продолжается 1–2 суток. Мальков кроме традиционного корма нужно подкармливать мелко растёртой зеленью.

Боция ленточная (боция Хоры)

Размеры этой рыбки колеблются от 7 до 10 см.

Она окрашена в оливково-желтый цвет с маленькими тёмными пятнышками по всему телу. По всей спине проходит заметная чёрная полоса. Плавники прозрачные.

В аквариумных условиях употребляет в пищу живой, сухой и растительный корм.

Размножается редко.

Боция солнечная

Одна из самых маленьких рыбок этого рода, солнечная боция вырастает до 5–6 см. Самка крупнее самца.

Окраска оливковая, спина темнее. Брюшко светло-жёлтое. Плавники розовые, почти прозрачные.

В аквариумных условиях хорошо себя чувствует при температуре 24–30 °C. Ведёт ночной образ жизни. В аквариуме размножается редко.

Существует другие виды рыб рода боция, которых часто содержат в искусственных условиях: боции голубоватая, тигровая, тибетская, шахматная, зебровая, боция-клоун, боция Альмора, боция Дея и другие.

СЕМЕЙСТВО ГУДИЕВЫЕ (GOODEIDAE)

Общая характеристика

Рыбки, представляющие это семейство, обитают в водоёмах Мексики и Центральной Америки.

Это небольшие рыбки, их размеры редко превышают 8 см. Число чешуй в боковой продольной линии: 27–30. Тело вытянутое в длину, сжатое с боков. Самец обычно мельче самки. У него есть особый половой орган — гоноподий. Икра оплодотворяется в теле самки. Мальки рождаются вполне сформировавшимися и способными питаться.

Гудиевых лучше содержать в видовом аквариуме, так как они, случается, обкусывают у других рыбок плавники. В аквариуме должны быть посажены растения. Рыбы довольно подвижные, некоторые агрессивны.

Рекомендуемые условия содержания: температура — 20–26 °C, жёсткость воды — 5–20°, кислотность — 7–8. В аквариуме гудиевых кормят живым или сухим кормом. В рацион обязательно должны входить растительные добавки.

Поскольку гудиевые — живородящие рыбы, им не требуется нерестовый аквариум для размножения. Икра оплодотворяется внутри тела самки, вынашивающей и производящей на свет мальков подобно пецилиевым. Беременность длится около 2 месяцев. Самку перед родами можно перевести в отдельный аквариум с густыми зарослями и плавающими растениями. Важно заметить момент родов и сразу после них отсадить самку, потому что иначе малькам угрожает опасность быть съеденными собственной матерью.

Начальный корм для мальков: «живая пыль», позже — циклопы, дафнии. Половая зрелость наступает в возрасте полугода. Продолжительность жизни в аквариуме — 3–7 лет.

Ксенотека краснохвостая (ксенотека Изена)

Среда обитания этой наиболее известной рыбки из рода — реки Мексики.

Её длина: от 6 до 8 см. Форма тела удлинённая, несколько сжатая с боков. Самцы окрашены в сероватый цвет с голубым оттенком. Хвост оранжевый. Самки оливково-серые.

В аквариуме краснохвостые ксенотеки довольно нетребовательны к условиям содержания, но могут сами наносить ущерб его обитателям: обкусывать нежные части растений и плавники у других рыбок. Необходимо довольно часто менять воду в аквариуме и следить, чтобы она была хорошо насыщена кислородом.

Рекомендуемые условия содержания: температура — 26–30 °C, жёсткость воды — 10–20°, кислотность — 8–8,5. Всеядные рыбы, с успехом поедающие любые традиционные корма. Кормить можно сухим, живым или растительным кормом, стараясь разнообразить рацион.

Самка рождает около 50 мальков. Сроки беременности: 1,5–2 месяца (их можно ускорить, если повысить температуру воды). Не забудьте отсадить самку сразу после рождения мальков. Для молоди можно подсолить воду (в пропорции 1 чайная ложка поваренной соли на 10 литров воды). Начальный корм: «живая пыль». Половой зрелости рыбки достигают в возрасте полугода.

Ксенотека вариативная

В природных условиях населяет реки Мексики.

Самка крупнее самца: её размеры достигают 8 см. Длина самца редко превышает 6 см. Тело самца окрашено в оливковый цвет, имеется заметная полоса коричневого цвета. Такая же полоса есть у самки, но её основной цвет — бежевый.

В аквариуме содержится при температуре около 25 °C, жесткость и кислотность воды не имеет особого значения. В природе основной корм вариативной ксенотеки — водоросли, но в аквариумных условиях её можно приучить к сухому и живому корму (с обязательными растительными добавками).

Самка рождает около 50 мальков. Сроки беременности: 1,5–2 месяца (их можно ускорить, если повысить температуру воды). Не забудьте отсадить самку сразу после рождения мальков. Корм на начальной стадии: «живая пыль».

Ксенотека темная

Эта рыбка также обитает в реках Мексики.

Самка крупнее самца — она вырастает до 8 см, самец редко бывает больше 5 см.

Тело тёмной ксенотеки окрашено в жёлто-серый цвет с золотистым оттенком. По телу проходит продольная золотистая полоса.

В аквариуме её лучше содержать отдельно, потому что она может нанести вред другим рыбкам и растениям. В общем ксенотека неприхотлива как в пище, так и в условиях содержания. Рекомендуемая температура — 25–29 °C.

Самка рождает от 30 до 80 мальков. Сроки беременности: 1,5–2 месяца (их можно ускорить, если повысить температуру воды). Не забудьте отсадить самку сразу после рождения мальков. Корм на начальной стадии: «живая пыль».

Глянцевая амека

Место обитания — Мексика, реки Амека и Теулитлан.

Самец — 6–8, самка — 7–12 см. Оливковая с голубоватыми чешуйками и чёрным крапом. У самца хвост с чёрно-жёлтым кантом.

Всеядные, но предпочитают растительный корм.

Рекомендуемые условия содержания: жёсткость — 5–15°, кислотность — 6,5–7,5, температура — 24–32 °C. Еженедельная подмена воды — до половины объёма.

СЕМЕЙСТВО КАРПОВЫЕ (CYPRINIDAE)

Общая характеристика

Семейству карповых принадлежит сразу несколько рекордов рыбьего царства.

Во-первых, это самое многочисленное семейство рыб: оно включает в себя более полутора тысяч видов.

Во-вторых, к этому семейству принадлежит самая известная аквариумная рыбка — выведенная от карася золотая рыбка, о которой будет написано ниже. Именно с карповых берёт своё начало селекция рыб в декоративных или промысловых целях.

Наконец, карповые есть везде, во всех водных уголках нашей планеты. Даже там, где они не встречаются в природе (например,

Экзотические рыбы

в Австралии и Южной Америке), их разводят в искусственных условиях.

Размеры карповых сильно отличаются в зависимости от вида. Например, гигантский усач вырастает до трёх метров в длину, а самые маленькие представители семейства не превышают 5 см. Есть и долгожители — срок жизни золотой рыбки часто достигает 40 лет.

Основные отличительные особенности: наличие зубов. Карповая рыба может и укусить — для этого у неё имеется 1 или 3 ряда зубов, а также особый орган для перетирания пищи — жерновок. У многих видов отсутствуют усы — это тоже их характерная черта.

Тело большинства карповых с боков более или менее уплощено, верхняя и нижняя части тела почти симметричны (живот обычно не выпячивается). Жировой плавник у них всегда отсутствует, лопасти хвостового обычно равной длины. Самцы мельче, но ярче, чем самки. В период нереста у них появляется брачный наряд — «жемчужная сыпь» — на голове, жабрах и спине.

Многие представители малы, красиво и разнообразно окрашены; большинство из них отличаются подвижностью, держатся они стайками в средних слоях воды. В аквариуме карповых обычно держат в общем аквариуме, потому что это общительные и миролюбивые рыбы. Немаловажный момент для любителя — они в своем большинстве непритязательны и довольствуются скромными условиями.

Лучше использовать более крупные сосуды, вытянутые в длину, чтобы дать простор для плавания этим подвижным рыбам. Температура 22–24 °С подходит для содержания большинства из них, хотя временное снижение ее на 2–3 °С многие выдерживают без видимого вреда, а некоторые могут жить долгое время и при более

низкой температуре. Рекомендуемые условия содержания: жёсткость — 5–20°, кислотность — 6,5–8,0, аэрация, фильтрация, подмена воды 1/10–1/3 еженедельно. Освещение лучше устраивать естественное либо в комбинации с искусственным. Желательно наличие плавающих на поверхности воды растений.

Для размножения используют невысокие аквариумы с большой площадью дна. Все карповые размножаются икрометанием. Нерест стайный или парный. Икра откладывается на подводные растения или дно. Есть и необычные способы размножения, например, горчак откладывает икру в раковину моллюска (подробнее об этом — в разделе «Пресноводные рыбы», в описании горчака). Для стимулирования размножения в аквариуме повышается температура, частично заменяется вода, снижается её жесткость. Для дезинфекции икры воду озонируют или добавляют метиленовую синь. Инкубационный период составляет 18–36 часов при температуре 25–30 °C, ещё через 1–5 дней молодь плывёт. Первый корм: парамеция, коловратки, науплии циклопа, артемии.

К семейству карповые относится много хорошо знакомых любителю аквариумных рыб. Среди них — барбусы, караси, данио, золотая рыбка, вуалехвост и многие другие. О самых популярных видах вы прочтёте ниже.

Род барбус (Barbus)

Общая характеристика

В старой литературе вместо рода барбус можно встретить 4 рода, в которые входили рыбы, отличающиеся количеством усиков: Barbus — имеют две пары усиков на верхней челюсти; чешуя мелкая,

Барбус

число чешуек в боковой линии 60—70; Barbodes — две пары усиков; чешуя умеренно крупная или крупная, в боковой линии 25—50 чешуек; Capoeta — одна пара усиков на верхней челюсти; чешуя большая, в боковой линии не более 30 чешуек; Puntius — усики отсутствуют; чешуя крупная, в боковой линии редко более 30 чешуек.

Сейчас объединенный род барбус включает в себя почти 200 видов. Четверть из них содержатся в аквариумных условиях. Обитают они в водоёмах Южной и Юго-Восточной Азии, Африки и Европы.

Тело вытянутой формы, хвостовой плавник двухлопастной. Самки выглядят крупнее из-за полного брюха.

Во время нереста самец (вне зависимости от вида) приобретает очень красивую окраску. Его спина и плавники становятся ярко-красными, остальные цвета тоже становятся ярче.

Барбусы миролюбивы и очень активны, но их не следует содержать с рыбами, имеющими нитевидные плавники, например, со скаляриями, т. к. барбусы могут их оборвать. Аквариум должен быть закрыт сверху, потому что это очень прыгучие рыбки.

Необходимы заросли растений, но предпочтение нужно отдавать плавающим растениям. Главное — аквариум должен быть просторным. Лучше содержать стайку барбусов. Один раз в неделю надо заменять 1/5 часть воды.

Содержание большинства видов в аквариуме не представляет трудностей. Рекомендуемые условия для большинства видов барбусов: температура — 20–26 °С, жёсткость — 4–10°, кислотность — 6,5–7,5. Кормление барбусов затруднений вызывать не должно. Предпочитая мотыль, трубочник и другую живую пищу, рыбы, однако, охотно поедают и сухие корма; отдельные виды нуждаются в прикорме растительной пищей. Несколько барбусов в общем аквариуме — лучшая гарантия от загрязнения дна какими-либо остатками корма. Рыбы подбирают их с такой же тщательностью, как и сомики, обычно назначаемые на роль мусорщиков.

Для разведения требуется нерестовый аквариум объёмом около 10 литров. На дно помещается поддон-сетка (расстояние между дном и сеткой 2–3 см). Это делается для того, чтобы родители не съели свою икру. На сетке размещаются мелколистные растения (мох, кабомба). Должна работать слабая аэрация. Температура в нерестовом аквариуме: 28–30 °С. Освещение лучше естественное.

Самок и самцов перед посадкой на нерест рассаживают на неделю. Самцов кормят в основном живым кормом, самок — растительным. В нерестилище помещают обычно двух самцов и одну самку или пару. Самцов желательно подержать в нерестилище в течение недели. Все это время их надо обильно кормить мотылем и дафнией и лишь затем подсаживать к ним самку. Рекомендуемые условия нереста для большинства видов: температура— 25–28 °С, жёсткость — 4–10°, кислотность — 6,5–7.

Нерестилище располагается таким образом, чтобы на него попадали первые лучи восходящего солнца. Нерест обычно происходит в утренние часы и длится 2–3 часа. Он начинается с бешеных гонок рыб по всему аквариуму, причём в роли преследователя выступает самец. Иногда самка останавливается, самец загоняет её в гущу растений и начинает изгибаться, обычно обернув свой хвост вокруг спины подруги за спинным плавником. Обычно в кладке не больше 600 икринок. Завершив нерест, родители тут же начинают охотиться за своими икринками, если их вовремя не отсадить. Уровень воды понижают до 10 см, 1/2 объема заменяют свежей с теми же параметрами, можно затенить аквариум.

Спустя 3–5 суток мальки начинают плавать в поисках корма. Личинкам в качестве стартового корма предлагают в течение нескольких дней инфузорий, а дальше они могут питаться просеянными дафниями или свежевылупившимися науплиями артемии. При высокой плотности надо внимательно следить за чистотой и кислородным режимом в аквариуме.

Барбус алоплавничный

Обитает в водах Юго-Восточной Азии.

В природных условиях вырастает до 10 см, в аквариуме его длина редко превышает 5 см.

Тело имеет овальную форму, сжато с боков, усы отсутствуют. Спина окрашена темнее брюха. Общий фон серый с голубоватым отливом. На хвосте имеется крупное черное пятно с золотистой каймой. Радужная оболочка глаза кроваво-красная. У самца спинной плавник красного цвета с тёмными пятнами и чёрной каймой,

417

остальные плавники бледно-жёлтого или бледно-красного цвета. У самки все плавники прозрачные, кроме красноватого спинного плавника.

Этих рыбок лучше держать в аквариуме стаями. Условия содержания совпадают с общими, описанными выше.

Для размножения требуется нерестовый аквариум для пары не менее 50 см в длину. Уровень воды не должен превышать 20 см. В кладке около 300 икринок.

Условия для нереста: температура — 25–27 °C, жёсткость воды — 6–8°, кислотность— 6,5–7.

Барбус алый

В природных условиях обитает в водоёмах Индии и Шри-Ланки.

Может достигать в длину 10 см, но в аквариумных условиях его размеры редко превышают 6–7 см.

Тело вытянутое, овальной формы, сжатое с боков. Усики отсутствуют. Самец мельче самки.

Рыбка окрашена в красновато-серые тона с серебристым блеском. На спинных плавниках имеются чёрные пятна, брюшные плавники с красноватым оттенком. Хорошо заметен на теле сетчатый рисунок чешуи. Самка окрашена несколько бледнее. Свое название этот барбус получил благодаря ярко-алой окраске самца в период нереста.

С содержанием алого барбуса в аквариуме редко возникают проблемы: эта неприхотливая рыбка хорошо чувствует себя при температуре от 18 до 28 °C, характеристики воды не имеют особого значения.

Уровень воды в нерестовом аквариуме не должен превышать 20 см. Температура немного повышенная. Самка откладывает около 200 икринок, из которых через 3 дня появляются мальки. Начальный корм: инфузории или «живая пыль».

Барбус арулиус

В природных условиях встречается в водоёмах Южной Индии. Самец достигает 15 см в длину, самки имеют меньшие размеры. Тело имеет удлинённую форму.

Общая окраска желтоватая с серебристым отливом. По бокам проходят синевато-чёрные полосы, лучше выраженные у самца. Спина темнее брюшка. Анальный и хвостовой плавники красноватого цвета, остальные — прозрачные. Радужная оболочка глаз голубоватого оттенка.

В период нереста самец меняет окраску. Он окрашивается в голубой цвет, а анальный и хвостовой плавники вместе с прилегающей частью туловища становятся ярко-красными.

В аквариуме эти рыбки, как и большинство их соплеменников, неприхотливы. Желательно заменять раз в неделю 1/5 часть воды. Рекомендуемая температура: 20–26 ˚С.

Условия размножения совпадают с общими, описанными выше. Рыбки становятся половозрелыми в возрасте 1 года.

Барбус африканский

В природных условиях встречается в водоёмах тропической Африки.

Обычно размеры этой рыбки — 8–12 см, в аквариуме немного меньше. Самки крупнее самцов.

Тело удлинённой формы. Общая окраска: серовато-коричневая с серебристым или золотистым отливом. Плавники оранжевого цвета. На теле имеются тёмные пятна.

В аквариуме африканские барбусы неприхотливы. Их можно содержать при температуре 22–28 ˚С, жёсткости воды 2–12˚ и кислотности 6–7,5. В рационе обязательно должен быть растительный корм. В аквариуме рыбки могут приносить как пользу, поедая нитчатые водоросли, так и вред, объедая нежные части других растений.

Нерестовик — 20–50 л. Нерест парный или групповой. Субстрат — мелколистные растения, синтетические волокна. Рекомендуемые условия для нереста: жёсткость — до 10˚, кислотность — 6,5–7, временная жёсткость — менее 2˚, температура — 24–28 ˚С. Самка вымётывает икру на мелколистные растения. В кладке может быть до 1000 икринок. Начальный корм для мальков: инфузории и «живая пыль».

Барбус-мотылёк
(барбус-бабочка, барбус Хулстерта)

В природных условиях населяет бассейн реки Конго на территории Анголы.

Один из самых маленьких видов, барбус-мотылёк имеет размеры около 3 см.

Тело удлинённой формы, имеется пара коротких усиков.

Рыбка окрашена в оливково-коричневый цвет с голубоватым отливом. Спина окрашена темнее брюха. На боку несколько блестящих серпообразных чёрных пятен. Плавники окрашены в жёлтый или светло-коричневый цвет. На анальном, спинном и грудных плавниках есть тёмная каемка. Самец мельче самки, у него прозрачные плавники.

Это мирные рыбы, которых можно содержать в общем, достаточно просторном аквариуме вместе с мелкими стайными рыбами. Аквариум должен быть снабжен растениями и укрытиями (пещерами, гротами, подводными камнями).

Рекомендуемые условия содержания: температура — 22–28 ˚C, жёсткость — 1–5˚, кислотность — 5,5–6,5.

Нерестовый аквариум (с укрытиями или растениями) для пары должен иметь ёмкость не меньше 15 л. Освещение очень слабое. Температура — 20–24 ˚C, вода мягкая. Самка откладывает от 30 до 80 икринок. Инкубационный период длится 1 неделю. Появившихся на свет мальков нужно кормить инфузориями, по мере вырастания добавляя к ним другой корм. Барбус-мотылек достигает половой зрелости в возрасте полугода.

Барбус вишнёвый

Как и многие другие барбусы, обитает в водоёмах Шри-Ланки. Предпочитает тенистые участки проточных вод.

Размеры рыбки: от 3 до 5 см.

Тело удлинённой формы, имеется пара усиков.

Окраска рыбки сильно зависит от места её обитания. Основной фон красно-коричневый с возможными вариантами расцветки.

От жабр до хвоста проходят чёрная, золотистая и голубая полосы. Под чёрной полосой иногда видны ряды тёмных точек. Радужная оболочка глаза золотисто-красная.

Самка окрашена бледнее, плавники желтоватого цвета. У неё может быть заметна лишь чёрная полоса. Самец ярче, плавники у него красные.

В аквариумных условиях вишнёвые барбусы пугливы, поэтому их лучше содержать в видовом аквариуме с зарослями растений (в том числе плавающих). Самцы постоянно устраивают стычки между собой, не нанося серьёзных повреждений. Рекомендуемая температура — 18–26 °С.

Перед нерестом отобранные экземпляры нужно кормить энхитреями. Нерестовый аквариум (его размеры не менее 30 см в ширину на пару) должен быть снабжён сеткой-поддоном, так как рыбы поедают икру. Рекомендуемые условия для нереста: температура — 24–28 °С, жёсткость — 5–15°, кислотность — 6–7. Самка вымётывает около 200 икринок. Инкубационный период длится 1–2 суток. Мальки появляются через 3–4 суток.

Половая зрелость достигается в возрасте полугода.

Барбус двухточечный

Обитает в природных условиях в бассейне реки Конго (Африка). Его размеры: около 8 см.

Тело имеет вытянутую, овальную форму. Имеется пара усиков.

Основная окраска тела зеленоватая с золотистым отливом. Вдоль всего тела по бокам проходит широкая красная полоса, особенно

заметная у самцов в период нереста. Спинной и хвостовой плавники красноватые, с чёрным пятном. Самец мельче самки.

В аквариумных условиях рыбы держатся стайками, обычно мирно уживаются с другими обитателями водоёма. Рекомендуемая температура — 22–26 ˚С.

В период нереста самка вымётывает 200–500 икринок. Как правило, родители не поедают икру, поэтому после икрометания их можно оставить в нерестилище. Рекомендуемые условия при нересте: температура — 25–28 ˚С, жёсткость — 3–15˚, кислотность — 6–7. Мальки появляются на свет через 2 суток и сразу могут питаться. Половая зрелость наступает в 6–8 месяцев.

Барбус зелёный

Его родина — юго-восток Китая и Вьетнам.

В природных условиях длина равна 10 см, в аквариуме обычно не больше 7 см. Самки крупнее самцов.

Тело сильно вытянуто в длину, сжато с боков. Имеется пара коротких усиков.

Основная окраска тела: оливково-жёлтая с золотистым или зеленоватым оттенком. Спина окрашена темнее брюшка. На боку расположено несколько тёмных поперечных полос. Чешуя с темной каймой образует на теле сетчатый рисунок. У основания хвоста имеется черное пятно. Плавники красноватого цвета.

Самец окрашен ярче самки. Во время нереста он становится ярко-золотистым, цвет плавников тоже становится ярче.

Этих немного пугливых рыбок нужно содержать в достаточно просторном аквариуме, в котором наряду с зарослями растений

должно быть хорошо освещённое место для плавания. Необходимо раз в неделю заменять 1/5 часть воды в аквариуме.

Рекомендуемые условия содержания: температура — 20–25 °C, жёсткость и кислотность воды не имеют особого значения.

Для нереста требуется аквариум не менее 60 см в ширину для пары. Рекомендуемые условия при размножении: температура — 24–28 °C, жёсткость — 4–15°, кислотность — 6,5–7. Самка откладывает от 100 до 200 икринок. Инкубационный период — 1–2 суток. Начальный корм для мальков: «живая пыль», инфузории. Зелёные барбусы достигают половой зрелости в возрасте года.

Барбус Шуберта

Это мутационная форма зелёного барбуса, выведенная в искусственных условиях и названная по имени селекционера.

Размеры этой рыбки от 5 до 7 см. Самка крупнее самца.

Тело окрашено в оранжево-жёлтый цвет с золотистым оттенком. У основания хвоста чёрное пятно, пятна поменьше расположены на боках и спине. Эти пятна более заметны у самца, который вообще окрашен ярче. На боку имеется продольная зеленоватая полоса. Плавники окрашены в красный или оранжевый цвет.

Этих немного пугливых рыбок нужно содержать в достаточно просторном аквариуме, в котором наряду с зарослями растений должно быть хорошо освещённое место для плавания. Необходимо раз в неделю заменять 1/5 часть воды в аквариуме.

Рекомендуемые условия содержания: температура — 20–25 °C, жёсткость и кислотность воды не имеют особого значения.

Для нереста требуется аквариум не менее 60 см в ширину для пары. Рекомендуемые условия при размножении: температура — 24–28 °C, жёсткость — 4–15°, кислотность — 6,5–7. Самка откладывает от 100 до 200 икринок. Инкубационный период — 1–2 суток. Начальный корм для мальков: «живая пыль», инфузории.

Барбус-клоун (Барбус Эверетта)

В природных условиях обитают в водоёмах Юго-Восточной Азии.

Это крупный представитель барбусов: его длина доходит до 14 см. В аквариуме его размеры обычно не превышают 10 см. Самка крупнее самца.

Тело вытянутой формы. Имеется две пары усиков.

Общая окраска коричневатая с серебристым отливом. Возможны красноватый, желтоватый или голубоватый отлив. Спина покрыта чёрно-голубыми вытянутыми пятнами. Плавники красные. Самец окрашен ярче самки.

В аквариуме эти подвижные рыбки способны доставить хозяевам неудобства, объедая нежные части подводных растений. Чтобы избежать этого, добавляйте к живому корму растительный. Аквариум от 100 л. Рекомендуемые условия содержания: жёсткость — до 20°, но лучше до 12°, кислотность — 6,5–7, температура — 22–25 °C. Необходимо раз в неделю заменять 1/5 часть воды в аквариуме.

Нерестовик — не менее 50 л (длина — 50–80 см). На дно устанавливают защитную сетку. Субстрат — мелколистные растения, ивовые корешки и т. п. Рекомендуемые условия для нереста:

жёсткость — 6–12°, кислотность — 6,6–7, температура — 25–27 °C. Желательно, чтобы нерестовый аквариум был освещён естественным способом, то есть солнечными лучами. Самка вымётывает от 150 до 250 икринок. Инкубационный период длится 2 суток, появившихся на свет мальков на первых порах надо кормить «живой пылью». Половая зрелость наступает в 8–10 месяцев.

Барбус косицеплавничный

В природных условиях встречается в водоёмах Юго-Восточной Индии.

Размеры этой рыбки, в среднем, составляют 10–12 см.

Тело вытянутое, имеется пара усиков.

Общая окраска красновато-жёлтая с зелёным или серебристым отливом. Бока усеяны зелёными блестящими крапинками. Спина окрашена темнее брюха. По бокам проходят несколько поперечных тёмных полос неправильной формы. Анальный и хвостовой плавники жёлтого цвета. Самец отличается удлинённым спинным плавником красного цвета.

Это подвижные рыбы, которым требуется довольно большой аквариум. Их можно содержать вместе с другими видами барбусов (приблизительно одинаковыми по размерам). В аквариуме должны присутствовать укрытия и местами заросли растений. Эти барбусы не любят, когда вода часто заменяется.

Для размножения косицеплавничных барбусов подготовьте нерестовый аквариум длиной не меньше 80 см на группу рыб из 1 самца и 3–4 самок. Несколько самок пускается в нерестилище по той

причине, что самец может убить самку, неготовую к нересту. Самка вымётывает от 300 до 500 икринок. Инкубационный период продолжается около 2 суток. Мальков следует кормить «живой пылью» или инфузориями.

Барбус латеристрига

В природных условиях встречается в водах Юго-Восточной Азии.

Один из самых крупных видов, барбус латеристрига вырастает до 20 см, в аквариуме обычно его размеры меньше.

Тело вытянутое, имеется две пары усиков.

Общая окраска желтовато-зелёная с золотисто-красноватым блеском, спина окрашена темнее брюха. По бокам проходят две поперечные, неправильной формы, черно-голубые полосы. Ещё одна чёрно-голубая, продольная, полоса расположена ближе к хвосту. Молодые барбусы выглядят ярче, окраска пожилых рыбок однотонная. Плавники красноватые или желтоватые.

У самца плавники более яркие, обычно красные.

В аквариуме рыбки держатся стайками. Их можно содержать в общем аквариуме, снабжённом укрытиями в виде камней и пещер. Будьте готовы к тому, что эти барбусы начнут пробовать на вкус посаженные вами растения и пытаться вырвать их из грунта. Атакам подвергнутся и растения, плавающие на поверхности. Чтобы застраховаться от неприятных последствий, высаживайте растения в горшках и плотно утапливайте их в грунте. Наряду с живым кормом барбусам латеристрига необходима растительная пища. Это может быть плавающая в аквариуме риччия или сальвиния.

Следите только, чтобы эти виды растений вовсе не исчезли из вашего искусственного водоёма.

В нерестовом аквариуме (его размеры: от 70 см длины для пары) обязательно должна быть аэрация. Самка вымётывает в среднем 400 икринок. Инкубационный период продолжается около суток. Половая зрелость наступает поздно, когда рыбки достигнут годовалого возраста.

Барбус огненный

В природе встречается в стоячих и медленнотекущих водах Северной Индии.

В аквариумных условиях вы вряд ли встретите огненного барбуса крупнее 8 см, хотя в природе эта рыбка часто вырастает до 15 см. Самка крупнее самца.

Тело вытянутое, овальной формы, сжатое с боков, усики отсутствуют.

Огненный барбус

Основной фон окраски — зеленовато-серебристый с красноватым или желтоватым отливом. В начале хвоста расположено чёрное пятно, окаймлённое золотистой полосой.

Самец в период нереста окрашивается в ярко-оранжевый, огненный цвет, плавники красные. Самку перед нерестом можно отличить по большому брюху. Она окрашена в бронзово-серебристый цвет, плавники прозрачные.

В аквариуме это стайные и подвижные рыбки. Правда, они могут нанести вред, поедая мягкие части растений. Чтобы этого не происходило, добавляйте к живому корму растительный в достаточном количестве. Огненным барбусам требуется вода, хорошо насыщенная кислородом.

Рекомендуемые условия содержания: температура — 20–26 ˚C, жёсткость — 1–12, кислотность — 6–7,5.

Уровень воды в нерестовом аквариуме не должен превышать 15–20 см. Должна поддерживаться температура 25–27 ˚C. Самка откладывает около 300 икринок. Инкубационный период длится около суток. Начальный корм для мальков: «живая пыль», инфузории. Огненные барбусы достигают половой зрелости в возрасте 6–8 месяцев.

Барбус полосатый

Его среда обитания — водоёмы с густыми зарослями растений. Встречается в водах Индии, Индокитая и Индонезии.

Размеры этой рыбки составляют 6–8 см. В боковой линии около 20 чешуек.

Тело удлинённой формы, имеются две пары усиков.

Самец окрашен в красноватый цвет с тёмными пятнами. Особенно заметны две широкие поперечные полосы. Плавники тоже красноватые. В период нереста окраска самца становится ярче и приобретает насыщенно-красный цвет.

Самка окрашена скромнее. Её основной цвет — светло-жёлтый, тело усеяно пятнами, менее заметными, чем у самца.

Рыбки проявляют агрессию по отношению друг к другу, которой можно избежать, если содержать больше самок, чем самцов. В аквариуме это подвижные рыбы, которым, однако, нужны местами густые заросли.

Нерестовик — 40–80 л. Для разведения в нерестовый аквариум помещают 1 самца и 2–3 самок. Некоторые самцы бывают агрессивны, поэтому в нерестилище должны присутствовать укрытия из зарослей растений. На дно устанавливают сепараторную сетку. Субстрат — мелколистные растения, синтетические волокна и т. п. Рекомендуемые условия для нереста: жёсткость — 2–10°, кислотность — 6,5–7. Рекомендуемая температура в нерестилище: 22–24 °С. В кладке около 200–400 икринок. Инкубационный период длится около суток.

Половая зрелость у полосатых барбусов наступает в 6–8 месяцев.

Барбус пятиполосый

Его родина — спокойные воды Суматры, Сингапура и Калимантана.

Длина до 5 см. Самки крупнее и полнее самцов. В боковой продольной линии около 25 чешуек.

Тело удлинённое, 2 пары усиков.

Общая окраска красно-коричневая. Спина темнее брюха, у основания хвоста есть черное бархатистое пятно. По бокам расположены 5 черных поперечных полос. Плавники тёмно-красного цвета. Самец окрашен ярче самки.

В аквариуме рыбки держатся стайками (их лучше приобретать сразу группой). Им нужно создать благоприятные условия в виде зарослей и плавающих растений, дающих много тени. Старайтесь не часто заменять воду, так как пятиполосые барбусы предпочитают старую, отстоявшуюся воду. Рекомендуемые условия содержания: температура — 18–25 °C, жесткость — 3–12°, кислотность — 6–7.

Перед нерестом будущих производителей лучше рассадить на неделю, все это время давая им обильный корм. Температура в нерестовом аквариуме: 25–30 °C, вода должна быть мягкой. Самка откладывает около 300 икринок. Мальки появляются на свет через 4–5 суток. Начальным кормом для них является «живая пыль». Половая зрелость наступает в возрасте 1 года.

Барбус пятнистый

В природных условиях широко распространён в водоёмах Юго-Восточной Азии, в том числе Индии и Филиппинах.

Хотя в природе он вырастает до 18 см, в аквариумных условиях его длина редко превышает 10–12 см. Самка крупнее самца.

Общая окраска голубовато-серебристая с крупными темными пятнами, разбросанными по бокам. Спина темнее брюха. Самец окрашен ярче самки.

Аквариумные рыбы

В аквариуме это неприхотливые рыбки, для которых подходят следующие условия содержания: температура — 22–26 °C, жёсткость — 5–15°, кислотность — 6–7,5.

Условия размножения совпадают с общими, описанными выше. Рыбки становятся половозрелыми в возрасте 1 года.

Барбус синештриховый

В природе он широко распространён в водоёмах Южной Африки. Размеры этой рыбки — 4–6 см.

В аквариуме это подвижная рыбка, которая хорошо уживается с другими видами, но не любит стеснённости, поэтому предоставьте ей достаточно объёмный сосуд. Можно держать группами. Рекомендуемые условия содержания: температура — 20–25 °C, жёсткость — 5–15°, кислотность — 6,5–7,5.

В период размножения температура в нерестовом аквариуме должна быть немного выше обычной, остальные показатели могут совпадать. Самка мечет икру на мелколистные растения. В кладке 400–500 икринок. Половозрелости эти барбусы достигают в возрасте 1 года.

Барбус солнечный

Встречается в природных условиях в водоёмах Центральной Индии.

Это небольшой барбус, достигающий в длину не больше 4 см. Самка крупнее самца. У самца золотисто-зелёные бока и оливковая спинка. На всём теле и плавниках есть чёрные пятна, имеется

поперечная яркая полоса красноватого цвета с медным оттенком. Самка окрашена скромнее, её полоса красновато-золотистого цвета.

Эти барбусы неприхотливы в аквариумных условиях и предпочитают невысокую температуру воды. Рекомендуемые условия содержания: температура — 18–24 °C, жёсткость — 5–12°, кислотность — 6,5–7,5.

В период размножения в нерестовом аквариуме должна поддерживаться температура 20–24 °C, вода нейтральная (pH 7). Самка выметывает икру на широколистные растения. Инкубационный период продолжается около суток. Начальный корм для мальков: «живая пыль», инфузории.

Барбус суматранский (барбус четырёхполосый)

Один из самых распространённых видов барбусов, он обитает в водоёмах Индонезии и Юго-Восточной Азии.

Средние размеры этой рыбки — 4–6 см. Самка крупнее самца. В боковой линии около 20 крупных чешуек.

Тело удлинённое, овальной формы, сжатое с боков. Имеется пара коротких усиков.

Общая окраска светло-жёлтая или золотисто-оранжевая с красноватым отливом. По бокам проходят четыре поперечные полосы чёрного цвета с зеленоватым оттенком. Спина темнее брюшка. Спинной плавник самца окрашен в чёрный и красный цвета, остальные плавники просто красные. Плавники самки или прозрачные, или красноватые.

В аквариуме эти рыбки предпочитают держаться стайками. Им нужен достаточно просторный сосуд, иначе рыбки могут перестать размножаться. 1/5 часть воды должна заменяться еженедельно.

Рекомендуемые условия содержания: температура 20–28 °C, жёсткость и кислотность воды большого значения не имеют. Суматранского барбуса можно кормить живым и сухим кормом, но в рацион обязательно должны входить растительные добавки.

В нерестовом аквариуме следует установить температуру 26–30 °C. Обязательное условие: в нерестилище должны быть мелколистные растения, на которых будут висеть личинки. Будущих производителей желательно отобрать заранее и содержать отдельно. Самка вымётывает 400–600 икринок. Инкубационный период продолжается около суток. Появившихся мальков нужно кормить инфузориями, а через некоторое время добавить к ним циклопов и дафний. Половой зрелости рыбы достигают через 6–8 месяцев. За теплое время года самка суматранского барбуса способна несколько раз отложить икру и дать потомство.

Барбус филаментозус

В природных условиях населяет юго-восток и юг Индии и Шри-Ланки.

В длину достигает 15 см, в аквариуме обычно меньше.

Тело вытянутой формы, усики отсутствуют.

Общий фон окраски серебристо-коричневый с голубоватым, красноватым, золотистым или зелёным оттенком. Спина темнее брюшка. В начале хвоста имеется чёрное пятно. Плавники желтоватого

или красноватого цвета. Молодые рыбы имеют серебристую окраску с чёрными поперечными полосами.

Во время нереста самец меняет окраску. Его брюшко становится ярко-красного цвета, а на передней части туловища появляются светлые крапинки.

В аквариуме это подвижные, миролюбивые, стайные рыбы, которым требуется достаточно объёма для комфорта.

Во время нереста подготавливается аквариум размерами не менее 80 см для пары рыб. Самка выметывает 200—400 икринок. Через 2 суток из икринок вылупляются личинки. Через 5 дней мальков можно кормить «живой пылью» и инфузориями. Эти барбусы достигают половозрелости поздно, в возрасте больше года.

Барбус фунтунио

В природных условиях этот небольшой представитель барбусов обитает в водоёмах Индии и Шри-Ланки. В Европе и России он известен с начала XX века.

Размеры не превышают 3—4 см.

Тело удлинённой формы, окрашено в период нереста в ярко-золотистый цвет. По бокам проходят пять поперечных тёмно-синих полос.

В аквариумных условиях это подвижная и неприхотливая рыбка, требующая достаточно пространства. Мирно уживается с другими видами. Рекомендуемая температура: 22—26 ˚С.

Условия размножения и кормления мальков совпадают с общими, описанными выше. Инкубационный период длится около 1 суток.

Барбус чёрный

Среда обитания — мелкие медленно текущие водоемы Шри-Ланки.

Размеры рыбки от 4 до 7 см. В боковой линии около 20 чешуек. Самец обычно крупнее самки. Тело удлинённой формы, усики отсутствуют. Общий фон окраски зеленовато-жёлтый с серебристым или золотистым отливом. По телу проходят 3–4 тёмные поперечные полосы. Спина окрашена темнее брюха. Самка окрашена скромнее самца, но у неё четче видны эти полосы.

В период нереста у самца передняя часть тела становится пурпурно-красной, а задняя — чёрной с бархатистым оттенком. Плавники чёрные, с вкраплениями красного цвета.

В аквариуме это мирные и очень подвижные рыбки, держащиеся стайками. Желательно содержать не менее 10 экземпляров в аквариуме длиной от 100 см, украшенном местами зарослями и плавающими растениями. Можно также снабдить аквариум укрытиями. Рекомендуемая температура содержания: 23–26 ˚C.

Если вы намереваетесь разводить чёрных барбусов, то посадите на нерест не пару, а группу рыбок — это даст больше шансов получить потомство. Перед нерестом будущих производителей лучше содержать отдельно в течение недели и обильно кормить энхитреями. Рекомендуемые условия содержания при нересте: температура — 24–26 ˚C, жёсткость воды — 5–20˚, кислотность — 7. Уровень воды в нерестилище должен быть около 10 см. Самка мечет до 500 икринок. Инкубационный период длится 2–3 суток, мальков следует кормить инфузориями и «живой пылью». Половозрелости рыбки достигают в возрасте 1 года.

Усач островной
(барбус олеголепис)

В природных условиях населяет мелкие спокойные водоёмы островов Индонезии.

Эти рыбки небольшие по размерам: их максимальная величина — 5 см. Самец крупнее самки. Тело удлинённой формы, имеются усики (одна или две пары). Самцы окрашены ярче, в их окраске преобладают бронзовые, красные и коричневые тона. Спина темнее брюха. Плавники красно-коричневые с чёрной каймой. На боках расположено множество блестящих точек. Чешуйки окантованы чёрным. Самка скромнее, она окрашена обычно в серо-коричневые тона с чёрными пятнами. Её плавники прозрачные.

В аквариумных условиях держатся стайками. В аквариуме с островными усачами нежелательно часто менять воду. Рекомендуемые условия содержания: температура 20–26 °С, жёсткость и кислотность воды не имеют большого значения.

Нерестовый аквариум должен иметь длину не менее 40 см для пары рыб. Рекомендуемые условия при нересте: температура — 24–28 °С, жёсткость — 3–6, кислотность — 6–7. Самка вымётывает на мелколистные листья от 50 до 200 икринок. После икрометания рыб лучше отсадить, так как они могут сожрать свою икру. Инкубационный период продолжается 2–3 суток. Мальков нужно кормить инфузориями и «живой пылью». Рыбки достигают половой зрелости в 8–10 месяцев.

В заключение следует добавить, что, помимо множества описанных выше видов, есть и другие виды барбусов, часто содержащиеся в аквариумных условиях. Вот они: барбус розовый, гамбийский,

серебристый, терио, Вернера, меднополосый, леопардовый, крестовый, зебра, мотебе, усач красноточечный, меднополосый, клоун оливковый и некоторые другие.

Род брахиданио (Brachydanio)

Общая характеристика

Рыбы этого рода — частые жители аквариумов. Они привлекают любителей своей красотой и неприхотливостью.

В природных условиях рыбы семейства брахиданио обитают в водоёмах Бангладеша, Бирмы, Индии, Малайзии, Таиланда, Индонезии. Они предпочитают стоячие и медленно текущие водоемы.

Тело стройное, удлинённой формы, сжатое с боков. Имеются усики, обычно одна или две пары. Плавники вуалевые, удлинённые. Самка отличается от самца более грузным сложением, особенно в период нереста.

Рыбы миролюбивые и очень подвижные. Из-за их прыгучести аквариум должен быть плотно накрыт стеклом сверху. Кроме того, он должен быть хорошо освещён и достаточно просторен. Необходима

Брахиданио

Экзотические рыбы

аэрация, так как данио любят прозрачную, богатую кислородом воду. Можно содержать в закрытом сверху общем аквариуме, в котором наряду с растениями должно быть достаточно свободного места для плавания. Для их содержания лучше всего подходят большие, вытянутые в длину аквариумы с растениями и с большим пространством для плавания. К химическому составу воды они нетребовательны, но предпочитают свежую воду. Средняя рекомендуемая температура для рыб рода брахиданио — 18–25 °C. В отношении корма эти рыбки неприхотливы. Им подходит любой живой или сухой корм. Поедают все виды традиционных аквариумных кормов.

Нерестовый аквариум для брахиданио должен иметь ёмкость 5–20 л. Уровень воды — около 10 см. На дно поместите сетку-поддон, так как данио пожирают свою икру, и высадите несколько мелколистных растений (элодею или мох, например). Свежая вода должна иметь те же параметры, что и в обычном аквариуме.

Перед посадкой на нерест самцов и самок держат раздельно в течение недели и хорошо кормят живым кормом. На нерест можно сажать пару, но лучше двух самцов и одну самку или группу рыб с преобладанием самцов. Рыб помещают в нерестилище вечером (ночью рыбкам легче освоиться) и поднимают температуру на 2–3 °C. Аквариум располагают так, чтобы на него падали первые лучи восходящего солнца. Нерестовик — 3–15 л, уровень воды — 8–12 см. Вода свежая, отстоянная 1–3 дня. Жёсткость воды решающего значения не имеет, кислотность в пределах 6,5–8. Нерест обычно происходит утром при восходе солнца или при включении освещения. Самка откладывает от 100 до 500 икринок. После нереста «родителей» отсаживают.

Аквариумные рыбы

Инкубационный период продолжается 24—36 часов. Появившиеся личинки первое время висят на растениях и стёклах аквариума, они начинают плавать лишь через несколько дней. Начальный корм для мальков: инфузории, «живая пыль», коловратки, в крайнем случае яичный желток. Рыбки брахиданио созревают к 4—6 месяцам.

Данио голубой (данио таиландский)

В природных условиях его ареал ограничен несколькими островами в северной части Сиамского залива.

Достигает в длину до 5 см. В боковой линии около 30 чешуек.

Тело удлиненной формы, сжатое с боков, имеются две пары усиков.

Спина окрашена в серо-голубой цвет с красноватым отливом, бок отливает голубоватым, брюшко голубоватое с белым. По бокам проходят продольные красно-золотистые линии. Плавники окрашены в желтовато-зелёный цвет. Самец окрашен ярче самки.

Рекомендуемые условия содержания в аквариуме: температура — 23—27 ˚С, жёсткость — 3—15˚, кислотность — 6,5—7,5.

Данио розовый (данио жемчужный)

Его родина — спокойные реки и ручьи Бирмы, Малайзии, Таиланда и острова Суматра.

Рыбка вырастает до 5—6 см в длину. Самка выглядит крупнее самца. Тело удлинённой формы, слегка сжатое с боков. Имеются две пары усиков. Общий фон серо-зелёный, местами оливковый

или серебристый, тело отливает зеленоватым, голубоватым или фиолетовым цветом. Вдоль тела идёт красная полоса, обрамлённая тёмно-синими линиями, особенно заметная у молодых рыбок. У взрослых рыб полоса ближе к хвосту затемнена. Самец окрашен ярче самки. Спинной плавник желтовато-зелёный, анальный вишнёвого цвета, хвост зеленоватый, с красным пятном.

Рекомендуемые условия содержания в аквариуме: температура — 20–25 °C, жёсткость — 5–15°, кислотность — 6,5–7,5. Подходящий грунт — крупный песок или мелкий гравий.

Условия при нересте описаны выше, в общем описании рода. 12-литровый нерестовик наполняют водой так, чтобы она лишь на 7,5 см покрывала грунт. С началом нерестового периода брачная пара устраивает в аквариуме настоящие гонки. Самка вымётывает на мелколиственные растения около 500 икринок. Порционное икрометание продолжается до тех пор, пока запас икры у самки не иссякнет. Инкубационный период длится 3–4 суток. В первые 2 дня мальков обильно кормят инфузориями. Мальков надо подкармливать коловратками, «живой пылью».

Данио леопардовый

Вопрос о его происхождении ещё не решён окончательно. Родиной считается Индия, но есть мнение, что леопардовый данио — мутационная форма данио рерио. Длина тела: 4–5 см. В боковой линии около 28 чешуек. Имеются две пары усиков.

Окраска золотистая или светло-серая, с многочисленными тёмными пятнышками. Спинной плавник тёмный с жёлто-чёрными

полосками, остальные плавники желтоватые. Самка окрашена значительно светлее самца.

Рекомендуемые условия содержания: температура — 18–24 °C, жёсткость — 3–18°, кислотность — 6–7,5.

Условия размножения совпадают с общими, описанными выше.

Данио рерио (данио-зебра)

В природных условиях встречаются в водоёмах Бангладеш и Индии.

Средние размеры этой рыбки: 4,5 см. Самка немного крупнее самца. Тело удлинённой формы, имеются две пары усиков. Общий фон окраски оливково-синий с золотистым или серебристым отливом. От головы к хвосту идут чёрно-синие и золотистые продольные полосы. Плавники светло-жёлтого цвета. У самца золотистый отлив с четырьмя полосами. Самка имеет серебристый отлив и две продольные полосы.

Данио рерио нужно содержать в аквариуме, засаженном растениями и плотно закрывающимся сверху. Рекомендуемые условия:

Данио-зебра

температура — 20–24 °C, жёсткость — 5–20°, кислотность — 6–7,5. Корм живой и сухой.

Признаки готовности к нересту: самцы становятся возбуждёнными, устраивают драки; у самок утолщается брюшко. Перед посадкой на нерест производителей желательно выдержать в течение недели отдельно и увеличить порции корма. Уровень воды в нерестилище 10–15 см. Рекомендуемые условия при нересте: температура — 24–26 °C, жёсткость — 5–10°, кислотность — 7. Самка откладывает от 50 до 300 икринок. Взрослые рыбы поедают икру. Инкубационный период длится около 1 суток. Мальков кормят «живой пылью», инфузориями, яичным желтком. Половозрелыми данио рерио становятся через 6–8 месяцев. Скрещиваются с данио точечным.

Данио точечный

В природных условиях встречается в реках и прудах Бирмы и Индии.

Длина 3–5 см. Имеется пара усиков. Самка крупнее самца.

Формой тела очень похож на данио рерио.

Общая окраска коричнево-жёлтая. Спина темнее брюшка. Вдоль тела проходит золотисто-коричневая полоса, рядом проходит такая же полоса чёрно-голубого цвета. Плавники желтовато-коричневого цвета, на анальном имеются голубые точки и пятна. Брюхо у самца желтовато-белое, у самки — оранжевое.

Рекомендуемые условия содержания: температура — 24–26 °C, жёсткость — 5–15°, кислотность — 6,5–7,5.

Условия размножения совпадают с общими, описанными выше. Данио точечный скрещивается с данио рерио.

Род данио (Danio)

Общая характеристика

Рыбки, входящие в род данио, населяют водоёмы со стоячей и проточной водой Юго-Восточной Азии. Их главные отличия от брахиданио: более крупные размеры и наличие полной боковой линии. На спинном плавнике имеется 12–18 лучей.

Этих мирных и подвижных рыбок можно содержать в общем аквариуме, надежно закрытом сверху. Растения должны присутствовать, но таким образом, чтобы оставалось достаточно простора для плавания. Для содержания необходим просторный аквариум, вытянутый в длину. Обязательна подмена 1/3–1/5 части объема воды раз в неделю на свежую.

Рекомендуемые условия: температура — 20–25 °C, жёсткость — 3–15°, кислотность — 6–7,5. Корм живой и сухой, достаточно разнообразный.

На нерест сажают пару или небольшую группу с преобладанием самцов. Нерестовик — 30–100 л, сильно вытянутый в длину, не менее 60 см, уровень воды — 15–20 см. Высадите в аквариум

Данио

мелколистные растения. Данио поедают свою икру, поэтому, если вы желаете получить потомство, разместите на дне сетку-поддон. Уровень воды — 15–24 см. Обязательны защитная сетка и аэрация. Оптимальные условия для нереста: жёсткость — 6–20°, кислотность — 6–7,2, температура воды — 26–28 °C.

Рыбок-производителей помещают в нерестовый аквариум вечером. Обычно за ночь рыбки осваиваются на новом месте, и с первыми лучами начинается нерест. Самка выметывает более 1000 икринок. Рыб после нереста удаляют. Инкубационный период продолжается 2–3 суток. Начальный корм для мальков: инфузории, яичный желток. Данио становятся половозрелыми в 8–12 месяцев.

Данио королевский (данио Регина)

Его родина — водоемы Лаоса и Таиланда.

В длину рыбка достигает 8–12 см.

Общая окраска оливково-зеленая с голубым отливом. На боках расположено черное пятно.

Условия содержания и размножения описаны выше (см. общую характеристику).

Данио малабарский

Встречается в реках Индии и Шри-Ланки.

Средние размеры — 8–12 см, в природных условиях иногда вырастает до 15 см. Самка крупне самца.

Тело удлинённой формы, сжато с боков, имеются усики (одна или две пары).

Общая окраска бежево-оливковая, спина темнее брюха. По бокам проходят блестящие продольные голубые полосы, разделенные золотисто-красными полосами. На остальных участках туловища также имеются золотистые линии и пятна. Брюшной и анальный плавники красноватого цвета, хвостовой и спинной — голубые.

Рекомендуемая температура для содержания в аквариуме: 22–27 °С. Корм живой и сухой.

Условия размножения совпадают с общими, описанными выше.

Род карась (Carassius)

Родоначальник золотых рыбок отличается от обыкновенного карася более продолговатым телом, серебристой окраской, более длинным кишечником. Кропотливая селекционная работа, многие секреты которой передавались из поколения в поколение, привела к появлению нескольких сотен новых пород.

Рыбка золотая

Выведена искусственно, путём отбора и скрещивания серебряного карася много веков назад. Это первая декоративная рыбка и к тому же один из долгожителей рыбьего царства (срок жизни превышает 40 лет).

Это, наверняка, самая известная рыбка из всех аквариумных видов. Мы хорошо знаем золотую рыбку еще с детства. Первые сведения о ней получены из Китая и относятся к промежутку между 968 и 975 гг. А ещё раньше золотая рыбка изображалась на гербах

Золотая рыбка

знатных китайских родов. Редкие породы, выведеные в ходе кропотливой и неустанной работы, считались привилегией китайских императоров, попытки вывоза рыбок за пределы страны пресекались. В Европе, по свидетельству Альфреда Брема, они появились в начале XVII века. Примерно в это же время золотая рыбка становится известна в России.

В специальных водоёмах золотая рыбка может вырасти до 35 см, но в обычных аквариумах её размеры значительно меньше.

Тело удлинённой формы, слегка сжато с боков.

Основная окраска тела и плавников красно-золотистая, спина темнее брюшка. Другие разновидности окраски: бледно-розовая, красная, белая, черная, чёрно-голубая, жёлтая, тёмно-бронзовая, огненно-красная. Перечислить всё многообразие окраски невозможно.

Отличить самцов от самок можно лишь в период нереста. Тогда у самки округляется брюшко, а у самцов на грудных плавниках и жабрах появляется белая «сыпь».

Золотая рыбка лучше смотрится в бассейнах, чем в аквариумах. Постарайтесь обеспечить ей грунт из гальки, естественное освещение и фильтрацию. Для всех разновидностей необходима хорошая аэрация. Любит рыться в грунте. Сам аквариум должен быть просторным и видовым, с крупнолистными растениями. В общем аквариуме её можно содержать лишь вместе со спокойными рыбами.

К характеристикам воды золотые рыбки нетребовательны, например, температура может колебаться от 18 до 30 °С. Оптимальной следует считать в весенне-летний период 18–23 °С, зимой — 15–18 °С. Жёсткость — 8–25°, кислотность — 6–8. При плохом самочувствии рыб в воду можно добавлять соль — 5–7 г/л. Рыбки неплохо переносят солёность 12–15%. Желательно регулярно заменять часть объема воды.

В корм годится почти всё: мотыль, дафния, порезанные дождевые черви, скобленое мясо, крошки хлеба, риччия, ряска, мелко нарезанная овощная зелень, сухой корм.

Готовую к нересту самку можно распознать по толстому брюшку, наполненному икрой. Самец приобретает брачный наряд и плавает за самкой. Для разведения золотых рыбок нужен большой нерестовик, чем больше, тем лучше, длиной не менее 50 см, с множеством кустящихся растений. Грунт песчаный, мелколистные растения. На нерест сажают одну самку и двух-трёх самцов, достигших возраста 2 лет. Перед этим их держат 2–3 недели раздельно. Рекомендуемая температура: 24–26 °С. Для стимуляции нереста воду следует постепенно подогревать, так чтобы её температура

стала на 5–10 ˚С выше первоначальной. Самцы, которые вынуждены носиться с большой скоростью, начинают гонять самок, и икра оказывается рассеянной по всему аквариуму, в основном на растениях. Самка мечет до 10 000 икринок. После нереста рыб удаляют. Стартовый корм для мальков — «живая пыль».

Длиннотелые рыбки живут до 40 лет. Трудом китайских и японских селекционеров получено большое количество разновидностей золотой рыбки. Ниже описаны некоторые из них.

Буйвологоловка (ранчу)

Тело округлой формы, укороченное. На верхней части головы имеется массивный нарост, образованный уплотнением кожи. У молодых рыб нарост отсутствует. Отличительная особенность буйвологоловки — отсутствие спинного плавника. Хвостовой плавник раздваивается на конце.

Окраска может быть разнообразной, лучшими считаются экземпляры красного цвета. Есть также рыбы красного цвета с белыми пятнами на теле; с белым телом и красными плавниками или с красной жаберной крышкой.

Веерохвост

Тело шаровидной формы. Своим названием рыбка обязана волнообразному хвостовому плавнику, состоящему из нескольких свисающих складок.

Окрашен в оранжевый, огненный цвет. Плавники прозрачные или оранжево-красные.

449

Водяные глазки

Тело овальное, округлой формы. Эту рыбку легко отличить по её шаровидным глазам огромных для рыб размеров, свисающим по обе стороны головы. Спинной плавник отсутствует.

Рыбки могут быть окрашены в оранжевый, серебристый или другой цвет.

В аквариуме с ними надо обращаться очень осторожно, особенно при пересадке. Лучше держать их в аквариумах без растений, камней и других подводных предметов. Этих нежных и медлительных рыбок могут повредить другие виды, поэтому лучше приспособить для них отдельный аквариум.

Вуалехвост

Это одна из самых хорошо известных разновидностей золотой рыбки. Тело округлое, овальной формы. Голова короткая, округлая, плавно переходящая в туловище. Его отличительная особенность — длинный раздвоенный хвостовой (а иногда и спинной) плавник. Хвост может превышать длину рыбки в 3–4 раза. Он спадает складками вниз и напоминает вуаль, за что рыбка и получила своё название.

Чаще всего встречаются вуалехвосты, окрашенные в красный цвет, но бывают и жёлтые, чёрные, пятнистые или белые экземпляры. Почти всегда есть блестящий оттенок.

Условия содержания и размножения такие же, как у золотой рыбки. Вуалехвосты очень восприимчивы к смене температурного режима и легко простужаются или перегреваются.

Жемчужинка

Эта рыбка получила свое имя за крупную, выпуклую чешую, похожую на жемчуг. Она имеет тело округлой формы. Спинной плавник стоит вертикально, анальный раздвоенный. Все плавники короткие.

Тело окрашено в золотистый или оранжевый цвет.

Жемчужинка была выведена в Китае в середине XIX века и считается довольно редкой породой.

Красная шапочка

Свое название рыбка получила за красную окраску верхней части головы, напоминающую шапочку.

Тело округлой формы. Спинной плавник отсутствует, раздвоенный хвост свисает вниз

Окраска серебристая с металлическим блеском, верхняя половина головы оранжевого или красного цвета.

Львиноголовка (оранда)

Эту рыбку нельзя спутать ни с какой другой из-за её своеобразного внешнего вида. Тело округлой формы, овальное. Голова и жабры покрыты наростами, напоминающими ягоду малины или львиную гриву. Спинной плавник отсутствует. Внешне напоминает вуалехвоста.

Окраска может быть различной: от белых и чёрных цветов до оранжевых, красных, золотистых и других отенков.

Львиноголовка китайская
(львиноголовка красная)

Тело округлое, овальной формы. Спинной плавник отсутствует. На верхней части головы и по её бокам имеется массивный полупрозрачный нарост, отличающий рыбку от других родственных видов. Хвостовой плавник вуалевый, больших размеров.

Тело окрашено в золотистый или светло-красный цвет. Нарост ярко-красного цвета.

Гирошима

Ещё одна разновидность львиноголовки. Она отличается от основной формы маленькими пушистыми наростами, расположенными вокруг рта. Наросты окрашены в красный или белый цвет. Анальный и хвостовой плавники раздвоенные, все плавники довольно больших размеров.

Комета

Тело вытянутой формы. Хвостовой плавник раздвоенный, с глубоким вырезом, почти равен в длину всему туловищу рыбки. В остальном комета внешне напоминает золотую рыбку. Окраска может быть различной, чаще всего встречаются серебристые рыбки с желтым хвостом.

Для содержания таких рыбок требуется аквариум средних размеров с уровнем воды не более 30–40 см. Рекомендуемая температура — 20–25 °C. Необходима аэрация.

Экзотические рыбы

Для размножения отсадите в нерестилище одну самку и двух самцов. В нерестовом аквариуме должны быть растения с мелкими листьями (например, элодея, роголистник).

Небесное око

Эта разновидность золотой рыбки напоминает водяные глазки. Тело округлое, овальной формы. Шаровидные глаза выступают над головой и направлены вверх и немного вперёд. Спинной плавник отсутствует, остальные плавники развиты слабо. Окраска сильно варьируется.

Телескоп китайский

Эта разновидность сильно напоминает веерохвоста, но с характерными для телескопов большими и выпуклыми глазами. Особенно ценятся особи с шаровидными глазами.

Спинной плавник отсутствует, все плавники развиты слабо. Может не иметь чешуи.

Окраска сильно варьируется.

Телескоп ситцевый

Он получил своё название из-за своей окраски: по всему телу и плавникам разбросано большое количество пятнышек.

Окраска сильно варьируется.

И к китайскому, и к ситцевому телескопам относится сказанное выше по поводу условий содержания.

Помпон

Тело короткое, яйцеобразное, вздутое. Имеются наросты по обе стороны головы. Окраска тела и наростов должна отличаться. Спинной плавник отсутствует.

Окраска сильно варьируется.

Шубункин

Характерное отличие этой разновидности золотой рыбки — её пестрая окраска. По всему телу и плавникам разбросаны пятнышки разных цветов. Основные встречающиеся тона окраски: чёрный, красный, голубой, синий, жёлтый.

Тело округлой формы, плавники, особенно раздвоенный хвостовой, хорошо развиты. Чешуйки прозрачные.

Телескоп чёрный

Если посмотреть на эту рыбку, то сразу станет понятно её необычное название. Отличительная особенность телескопа — его огромные, выпуклые глаза, расположенные на конических выростах.

Тело округлое, овальной формы. Спинной плавник стоит вертикально, длинный хвостовой свисает вниз.

Всё тело и плавники окрашены в бархатисто-чёрный цвет. Выведены черные телескопы с различными оттенками глаз.

В аквариуме телескопов (любой разновидности) нужно содержать отдельно, потому что это нежные, неуклюжие и медленные рыбы. Более быстрые и активные представители рыбьего мира

могут причинить телескопам вред, поедая их корм или повреждая их плавники и глаза. Глаза телескопов очень уязвимы и легко повреждаются, что приводит к слепоте. Чтобы избежать этого, предоставьте им отдельный аквариум без острых подводных предметов (острых камней, скал и т. п.). Не переносят резких температурных колебаний.

Род лабео (Labeo)

Общая характеристика

В род лабео входит около 30 видов. В природе эти рыбы встречаются в водах Африки и Юго-Восточной Азии. Они предпочитают мелкие, заросшие растениями водоёмы.

Тело удлинённое. Характерная особенность: возле губ расположены бородавки. Имеются две пары усиков. Плавники хорошо развиты, хвостовой плавник раздвоен.

Эти подвижные рыбы делят водоем на территориальные участки и нападают на «чужаков», зашедших на их территорию. Взрослые лабео проявляют агрессию по отношению друг к другу.

При содержании в аквариуме нескольких экземпляров соблюдается иерархия, и наиболее сильный самец может заплывать на территории других рыб. Чтобы предотвратить постоянные стычки между рыбками, вы должны как бы поделить аквариум на участки, разместив соответствующим образом растения и подводные предметы — они будут служить границами. Не забудьте поместить достаточно укрытий — гротов, пещер, груд камней.

Рекомендуемые условия содержания: температура — 24–26 °С, жёсткость воды — 3–15°, кислотность — 6–7,5. Корм: живой, сухой

и растительный. В качестве растительного корма подойдут обыкновенные водоросли, появляющиеся на стенках аквариума.

Лабео редко размножаются в искусственных условиях. Дело в том, что для удачного нереста рыбкам необходимо обеспечить проточность воды, а сделать это под силу лишь опытному аквариумисту.

На нерест обычно сажают пару или 1 самку и 2 самцов старше года. Готовую к нересту самку легко распознать по округлому, объемному брюху.

Нерестовый аквариум должен иметь длину около 1 м с уровнем воды 30—40 см, с кустами растений и укрытиями. Нужна слабая аэрация. Самка вымётывает от 500 до 1000 икринок. После нереста рыб следует удалить, так как они поедают икру.

Инкубационный период продолжается меньше суток. Появившихся на свет мальков нужно кормить «живой пылью». В качестве дополнительного корма может быть налёт водорослей на стенках аквариума.

Лабео двухцветный

Известен в нашей стране сравнительно недавно — с 60-х годов XX века.

В природных условиях встречается в небольших водоемах Таиланда.

В аквариуме достигает в длину 10—12 см, хотя в природе может иметь значительно большие размеры. В боковой линии около 30 чешуек. Спинной плавник вытянут. Хвостовой плавник окрашен в ярко-красный цвет, остальные плавники и туловище — бархатисто-чёрные. Самец окрашен ярче самки.

Аквариум для содержания желателен не менее 200 л, широкий, со множеством укрытий, засаженный растениями. Грунт тёмный. Любит мягкую воду. Жёсткость природной воды около 10°, кислотность — 7,2–7,4, температура — 24–27 °С. В рационе обязательно должен быть живой корм. Хорошие результаты даёт кормление рыбной пастой «Океан», яичным желтком, белым хлебом. В рационе обязательно должен быть живой корм.

Нерест сезонный, трёхпорционный. На одну самку должно приходиться 2–3 самца. Температура — 28–29 °С. Стартовый корм: мельчайший планктон, дополнительно — зелень, соскобленная со стенок аквариумов, крутой яичный желток.

Лабео зелёный

В природных условиях обитает в бассейне реки Меконг, Таиланд.

В аквариуме достигает в длину 8 см, хотя в природе может иметь значительно большие размеры.

Тело окрашено в оливково-зелёный цвет. Через всю голову от глаз до жабр проходит тёмная полоса, на начале хвоста имеется чёрное пятно. Плавники красновато-жёлтые. Радужная оболочка глаза красноватая.

Самец окрашен ярче самки. В период нереста у него появляется чёрная кайма на анальном плавнике.

Лабео постоянно конфликтуют между собой, но стычки редко заканчиваются травмами. На каждую особь размером 10 см должно приходиться 30–50 л. Рекомендуемые условия содержания: жёсткость — 4–20°, кислотность— 6,5–7,8, температура — 24–29 °С. Необходимы аэрация, мощная фильтрация и подмена воды.

Нерестовик — около 150 л. Оптимальные условия для размножения: жёсткость — 2–15°, кислотность — 6,5–7,5, температура — 28–29 °С. После окончания нереста производителей удаляют. Инкубационный период — 12–15 часов. Мальков начинают кормить через 3 дня.

Лабео красный

Ещё один вид лабео, часто содержащийся в аквариуме. В природных условиях встречается в водоемах Таиланда.

В длину красный лабео достигает 10–12 см, в природе может иметь значительно большие размеры. Тело окрашено в бархатисто-красный цвет. Такого же цвета и все плавники. Самец наряднее самки. В период нереста окраска становится более яркой.

Любит мягкую воду. В рационе обязательно должен быть живой корм.

Род расбора (Rasbora)

Общая характеристика

Этот род широко распространен в водоёмах Южной и Юго-Восточной Азии, в Индонезии и на Филиппинах. Стайные рыбы, которые держатся в верхних слоях стоячих и медленно текущих вод. Это маленькие или очень маленькие рыбы с вытянутым в длину и более или менее сплющенным с боков телом.

Расборы — миролюбивые рыбы, их можно содержать вместе с другими без особых трудностей. Оптимальные условия: жёсткость —

до 12°, кислотность — 6,5–7,2, температура — около 24 °C, минимальная 17 °C. Еженедельно надо подменивать 1/5 часть воды. Корма — обычные аквариумные.

Нерестовик — 10–50 л. Для большинства видов нужна старая, торфованная вода, жёсткостью 1,5–2,5°, кислотность 5,3–6, с температурой около 26 °C. На дно укладывают чисто промытый песок и большое количество мелколистных растений. Самка приклеивает икру к внутренней стороне листа. Мальков выкармливают коловраткой, науплиями циклопов и артемии.

Расбора гетероморфа

Эти рыбы распространены на Суматре и в Таиланде. Обычно эти рыбы населяют водоёмы, значительная часть которых заросла криптокориной, с очень мягкой и теплой водой.

Бежево-розовая с вишневым отливом, на задней части тела — большой чёрно-синий треугольник. Самец стройнее самки. Тело рыб относительно короткое, высокое, с боков сильно сжатое. Особенно привлекательно выглядит черное треугольное пятно с заострённым передним нижним углом у самцов и тупым — у самок.

Мирные стайные рыбки. Аквариум желателен просторный, не слишком засаженный растениями. Вода старая, жёсткость — до 20°, но лучше 2–12°, кислотность — 5,5–7,5, температура воды — 22–25 °C.

Нерест проводится в цельностеклянных сосудах не менее 25 см в длину при слое воды 18–20 см. Из растений используют криптокорины или гигрофилу. Уровень воды — 15–20 см. Рекомендуемые условия для нереста: жёсткость — 1–3° до 6°, карбонатная жёсткость —

Расбора — гетероморфа

0–0,5°, кислотность — 5,3–6,7, температура — 25–28 °C. Существует зависимость соотношения полов в потомстве от величины pH, при которой происходит нерест и выращивается молодь.

Другие распространённые аквариумные виды расбор: краснополосая расбора, красочная расбора, расбора Штайнера, трёхлинейная расбора и другие.

Род танихтис (Tanichthys)

Кардинал

Населяет юг Китая, горные водоёмы в районе Гуанчжоу.

На желтовато-коричневом фоне вдоль боков до хвостового плавника проходит светящаяся зелёно-синяя полоска. Имеется вуалевая форма. Самец стройнее самки. Кроме того, брюшко у самца плоское, а у самки — округлое. Длина кардинала — около 3 см.

Весёлый, мирный кардинал уживается в общем аквариуме с другими небольшими рыбками. В аквариуме, где живут кардиналы,

Танихтис

растения должны быть засажены не густо, так как эти рыбки любят яркий свет.

Аквариум — от 10 л. Рекомендуемые условия содержания: жёсткость — 8–20°, кислотность — 6,8–7,8, температура — 18–23 °C, выдерживают понижение до 5 °C и повышение до 30 °C. Содержание кардиналов в аквариуме не представляет сложности, так как рыбки неприхотливы к корму. Но все же кормить их лучше мотылем и трубочником. При отсутствии их можно давать сухой корм с добавлением витамина В.

Нерестовик — 3–15 л. Нерест порционный, стайный. Для разведения кардиналов необходимо самок разлучить на пять-семь дней с самцами. Один раз в неделю в нерестилище следует подливать свежую воду до 1/5 объема. Субстрат — мелколистные и плавающие у поверхности воды растения. Оптимальные условия для разведения: жёсткость — 8–10°, кислотность — около 7, температура — 21–24 °C. Самки рассеивают икринки среди узколистных растений, предпочитая для нереста нителлу, и тут же забывают о них. Продуктивность до 300 икринок. Кардиналы не поедают икру, но всеже их лучше удалить из нерестилища. Стартовый корм — инфузории, коловратки и т. п.

СЕМЕЙСТВО ИКРОМЕЧУЩИЕ КАРПОЗУБЫЕ (CYPRINODONTIDAE)

Общая характеристика

Это семейство входит в отряд Карпозубообразных и насчитывает более 400 видов. В природных условиях рыбы семейства распространены в тропических водоёмах Америки, Африки и Азии. Они встречаются даже на юге Европы. Нет их только в водах Австралии. Есть виды, способные жить в необычных водоемах, например, в горячих источниках при температуре 50 °C.

Большинство карпозубых имеет верхний насекомоядный рот с развитыми зубами и подвижными межчелюстными косточками. Икромечущие карпозубые обычно имеют удлиненную форму тела. Их характерная особенность: спинной и анальный плавник расположены близко к хвосту. Хвостовой плавник обычно раздвоен. Рыбки имеют небольшие размеры. В окраске преобладают спокойные, нежные тона.

Рыб лучше содержать не в общих, а в небольших видовых аквариумах, имитирующих природные условия. Мелким видам вполне подходит 10—50-литровый аквариум, крупным видам емкость увеличивают до 250 л. При содержании икромечущих карпозубых в аквариуме температура воды не должна опускаться ниже 20 °C. Карпозубые — прожорливые, животноядные рыбы, с успехом поедающие все виды традиционных аквариумных кормов — мотыль, трубочник, коретра. Возможны сухие и растительные добавки. Помните, что эти рыбки не любят частую смену воды и пересадки. Старайтесь выполнять эти процедуры только в случае необходимости.

В аквариуме их можно содержать с другими миролюбивыми рыбками схожих размеров.

В искусственных условиях икромечущие карпозубые (в отличие от живородящих) размножаются редко. Начинающим любителям будет довольно тяжело получить потомство от них. Половозрелость наступает в возрасте года.

Для нереста отбирают одного самца и группу (2–4) самок. Нерестовый аквариум должен быть затемнён или, во всяком случае, на него не должны попадать прямые солнечные лучи. Рекомендуемая температура: 28–30 ˚C. При разведении карпозубых следует иметь в виду, что температура воды и её химический состав могут влиять на соотношение полов в потомстве. Например, при разведении при температуре 22–25 ˚C будет больше самок, если же температуру во время нереста менять — больше самцов. Взрослые рыбы могут поедать икру и мальков, поэтому после откладки икры их надо удалить из нерестилища. Инкубационный период длится 7–10 дней. Начальный корм для мальков — «живая пыль», коловратка, науплии артемии и циклопа.

Род Афиосемион (Aphyosemion)

В природных условиях эти икромечущие карпозубые встречаются в тропических водах Центральной и Южной Африки, населяя водоемы саванн и лесов. Их среда обитания: заросшие растениями речки и пруды. Вода в этих водоемах мягкая, темного цвета, богатая органическими веществами. Есть виды афиосемионов, живущие в пересыхающих водоемах. Их отложенная в грунт икра ожидает своего часа, когда наступит сезон дождей. Такой период

Афиосемион

называется диапаузой. Появившиеся мальки заселяют заполнившиеся после сезона дождей водоемы.

Тело удлинённое, сжатое с боков, причем сжатие усиливается по мере приближения к хвосту. Спинной плавник больших размеров расположен близко к хвосту.

Самцы окрашены ярче самок. Их окраска состоит из многих тонов. Очень многие виды рыб отличаются великолепной окраской.

Афиосемионов можно содержать в общем аквариуме. Это пугливые рыбки, ведущие себя миролюбиво по отношению к другим. Хорошо содержать их вместе с другими карпозубыми, схожими по размерам. Если вы предпочитаете видовой аквариум, то посадите в него одного самца и нескольких самок. Самцы афиосемионов ведут себя по отношению друг к другу агрессивно, но в крупном аквариуме с большим количеством рыб их агрессивность уменьшается. В аквариуме должно быть много растений, в том числе плавающих на поверхности, и укрытий. Не любят частой смены воды. При замене следите, чтобы характеристики воды совпадали между собой — это имеет большое значение для рыбок. Уровень воды — желательно не больше 30 см. Аквариум лучше накрыть сверху.

Рекомендуемые условия содержания: температура — 20–24 °C, жёсткость — 3–10°, кислотность — 5,5–7. Иногда в воду добавляется поваренная соль в пропорции 1 г на 1 литр — это повышает устойчивость рыбок к болезням.

Основной корм: живой (мотыль, коретра, трубочник, энхитреус, дождевые черви).

Разводить афиосемионов сложно, особенно начинающим любителям. Характер икрометания, длительность и условия созревания икры у разных видов значительно варьирует. Часть афиосемионов нерестится в гуще растений, другие мечут икру в грунт либо у его поверхности.

Перед нерестом самцов и самок желательно несколько дней содержать раздельно и обильно кормить. Нерест парный или групповой (1 самец — 2–4 самки). Нерестовик 3–25 л с уровнем воды до 10 см. Рекомендуемые условия разведения: жёсткость — 2–6°, кислотность — 5,5–6,5, температура — 22–26 °C. Уровень воды в нерестовом аквариуме не должен превышать 10 см. Вода должна быть мягкой. Для успешного нереста в неё можно добавить торф или поваренную соль в пропорции: 1 чайная ложка на 10 л воды. Освещение лучше естественное, но не прямые солнечные лучи. Рекомендуемые растения для нерестилища — мелколистные, например, фонтиналис.

Обычно рыбы выбирают для икрометания тёмные уголки нерестовика, именно там собирается основная масса икринок. Икра вымётывается на растения маленькими порциями. По мере откладывания икры её переносят вместе с растениями в другой сосуд с уровнем воды 3–4 см (колбу), так как рыбы поедают икру. Качество воды имеет особое значение, ведь икринки будут находиться в ней

довольно долго. Нужно приготовить чистую отстоявшуюся дождевую воду, положить в неё торфяной мох и дождаться, пока pH достигнет 5,8. Также икринки можно выбирать из нерестовой среды с помощью тонкой стеклянной трубочки, манипулируя ею, как пипеткой. Побелевшие икринки нужно удалять, а колбы хранить в темноте. Инкубационный период длится около 5 недель летом и до 2,5—3 месяцев зимой. Часто икра лежит долго, и мальки из неё не выводятся. В таких случаях толчком к выклеву может послужить добавление свежей воды, иногда встряхивание сосуда или внесение трипафлавина, щепотки сухого молока. Соберите личинки с помощью стеклянной трубочки и переместите в выростной аквариум. Корм для мальков: «живая пыль». Мальков нужно довольно часто сортировать по размеру.

Афиосемион Амиета
(афиосемион оранжево-голубой)

В природных условиях обитает в тропических водоёмах Центральной Африки.

Достигает в длину до 7 см. В боковой продольной линии около 35 чешуек. Форма тела напоминает бойцовых рыбок. Самец и самка окрашены по-разному.

У самца общая окраска зеленовато-голубая. Верхняя половина тела зелёная, брюхо жёлтое. По туловищу и голове проходит несколько красных полос, самая широкая полоса проходит по середине тела. По всему телу разбросаны красные пятнышки. Такие же пятнышки имеются на спинном и анальном плавниках.

Самка окрашена значительно скромнее. Её основная окраска — коричневатая с красными пятнами по бокам.

Мирные рыбки, но самцы конфликтуют между собой. Рекомендуемые условия содержания: жёсткость — 2–12°, кислотность — 5,8–6,8, температура — 22–25 ˚С. Желательна ежедневная подмена воды на свежую (до 10%).

Икра откладывается на листья растений или в торф. Она может развиваться обычным способом или с диапаузой, то есть с большим промежутком во времени. Нерестовый аквариум должен иметь грунт в виде торфа или торфяной прослойки. Инкубационный период колеблется от 12 до 40 дней. Рекомендуемые условия нереста: температура — 22–26 ˚С, жёсткость — 10–15°, кислотность — 6,5–7,5. Стартовый корм — «живая пыль».

Афиосемион двухполосый

В природных условиях обитает в бассейне реки Камерун (Центральная Африка).

Достигает размеров 6 см. Самец крупнее самки.

Форма тела напоминает бойцовую рыбку. Спинной и анальный плавники удлинены.

Основная окраска оливково-коричневая. Спина темнее брюшка. Могут быть экземпляры, окрашенные в жёлтый, зелёный, красный или фиолетовый. По боку проходят 2 тёмные продольные полосы. Глаза сверху коричневые, а снизу голубые.

У самцов красные жаберные плавники и оранжево-голубой анальный плавник. Плавники самок бесцветные. Рыбки в аквариуме держатся стайкой. Они довольно пугливы, и их лучше содержать

467

в видовом аквариуме, хорошо засаженном растениями. При совместном содержании с рыбами других видов они плохо едят, держатся в укрытиях и не приобретают свойственной им окраски. Рекомендуемые условия содержания: температура — 20–24 °C, кислотность — 6,5–8,5, жёсткость воды не имеет большого значения. Не стоит часто заменять воду.

На нерест нужно сажать группу рыб с преобладанием самцов. Икра выметывается на растения, которые обязательно должны быть в нерестовом аквариуме. В воду можно добавить торфяного настоя в пропорции 1 чайная ложка на 10 л воды. Инкубационный период продолжается 2–3 недели. Стартовый корм для мальков — «живая пыль».

Другие распространённые аквариумные виды афиосемионов: афиосемион Лабарра, Али, Арнольди, гулярис, пятиполосый, южный, золотистый, голубой и другие.

Род нотобранхиус (Nothobranchius)

Общая характеристика

В природных условиях встречается в стоячих водоёмах Центральной и Южной Африки. Их жизнедеятельность зависит от сезона дождей, когда начинает развиваться их икра. Срок жизни в приоде ограничен сезоном засухи. Род продолжается с помощью икры, отложенной в грунте и проходящей диапаузу.

Тело имеет несколько удлинённую форму. Хвостовой плавник имеет веерообразную форму, остальные плавники закруглены. Особенность рыб данного рода: зубчики, выступающие на чешуе, покрывающей туловище и голову.

Экзотические рыбы

Уживчивы с другими рыбами, но лучше содержать их с представителями собственного семейства, обитающими в средних и верхних слоях воды, или в отдельном — видовом аквариуме. В аквариумных условиях лучше содержать одного самца и группу самок, потому что самцы устраивают между собой драки (особенно в тесных аквариумах). Необходимы заросли растений и укрытия (гроты, камни и т. д.). Аквариум желательно затемнить. Содержание при температуре более 24 ˚С сильно сокращает продолжительность жизни рыб. Оптимальные условия: жёсткость — до 10˚, кислотность — 5–7. При содержании в воде с жёсткостью более 15˚ и pH выше 7–7,5 рыбки погибают в течение 1–3 недель. Подменивать воду нужно постоянно, мелкими порциями до 1/4 объёма еженедельно. Иногда в воду добавляется поваренная соль в пропорции 1 г на 1 л — это повышает устойчивость рыбок к болезням. Нотобранхиусы также чувствительны к загрязненной среде, поэтому не забывайте про фильтрацию.

Основным кормом является живой, но можно успешно кормить и сухими добавками. Питание должно быть обильным, но не чрезмерным.

На нерест обычно сажают 1 самца и 2–4 самки, которых перед этим держат раздельно в течение 2 недель. Нерестовый аквариум должен иметь длину не менее 30 см и уровень воды около 10 см. Грунт должен хотя бы частично состоять из торфа. Рекомендуемые условия нереста: температура — 20–24 ˚С, жёсткость— 2–6˚, кислотность — 6–6,5.

На дно ставят небольшой сосуд с вываренным торфом высотой 2–3 см, в который рыбки будут метать икру. Торф периодически вынимают, выбирают из него икринки и помещают их в слабый раствор метиленовой сини на 1–2 дня, погибшие за это время икринки

удаляют. После икрометания икру вместе с торфом следует перенести в инкубационный аквариум. Регулярно осматривайте и удаляйте погибшие икринки. Не удивляйтесь, если инкубационный период будет больше, чем вы ожидали — значит, икра проходит стадию диапаузы, и развитие эмбрионов замедлено. Внешним признаком, свидетельствующим о готовности эмбрионов к выклеву, служит появление серебристого глаза. Тогда торф заливают водой слоем 3–6 см.

Стартовый корм для мальков — «живая пыль». Половая зрелость у нотобранхиусов наступает в 1–3 месяца.

Нотобранхиус Гюнтера

Встречается в водоёмах Восточного побережья Африки.

Достигает размеров 7,5–8 см, в боковой продольной линии около 30 чешуек.

Самец окрашен ярче самки. Основной тон голубовато-зелёный, края чешуи окаймлены красными полосками, особенно яркими ближе к хвосту. Спина темнее брюшка. Хвостовой плавник ярко-красный с коричневой каймой, спинной и анальный плавники желтовато-зеленые. Самка окрашена скромнее. Её окраска однотонная, зеленоватая, плавники бесцветные.

Нотобранхиусов Гюнтера лучше содержать в видовом аквариуме, т. к. они проявляют агрессию по отношению к медлительным рыбам и могут причинить им вред. Рекомендуемые условия содержания: температура — 20–24 °С, жёсткость и кислотность воды не имеют большого значения.

На нерест сажают самца и группу самок, т. к. одна самка может быть не готова к нересту, и самец способен убить её. Нерестовик —

3–10 л. Оптимальные условия разведения: жёсткость — 2–8°, кислотность — 6–7, температура — 23–25 °C. Инкубационный период — 1,5–4 мес. Икра может проходить стадию диапаузы. Половая зрелость наступает быстро, после двух месяцев.

Нотобранхиус Рахова

В природных условиях встречается в водоёмах Восточной Африки. Известен в Европе с начала XX века.

Средние размеры: 5–7 см. Самцы крупнее самок.

У самца пёстрая окраска: тело оранжево-красное со множеством голубых пятнышек на боку. Анальный, спинной и хвостовой плавники голубоватые с точками и штрихами красного цвета. Хвостовой плавник с черной каймой, перед которой широкая оранжевая полоса. Грудные плавники красно-голубые.

Самка окрашена скромнее, обычно она серовато-коричневая, плавники бесцветные.

Для содержания в исусственных условиях подходит небольшой видовой аквариум с водой, в которую добавлен торфяной настой (1 чайная ложка на 1 л воды). Рекомендуемые условия содержания: температура — 20–24 °C, жёсткость — 2–10°, кислотность — 5–8.

Для размножения нотобранхиуса Рахова подготовьте нерестилище объемом 5–10 л, засадите его растениями и затемните. Рекомендуемые характеристики воды при нересте: температура — 22–26 °C, жёсткость — 2–8°, кислотность — 6–8. Диапауза может продолжаться от месяца до полугода.

Другие распространенные виды нотобранхиусов: нотобранхиус ортонатус, Фоерша, Пальмквиста, голубой, сетчатый.

Род пахипанхакс (Pachypanchax)

Четыре вида этого рода обитают на Сейшельских островах, Мадагаскаре и Занзибаре. Населяют пресные и солоноватые воды вплоть до мангровых зарослей.

Пахипанхаксы — отличные прыгуны, что позволяет им охотиться за падающими на поверхность воды насекомыми. Корм со дна берут менее охотно. Животноядные виды. Покровное стекло обязательно.

По соотношению размеров тела они занимаю промежуточное положение между родами Nothobranchius и Aplocheilus.

Спинной плавник отнесён далеко назад, рот верхний.

Щучка Пляйфера

Самцы достигают 8–10 см длины, самки несколько мельче. Самец бежево-оливковый с 7–8 продольными рядами красных точек. Самка окрашена менее ярко, имеет в основании спинного плавника темное пятно, плавники бесцветные или светлые, желтоватые. Плавники у рыб округлые. У самцов часто можно наблюдать приподнятую, как бы взъерошенную чешую, это явление не служит признаком заболевания.

Уживчивы, но у медлительных и мелких рыб могут обкусывать плавники. Предпочитают держаться в верхних и средних слоях воды. Оптимальные условия содержания: жёсткость — 6–15°, кислотность — 6,5–7, соленость — 1–5%, температура — 20, 22–25 °C. Воду следует подменивать регулярно, мелкими порциями — не более

Пахипанхакс

1/4 объёма еженедельно. Рыбы чувствительны к добавлению свежей воды и снижению температуры ниже 20 ˚C.

Нерест парный или в группах с преобладанием самок. Аквариум 20–40 л. Рекомендуемые условия для нереста: жёсткость — 6–12˚, кислотность — 6,5–7, температура — 23–28 ˚C. Субстрат — мелколистные растения. Через 12–14 дней выводится молодь и сразу же начинает питаться инфузориями, коловратками и «пылью», а вскоре переходит на питание мелкими циклопами и дафниями.

СЕМЕЙСТВО ПЕЦИЛИЕВЫЕ (POECILIDAE)

Общая характеристика

Семейство пецилиевые входит в обширный отряд Карпозубообразных. Известно около 150 видов пецилиевых, обитающих в водоемах Южной и Северной Америки. Некоторые виды живут в морской воде.

Пецилиевые — живородящие рыбы, и это их главная особенность. У них внутреннее оплодотворение, осуществляемое с помощью специального полового органа самца — гоноподия. Оплодотворённые

икринки развиваются в теле самки, и на свет появляются уже полностью сформировавшиеся мальки. После одного оплодотворения самка может дать несколько помётов (до 10 раз). Предвестником близких родов считается увеличение чёрного пятна на брюшке, припухание анального отверстия и уединение самки в зарослях растений. В это время самку лучше отсадить в отдельный аквариум емкостью 3–20 л с уровнем воды 5–15 см. Такие виды, как гуппи, могут производить мальков каждые 3–4 недели. Большинство видов с готовностью размножается в неволе. Стартовый корм — мелкий планктон.

Пецилиевые — небольшие рыбки, которых легко содержать в аквариумах даже начинающим любителям. Они мирно уживаются с другими рыбками, неприхотливы и всеядны. Пецилиевые едят искусственный корм и при этом прекрасно себя чувствуют. Благодаря большой приспособляемости они могут переносить сильное понижение и повышение температуры, исключительно жёсткую воду. Большинство пецилиевых предпочитает воду от нейтральной до слегка щелочной. Несколько видов, в частности некоторые молли и гамбузии, в природе живут в солоноватой воде. Подробнее об условиях их содержания вы прочтёте ниже, в описаниях отдельных родов.

Род гетерандрия (Heterandria)

Общая характеристика

Род насчитывает 9 видов. Самцы считаются одними из самых маленьких позвоночных животных. Тело вытянуто в длину, умеренно уплощено.

Гетерандрия

Аквариум с плавающими растениями с длинными корнями. Рекомендуемые условия содержания: температура — 22–26 °С, жёсткость — 10–20°, кислотность — 6,7–8.

Корм необходим живой, в дополнение — растительный.

Беременность длится 4–8 недель, самка мечет по несколько мальков в день в течение длительного времени.

Формоза

Формозы распространены в водоёмах юго-восточной части США. Самцы достигают максимально 2 см длины, самки — 3,5 см. Окраска бежево-жёлтая с кофейной продольной полосой. Спинной и анальный плавник красноватые с чёрной точкой. Брюшко беловатое.

Формоз лучше содержать в небольшом отдельном сосуде, густо засаженном растениями. Оптимальные условия: жёсткость — 5–20°, кислотность — 7–7,4, солёность — 1–5%, температура — 15, 20–24, 30 °С. Всеядные. Помимо любого мелкого корма животного происхождения им необходимо давать также и растительный.

Самки мечут по 2–3 малька ежедневно (период развития молоди — 6–10 дней). Так продолжается 1–2 недели. Продолжительность жизни — 3–3,5 года.

Род ксифофорус (Xiphophorus)

В естественных условиях живут в водоёмах Центральной Америки. Из-за того что меченосцев очень легко содержать дома, эти рыбки очень широко распространены в искусственных условиях, их можно встретить почти в каждом любительском аквариуме.

Тело удлинённое, сжатое с боков. Самки крупнее самцов. Основная особенность: у самцов имеется мечевидный отросток, благодаря которому рыбка получила своё имя. Этот мечевидный отросток есть не что иное, как сильно удлинённые нижние лучи хвостового плавника. Хвостовой плавник небольших размеров, закруглён.

В аквариуме это спокойные, мирные рыбы, нормально уживающиеся с другими обитателями. В аквариуме должны быть растения, втом числе и плавающие на поверхности. Сверху аквариум должен быть закрыт, чтобы рыбки не выпрыгнули. Рекомендуемые условия содержания: температура — 22–26 °C, жёсткость — 5–20°, кислотность — 7. Нежелательно переохлаждать аквариум с меченосцами (температура не должна опускаться ниже 18–20 °C). Кормить можно живым и сухим кормом, желательны растительные

Меченосец

добавки. Вы можете обеспечить их в виде водорослей на стенках аквариума.

Это живородящие рыбки. Икра оплодотворяется в теле самки, и её покидают полностью сформировавшиеся мальки, которые сразу начинают питаться.

Для размножения меченосцам не нужен нерестовый аквариум, хотя мальков лучше отсадить, потому что взрослые рыбы поедают потомство. Беременность длится 1–1,5 месяца.

Нерест в общем аквариуме. Беременность до 5 недель. В одном помёте около 50 мальков, которых нужно кормить коловратками, нематодами, науплиусами циклопа. Формирование пола мальков зависит от условий выращивания. При температуре воды около 30 °C, на 1 самку получается около 10 самцов, при 20 °C соотношение полов будет обратным. Половозрелости достигают в возрасте полугода.

Все виды меченосцев скрещиваются друг с другом.

Меченосец обыкновенный (меченосец Геллера)

В природных условиях живёт в реках Центральной Америки. В Европу попал в начале XX века и быстро стал одним из самых популярных аквариумных видов. От него произошли декоративные формы меченосцев.

Длина самца (без меча) — до 9 см, самки — до 12 см.

Основная окраска желтовато-зелёная с зелёным или голубым отливом. Через всё тело (от глаз до хвоста) проходит зигзагообразная тёмно-фиолетовая или пурпурно-красная полоса. Коричневая

окантовка чешуи образует на теле сетчатый рисунок. Плавники зеленовато-жёлтые.

Меч самца оранжево-жёлтого цвета. Самка окрашена скромнее.

Рыбы могут выпрыгнуть из аквариума, поэтому его надо закрывать сверху. Уживчивые, но могут обрывать плавники у медлительных рыб. Активные, стайные, всеядные рыбы. Лучше содержать группу меченосцев, в которой будет не меньше 3 самцов.

Аквариум — от 50 л, с покровным стеклом. Любят свежую воду, поэтому обязательны аэрация, фильтрация и подмена не менее 1/3 объёма воды еженедельно. В аквариуме должны быть растения, но их нужно посадить так, чтобы оставалось достаточно места для плавания. Рекомендуемая температура — 20—25 °С. В воду можно добавлять поваренную соль (1 чайную ложку на 10 л воды).

Производители поедают потомство. Стартовый корм: коловратки, науплии артемии и циклопа.

Ниже перечислены основные декоративные формы меченосцев: черный, красный, красно-чёрный, зелёный, ситцевый.

Меченосец Монтесумы

В природных условиях встречается в водах Мексики.

Самка больше самца и достигает в длину 7 см, самец имеет размеры 5—6 см.

Общая окраска оливково-коричневая. Спина темнее брюшка. Плавники ярко-жёлтые. По бокам проходят несколько продольных полос тёмно-красного цвета и несколько поперечных светлых полос. Самец окрашен ярче самки. Меч сиреневый, более половины длины тела.

Экзотические рыбы

Условия содержания и размножения в аквариуме совпадают с общими, описанными выше. Рекомендуемые характеристики воды: температура — 22–26 ˚С, жёсткость — 10–20˚, кислотность — 7.

Созревают в 6–8 месяцев. Через 3–4 недели самка рождает от 50 до 150 мальков размером 7–8 мм.

Меченосец Эвелин

В естественных условиях обитает в реках Мексики.

Это небольшой меченосец, достигающий в длину не более 5 см. Самка крупнее самца.

Общая окраска фиолетово-коричневая. На боках расположено 6–12 заметных темных полос. У самца хвост и спинной плавник жёлто-оранжевые с дымчатой каймой.

Условия содержания и размножения в аквариуме совпадают с общими, описанными выше. Рекомендуемая температура для содержания — 20–25 ˚С.

Меченосец оливковый

В естественных условиях встречается в водоёмах Центральной Америки.

Самка крупнее самца и достигает в длину 10 см. Размеры самца — 7–8 см.

Общая окраска оливково-зеленая, спина светлая. По бокам проходят заметные тёмные полосы. Спинной плавник с полосой из темных точек. Самец окрашен ярче самки.

Условия содержания и размножения в аквариуме совпадают с общими, описанными выше. Самка рождает до 100 мальков.

Другие аквариумные виды меченосцев: меченосец микромечевой, Клеменции, Кортеса.

Пецилия трёхцветная (пецилия пёстрая)

В природных условиях встречаются в водоёмах юга Мексики.

Самка крупнее самца и достигает размеров 7 см. Она окрашена в коричневато-серый цвет с красноватыми зигзагообразными линиями на боку.

Размеры самца 5–6 см. Он окрашен ярче самки: передняя часть тела желтоватая, задняя цвета морской волны. По всему туловищу разбросаны чёрные точки. Плавники ярко-жёлтые.

Селекционеры вывели много цветовых форм трёхцветной пецилии: голубую, зелёную, жёлтую, красную, чёрную.

Оптимальные условия содержания: жёсткость — 8–25°, кислотность — 7–7,5, температура — 23–27 °С. Всеядные.

Мальков после нереста лучше отсаживать, потому что взрослые рыбы могут их съесть.

Пецилия пятнистая (платипецилия)

В естественных условиях встречается в водах Центральной Америки. В Европу платипецилия была завезена в начале XX века и сразу же стала очень популярной аквариумной рыбкой. Как и в случае с меченосцем Гюнтера, существует множество декоративных форм, выведенных селекционерами.

Пятнистая пецилия

Длина самца — 3–4 см, самки — до 6 см. В боковой линии около 25 чешуек.

У основной формы спина оливково-коричневая до серой, бока окрашены в серовато-голубой цвет, с тёмными пятнышками. 1–2 крупных чёрных пятна расположены на хвосте.

У самца бесцветные плавники, кроме спинного и анального, на которых есть полоса цвета морской волны. У самки все плавники бесцветные.

Селекционеры вывели много форм платипецилии, отличающихся окраской и формой плавников:

Чёрная — окраска чёрная с синеватым или голубоватым отливом, плавники прозрачные.

Крапчатая — окраска красная с разбросанными по всему телу чёрными пятнами.

Мраморная — окраска серебристо-голубая, напоминающая мрамор, с голубыми пятнами.

Точечная — окраска синяя или голубая с разбросанными по всему телу чёрными пятнами.

481

Трёхцветная — окраска коричнево-сине-желтая. Спина светлее брюшка.

Мирные, всеядные рыбки, более нежные, чем другие меченосцы. Рекомендуемые условия содержания: жёсткость — 8–25°, кислотность — 7–7,5, температура — 20–26 °C. При плохом самочувствии рыб температуру следует поднять на 2–4 °C, в воду добавить соль — 1–2 чайные ложки на 10 л.

Род пецилия (Poecilia)

Общая характеристика

Род насчитывает более 40 видов. Населяют водоёмы различного типа с пресной и солоноватой водой Северной, Центральной и Южной Америки.

Эти рыбки имеют небольшие размеры — обычно меньше 10 см. Самка значительно, иногда в два раза, крупнее самца. Они являются желанными гостями в аквариуме благодаря своей красоте и неприхотливости.

Тело удлинённой формы, несколько сжатое с боков. Особенность окраски пецилий — 2 черных пятна, расположенных около хвоста. В природе окраска этих рыбок обычно однотонная. В результате селекционной работы сейчас в аквариумах содержатся пецилии самой разнообразной окраски: золотистые, чёрные, красные, многоцветные.

В аквариумных условиях это мирные рыбы, которым требуется достаточно места для плавания, а местами заросли растений. Вода жёсткая (не менее 8°), в которую рекомендуется добавлять

поваренную, а ещё лучше — морскую соль из расчёта 1 чайная ложка на 10 л. Температура воды от 24 до 28 °C, в более холодной воде рыбы часто заболевают. Отсутствие или недостаток растительной пищи отражается в первую очередь на самцах, которые вырастают мелкими и невзрачными.

Пецилии — живородящие рыбки. У них внутреннее оплодотворение, осуществляемое с помощью специального полового органа самца — гоноподия. Оплодотворенные икринки развиваются в теле самки, и на свет появляются уже полностью сформировавшиеся мальки. За 1 раз самка может родить более 100 мальков. Размножение пецилий в аквариуме не представляет труда и может происходить даже без принятия хозяевами каких-нибудь специальных мер. Начальный корм для мальков — «живая пыль».

Ямайская лимия

Места обитания — Ямайка, Гаити, Куба.

Спинка тёмно-коричневая с зеленоватыми блёстками, бока серо-жёлтые, в отражённом свете голубые, брюшко и горло желтоватые. По середине тела проходит тёмная продольная полоса.

Самец — 4–5 см, самка — до 6,5 см.

Аквариум — от 10 л. Рекомендуемые условия содержания: жёсткость — 6–25°, кислотность— 6,5–8,5, солёность — 1–5%, температура — 16, 20–25, 30 °C. Желательна еженедельная подмена не менее 1/4 объема воды. Уживчивая, но обкусывает плавники малоактивным рыбам.

Созревают в 5–7 месяцев. Беременность длится 38–42 дня.

Пецилия высокоплавничная

В природных условиях распространена в водоёмах Центральной Америки.

Самка крупнее самца, она вырастает в длину до 20 см. Размеры самца — 12–15 см.

Окраска может сильно отличаться у разных особей. Можно встретить чёрный, золотой или мраморный экземпляры. Особенность высокоплавничной пецилии — очень высокий спинной плавник, усеянный серебристо-голубыми точками. У самца нижняя часть туловища окрашена в ярко-оранжевый цвет.

Эту рыбку легко содержать в аквариуме, она будет регулярно приносить потомство (за 1 раз до 120 мальков). Рекомендуемая температура воды — 26–30 ˚C. В воду желательно добавить поваренную соль в пропорции 1 чайная ложка на 10 л воды.

Гуппи (пецилия гуппи)

Этой рыбке принадлежит один рекорд. Это наверняка самая распространённая аквариумная рыбка, привлекающая любителей своей неприхотливостью. Интересно, что гуппи — первые среди аквариумных рыб побывали в космосе в условиях невесомости.

В естественных условиях встречается в пресных и солоноватых водах Центральной и Южной Америки. В результате искусственной акклиматизации рыбы распространились по всем континентам.

Это одна из немногих рыб, которая лучше растёт в искусственных, чем в естественных условиях. Длина самца в природе достигает

Гуппи

3 см, длина самки — 6 см. В аквариуме самец вырастает до 4 см, самка — до 8 см.

Тело удлинённой формы, несколько сжатое с боков.

Самец природной формы окрашен в оливково-серый цвет. По телу разбросано много разноцветных точек и пятен. Самка окрашена в более скромный серый цвет с зеленоватым, оливковым или синеватым отливом. Существует множество селекционных форм, различающихся по окраске и форме плавников. Самцы могут быть окрашены во все цвета радуги: чёрный, жёлтый, белый, голубой, зелёный, розовый, красный, жемчужный, золотой и т. д.

Гуппи — мирные рыбки, которых можно содержать в общем аквариуме, закрытом сверху стеклом. Следите, чтобы более агрессивные рыбки не обрывали их красивые плавники. Гуппи очень неприхотливы в отношении характеристик воды, но не любят резких температурных перепадов.

Аквариумные рыбы

Рекомендуемые условия содержания: температура — 22–28 ˚С, кислотность — 6,5–8,5, жёсткость воды не имеет значения. Желательно еженедельно заменять воду небольшими порциями. Гуппи всеядны; главная проблема, связанная с их кормлением, — не перекармливать рыбок, чтобы это не привело к ожирению. Могут поедать водоросли на стенках аквариума.

Гуппи — живородящие рыбки. Беременность длится около 1 месяца. Признаком приближения родов является увеличение брюшка самки и потемнение пятна беременности, расположенного возле анального отверстия. После одного оплодотворения самка может приносить потомство несколько раз. Приплод дается 5–7 раз в год, за один раз по 60 мальков. Начальный корм: инфузории, коловратки. Половая зрелость наступает в возрасте 3–5 месяцев.

Если для вас нежелательно потомство гуппи, то можно не отсаживать беременную самку из общего аквариума. Мальки послужат живым кормом для других рыб. Если у вас достаточно много гуппи, то таким образом будет решена проблема «живого корма».

Моллиенезия широкоплавничная (пецилия широкоплавничная)

В естественных условиях встречается в пресных и солоноватых водоёмах Северной Америки.

Самка крупнее самца и достигает в длину 12 см. Самцы ярче окрашены и имеют более высокий спинной плавник. Размеры самца — 8–10 см. В аквариумных условиях рыбки обычно имеют меньшие размеры.

Экзотические рыбы

Тело удлинённой формы. Особенность строения моллиенезий — очень широкий и высокий спинной плавник.

Основная окраска серебристо-серая. Спина темнее брюшка. На верхней части тела расположены тёмные пятна, образующие ряды. Чешуя с перламутровым блеском. Плавники голубоватые с оранжевыми или чёрными точками. Самка окрашена бледнее самца.

Существует множество селекционных форм различной окраски. Есть чёрные, жёлто-оранжевые, пятнистые, красные, радужные формы, а также альбиносы.

В аквариуме это мирные рыбы, которых лучше содержать отдельно, чтобы сохранить в неприкосновенности их большие и красивые плавники, которые могут быть повреждены самцами в стычках. В аквариуме должны быть местами заросли растений и укрытия (гроты, камни, пещеры). Необходим простор для плавания. Рекомендуемые условия содержания: температура — 24–28 °C, жёсткость — 12–20°, кислотность — 7–8,5. Можно подсолить воду с помощью поваренной соли. Необходимы еженедельная подмена воды на 20–30%, аэрация и фильтрация. Моллиенезии всеядны, поэтому их можно кормить любым живым, сухим или растительным кормом (в том числе водорослями). Растительная пища обязательна. Следите, чтобы рацион рыбок был достаточно разнообразен. При плохом самочувствии следует повысить солёность и поднять температуру на 2–4 °C.

Моллиенезии — живородящие рыбки. Беременность длится около 2 месяцев. За раз самка дает приплод до 200 мальков. Для укрепления иммунитета мальков можно подсолить воду. Начальный корм: «живая пыль», науплиусы циклопа, артемии. Половая зрелость у этой моллиенезии наступает в возрасте 1 года.

Моллиенезия парусная (пецилия парусная)

В естественных условиях распространена в пресных и солоноватых водоёмах Мексики. Известна в Европе с начала XX века.

В природных условиях достигает длины 15–18 см, в аквариуме размеры парусной моллиенезии обычно составляют 8–12 см. Самка крупнее самца.

Тело удлинённой формы, хвост округлой формы также удлинен.

Общая окраска голубовато-серая. У самца имеется зеленовато-голубой отлив, бока покрыты беловатыми блестящими точками, образующими ряды. Нижняя часть туловища окрашена в ярко-оранжевый цвет. Плавники голубого цвета с оранжевой каймой, покрыты блестящими разноцветными точками и штрихами. Самка окрашена скромнее самца. Основной фон голубовато-серый с рядами темных точек.

Этих рыбок можно содержать в общем аквариуме, который должен быть обязательно закрыт сверху. Желательно содержать группу рыб с преобладанием самок в просторном аквариуме (от 100 л) со свежей, кристально чистой водой. Необходимы заросли растений и укрытия, но с таким расчётом, чтобы оставалось достаточно места для плавания. Для этих моллиенезий важно, чтобы аквариум был хорошо освещён. Воду можно подсолить с помощью поваренной соли.

Рекомендуемые условия содержания: температура — 24–28 ˚C, жёсткость — 5–20˚, кислотность — 7,5–8,5. Парусные моллиенезии всеядны, поэтому их можно кормить любым живым, сухим или

растительным кормом (в том числе водорослями). Следите, чтобы рацион рыбок был достаточно разнообразен.

Беременность длится около 2 месяцев. За раз самка дает приплод от 50 до 100 мальков. Для укрепления иммунитета мальков можно подсолить воду. Начальный корм: «живая пыль», науплиусы циклопа, артемии. Половая зрелость у этой моллиенезии наступает в возрасте 8–10 месяцев.

В аквариумах встречаются преимущественно гибридные формы, среди которых наиболее известны:
- чёрная — тело и плавники чёрные;
- радужная — в отражённом свете чешуйки имеют радужный отлив, а полупрозрачные спинной и хвостовой плавники усеяны тёмными точками;
- золотая — жёлто-оранжевая с бело-голубым отливом чешуек, глаза красные и другие.

Моллиенезия Велифера

Населяют прибрежные водоемы с пресной и солоноватой водой п-ов Юкатан. Длина самца до 15 см, самки — до 18 см, в аквариуме меньше. Тело вытянуто в длину, с высоким хвостовым стеблем. Тело самца отливает нежно-голубым до зелёно-голубого, на боку продольные ряды беловато-зеленых светящихся пятнышек, горло и грудь насыщенного оранжевого цвета. Кайма плавников оранжевая с черной окантовкой. Самка голубовато-серая с рядами темных точек.

Мирные, прыгучие рыбы, держатся в среднем и верхнем слоях воды, любят хорошее освещение. Можно содержать в общем, закрытом

сверху аквариуме с укрытиями из зарослей, коряг, камни. Рекомендуемые условия содержания: температура — 25–28 °C, жёсткость — 15–25°, кислотность — 7,5–8,5, желательна добавка соли 2–3 г/л. Корм: живой, растительный. Взрослым рыбам полезно 1–2-недельное голодание. Беременность — 6–8 недель. Обычно 30–100 мальков. Стартовый корм: «живая пыль», науплии артемии, циклопа. Половая зрелость в 6–8 месяцев. Хорошо скрещиваются с пецилией широкоплавничной.

Другие широко распространённые аквариумные разновидности моллиенезий: бархатно-чёрная, высокоплавничная, Сфенопа. Кроме того, существует множество искусственно выведенных форм, отличающихся окраской и плавниками.

Род гамбузия (Gambusia)

Общая характеристика

В природных условиях обитают в водоёмах Мексики и юга США. Живут как в пресной, так и в солёной воде.

Тело имеет удлиненную форму, немного сжато с боков. Спинной плавник расположен близко к хвосту.

Гамбузии в аквариуме — подвижные и агрессивные рыбы, держащиеся стайками. Их лучше содержать в видовом аквариуме, потому что они могут устраивать стычки с другими рыбками и обкусывать им плавники. Гамбузиям необходимо достаточно места для плавания, а местами нужно устроить заросли растений. Они лучше, чем другие экзотические рыбы, переносят большие температурные колебания и изменения характеристик воды.

Гамбузия

Рекомендуемые условия содержания: температура — 15–35 °C, жёсткость — 5–25°, кислотность — 6–8. Допустимо содержание в подсоленной воде. Корм: живой и сухой, желательны растительные добавки.

Гамбузии — живородящие рыбки. Икра оплодотворяется в теле самки, и её покидают полностью сформировавшиеся мальки, которые сразу начинают питаться. Беременную самку легко распознать по большому объёму брюшка.

Беременность продолжается около месяца. Ближе к последним срокам самку переводят в нерестовый аквариум, который ничем, кроме размеров, не должен отличаться от основного. После появления на свет мальков самку нужно отсадить, иначе она съест своё потомство. Начальный корм для мальков: «живая пыль». В возрасте 3 месяцев молодь способна сама дать потомство.

Гамбузия обыкновенная

В природных условиях населяет солоновато-пресные водоёмы на юге США. Сейчас, правда, эта рыбка широко распространена в Испании, Италии, Филиппинах и даже Абхазии. Дело в том, что

гамбузия давно уже заслужила славу злейшего врага личинок малярийного комара. Именно в целях борьбы с малярией эту рыбку успешно акклиматизировали в самых разных концах света.

В аквариумных условиях длина самца составляет 3–4 см, самки — 6 см. В продольной боковой линии 30 чешуек. Общая окраска серо-зелёная с серебристым отливом и тёмными пятнышками. Самец окрашен ярче самки, в его окраске встречаются жёлтые и голубые оттенки. Тёмная окантовка чешуи образует сетчатый рисунок. Плавники желтоватые.

В аквариуме гамбузия обыкновенная очень неприхотлива. Агрессивны, обрывают плавники малоподвижным рыбам. Всеядные. Аквариум — от 20 л. Рекомендуемые условия содержания: температура — 20–24 °C, жёсткость — 3–25°, кислотность — 7, солёность — 1–6%. Лучший корм для неё — живой, а также скоблёное мясо.

Созревают в 2–3 месяца. Через 20–25 дней самка рождает до 60 мальков размером 6 мм. Производители очень активно поедают свою молодь.

Ниже перечислены другие аквариумные разновидности гамбузии: гамбузия Хольбрука, голубая, желтая, доминиканская, никарагуанская, крапчатая, блестящая, длиннолучевая, Гийсера, Пануко, Регана, Врея, Эспаньола и другие.

Род гирардинус (Girardinus)

Общая характеристика

Родина этих маленьких рыбок — Южная Америка. Они встречаются в маленьких проточных водоёмах Аргентины, Парагвая, Уругвая и Бразилии.

Гирардинус

Самка крупнее самца и достигает 5 см в длину. Самец вырастает всего до 2–3 см. В продольной боковой линии 30 чешуек.

Тело удлинённой формы, сжатое с боков, особенно в задней части туловища. У самцов анальный плавник превращён в половой орган — гоноподий — и имеет форму крючка.

Общая окраска зеленовато-жёлтая. Спина темнее брюшка, плавники жёлтые. У основания хвоста имеется чёрное пятно с серебристой или чёрной каймой.

В аквариуме гирардинусы — мирные, спокойные рыбы, которых можно содержать вместе с другими миролюбивыми видами. В искусственном водоёме должны быть растения, в том числе плавающие. Воду можно немного подсаливать с помощью поваренной соли (в пропорции 2 г на 1 л воды).

Рекомендуемые условия содержания:температура — 16–22 °C, жёсткость — 10–25°, кислотность — 6,5–8. Корм: живой (мотыль) и сухой (в том числе скобленое мясо), желательны растительные добавки. Можно давать гирардинусам растительный корм в виде водорослей на стенках.

Это живородящие рыбки. Икра оплодотворяется в теле самки, и её покидают полностью сформировавшиеся мальки, которые сразу начинают питаться. Нерест проходит в основном аквариуме. Беременность продолжается около 3 недель. Самка рождает сразу от 30 до 50 мальков. Начальный корм: «живая пыль», затем мелкие циклопы и дафнии.

Блестящий гирардинус

Желтовато-коричневый до серо-зелёного с отливающими металлом блёстками и небольшими поперечными серебристыми полосками. У самца рыло, живот и гоноподий — чёрные, плавники жёлтые с черной каймой.

Всеядные. Температура 22–25 °C.

Вот основные разновидности гирардинусов, содержащиеся в аквариумах: гирардинус десятиточечный, январский, бархатный (ретикулятус), сетчатый.

СЕМЕЙСТВО ПАНЦИРНЫЕ СОМЫ И КАЛЛИХТОВЫЕ (CALLICHTHYIDAE)

Общая характеристика

В семейство входит около 150 видов, подразделяющихся на два подсемейства: панцирные (Corydoradinae) и каллихтовые (Callichthyinae). В природных условиях они живут в медленно текущих и стоячих водоёмах Южной Америки и близлежащих островов.

Это в основном мелкие рыбы, размер которых варьирует от 2,5 до 23 см. Главная особенность панцирных сомиков: их тело покрыто

двумя рядами костных пластинок наподобие панциря. В передней части жирового плавника есть заметный колючий шип. Спинной плавник заострён у самцов и округлой формы у самок. Имеется одна или две пары усиков, служащих органами осязания.

Ведут донный образ жизни, исследуя грунт в поисках корма. Панцирные сомы всеядны и прекрасно очищают грунт в аквариуме от различных отходов и остатков пищи. Эти рыбы владеют необычным — кишечным — способом дыхания. Они набирают атмосферный воздух в кишечник, для чего поднимаются к поверхности воды.

Панцирных сомиков лучше всего содержать группой в аквариумах с небольшим уровнем воды и с песчаным грунтом. В аквариуме поедают любой живой корм, а также различные сухие корма. Помните, что сомики постоянно роются в грунте и могут повредить корни нежных растений. Избежать этого можно, если высадить подводные растения в горшочках. Необходима хорошая фильтрация, иначе вода будет все время мутной.

Рекомендуемые условия содержания: температура — 20–28 ˚C, кислотность — 6–8, жёсткость воды не имеет большого значения. Панцирные сомики неприхотливы и всеядны.

Для размножения отсадите в нерестовый аквариум пару самцов и одну самку. Нерест стимулирует добавление свежей воды. В нерестилище должны быть растения. Необходима аэрация. Самка вымётывает от 50 до 2000 икринок. Она же обычно ухаживает за икрой, прикрепляя её к листьям растений. У некоторых видов панцирных сомиков заботу о потомстве берут на себя самцы. Они строят гнездо из пузырьков воздуха и ухаживают за икрой. После икрометания рекомендуется отсадить производителей.

Обычное соотношение полов при разведении представителей Corydoradinae: 2–3 самца и 1 самка. Готовая к икрометанию самка приближается к самцу, набирает в рот молоки, выпускает в образованный из сложенных брюшных плавников «кармашек» несколько крупных икринок и прикрепляет их к очищенной и одновременно политой молоками поверхности. Эти сомы не ухаживают за икрой, поэтому производителей сразу после нереста следует высадить из нерестилища.

Инкубационный период длится 2 недели. Мальки уже через сутки способны плавать и питаться. Сомики достигают половозрелости в возрасте 1 года. При хорошем уходе они способны прожить в аквариуме до 15 лет.

Род брохис (Brochis)

Сомик смарагдовый

В природных условиях обитает в водоёмах Перу и Бразилии. Достигает в длину до 9 см. Самка крупнее самца.

Тело высокое, постепенно понижающееся к хвосту, сжатое с боков. Голова большая. Имеются усики (три пары). Всё тело покрыто костными пластинками, расположенными в два ряда. На жировом плавнике есть острый шип. Хвостовой плавник имеет лирообразную форму.

Общая окраска смарагдового сомика бежево-золотистая с зелёным отливом. Спина темнее брюшка. Хвостовой, спинной и жировой плавники коричневые, остальные плавники жёлтого цвета.

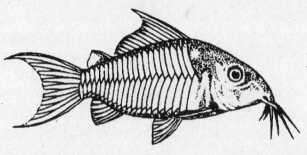

Брохис

В аквариуме ведёт донный, стайный образ жизни. Смарагдовый сомик набирает атмосферный воздух в кишечник, для чего поднимается к поверхности воды. Этих мирных рыбок можно содержать в общем аквариуме, в котором будет много укрытий в виде зарослей растений, камней, пещер и т. д. Важно, чтобы аквариумная вода не содержала соль.

Рекомендуемые условия содержания: температура — 20–26 ˚C, жёсткость — 8–12 ˚C, кислотность — 6,5–7,5. Корм ищут на грунте, поэтому следите, чтобы его не расхватывали другие обитатели аквариума и он доставался сомикам. Смарагдовый сомик всеяден.

Условия разведения совпадают с общими, описанными выше. Самка откладывает икру на растения, плавающие на поверхности.

Род коридорас (Corydoras)

Общая характеристика

В этот род входит около 100 видов, многие из которых содержатся в аквариуме. В естественных условиях они живут в пресных медленно текущих и стоячих водоёмах Центральной и Южной Америки.

Коридорас

Тело крупное, слегка удлинённое. Передняя часть высокая, ближе к хвосту понижается. Бока покрыты двумя рядами костяных пластинок. Имеются две пары усиков. На жировом плавнике имеется острый шип. Спинной плавник заострён у самцов и округлой формы у самок.

Рыбы имеют дополнительное кишечное дыхание, поэтому им нужно обеспечить доступ к поверхности воды для захватывания воздуха. В аквариуме ведут донный, стайный образ жизни. Большинство видов являются донными и сильно мутят воду, постоянно копаясь в грунте. Необходимы заросли растений и укрытия.

Рекомендуемые условия содержания: температура — 20–28 °C, жёсткость — 3–15°, кислотность — 6,5–8. Обязательны фильтрация и регулярная подмена части воды. Корм ищут на грунте, поэтому следите, чтобы его не расхватывали другие обитатели аквариума и он доставался сомикам. Кстати, лучший грунт — мелкозернистый песок. Сомики рода коридорас всеядны.

Самку, готовую к размножению, можно узнать по полному брюху, набитому икрой. На нерест рекомендуется сажать 4–6 самцов

и 2–3 самки, которых перед этим неделю держат раздельно. Добавление свежей воды стимулирует нерест, который может проходить как в отдельном, так и в основном аквариуме. Самка откладывает от 50 до 1000 икринок, прикрепляя их к мелколистным растениям. Для икрометания хорошо подходит яванский мох. Рыбы поедают икру, поэтому после откладки их следует разделить: либо отсадить «родителей», либо поместить икру в инкубатор. Инкубационный период длится от 3 до 10 дней. Начальный корм для мальков: «живая пыль». Половозрелыми рыбки становятся в возрасте около года.

Сомик обыкновенный
(сомик крапчатый)

Обитает в водоёмах юго-восточной части Бразилии.

Это один из самых крупных коридорасов, достигает длины до 7,5 см. На теле сомика просматривается мраморный рисунок, создаваемый тёмно-бурыми пятнами на более светлом фоне. Самцы стройнее самок, спинной плавник у них острый, треугольной формы, у самок он закруглен.

Тело имеет торпедовидную форму, у самца сжато с боков.

Общая окраска серовато-коричнево-зелёная. Спина темнее брюшка. Плавники серые с чёрными пятнышками и штрихами.

Очень просты в содержании и разведении. Рекомендуемые характеристики: температура— 20–24 ˚C, жёсткость — 5–20˚, кислотность — 6–8. Копаясь в грунте, мутят воду, поэтому необходима мощная фильтрация. Плохо переносят лечение солью.

Толчком к размножению служит повышение содержания кислорода в воде. Наилучшие результаты бывают при температуре 18–20 °C. Аквариум для нереста может быть и небольшим, но лучше употреблять сосуд объёмом 30–50 л. Освещение в нерестилище желательно установить естественное. На нерест обычно помещают одну самку и 2–3 самцов. Самка откладывает до 600 икринок на листья растений или стенки аквариума. Икра при температуре 18–20 °C развивается в течение 8–12 суток. Молодых рыб с первых дней можно кормить «пылью» и даже мелко нарезанным мотылём.

Существует альбиносная форма обыкновенного сомика. Его окраска беловато-розовая с золотистым блеском, глаза красные.

Сомик леопардовый

В природных условиях обитают в бассейне Амазонки на территории Перу и Бразилии.

Длина до 6 см. Самка крупнее самца.

Общая окраска желтовато-серая с серебристым блеском. По всему телу проходят многочисленные небольшие тёмные полоски и пятнышки. Через всё туловище проходит заметная чёрная полоса. Крупное пятно бархатисто-чёрного цвета расположено в верхней части хвостового плавника. Плавники прозрачные. Радужная оболочка глаза золотистая.

В аквариуме это пугливые рыбки, предпочитающие держаться стаями. Они очень неприхотливы и переносят резкие температурные колебания без всякого вреда для себя. Рекомендуемые условия содержания: температура — 20–27 °C, жёсткость — 3–15°, кислотность — 6,5–7,5.

Самка откладывает за раз до 200 икринок на листья растений и стенки аквариума. В остальном условия размножения совпадают с общими, описанными выше.

Сомик золотистый (сомик изменчивый)

Его родина — мелкие водоёмы Южной Америки и близлежащих островов.

Средние размеры рыбки — 5–7 см. Самка крупнее самца.

Общая окраска желтовато-коричневая. Спина темнее брюшка. По бокам проходит заметная ярко-зелёная продольная полоса. Под ней проходит другая, более узкая полоса светло-зелёного цвета. Плавники желтоватые, прозрачные. Рот, расположенный в нижней части головы, снабжен двумя парами чувствительных усиков, служащих дополнением к органам осязания и вкуса и позволяющих сомикам перемещаться и находить пищу даже в полной темноте. Мирная донная рыбка, пригодная для общего аквариума.

Условия содержания совпадают с общими для рода, описанными выше. Рекомендуемые характеристики воды: температура — 18–24 °C, жёсткость — 1–25°, кислотность — 6,5–8.

Самок нужно обильно кормить живым кормом, лучше всего червями. Когда самка округлится, поместите её вместе с самцом в нерестовик ёмкостью не более 60 л и без растений, чтобы партнёрам было легче найти друг друга. Добавьте на 1/4 пресной воды, доведите температуру до 27 °C, и рыбы сразу активизируются. Самка откладывает за раз от 100 до 300 икринок на листья растений и стенки аквариума. Нерест продолжается, пока брюшко самки

не опустошится, вся внутренняя поверхность аквариума может оказаться покрытой икринками. Кормить мальков нужно часто и достаточно обильно, следя, однако, за тем, чтобы вода в аквариуме не начала мутнеть.

Род каллихтис (Callichthys)

Каллихтис

Родина этой рыбы — воды восточной Бразилии. Тело покрыто двумя рядами чешуек, набегающих друг на друга, подобно черепице. Зеленовато-жёлтый с тёмным крапом по телу и плавникам. Первые лучи грудных плавников имеют форму шипа у самцов, у самок они несколько менее развиты. Две пары подвижных усов расположены на верхней губе, одна из пар более длинных усов достигает 4 см длины, в спокойном состоянии направлена вперед и в стороны, вторая вперед, но вниз.

Рекомендуемые условия содержания: жёсткость — до 25°, кислотность — 7–7,5, температура — 26 °С. В преднерестовый период

Каллихтис

рыб обильно кормят рублеными дождевыми червями или большими порциями трубочника.

В природных условиях эти сомики всегда размножаются после дождя, поэтому полезно устраивать им душ из аквариумной воды. Самец сооружает пенное гнездо под одним из листьев плавающих растений. Самка мечет огромное количество икры, самец отгоняет её и приступает к охране потомства, разместившись под гнездом.

Род дианема (Dianema)

Дианема полосатохвостая

Длина до 12 см. Коричневая с тёмным крапом, белым горлом и животом, а также белым в чёрную продольную полоску хвостом. Самец ярче, стройнее. Две пары усиков. Одна пара направлена вперёд, вторая пара — вниз.

Миролюбивые. В аквариуме с дианемами желательно иметь множество укрытий в виде коряг, камней и зарослей, создающих

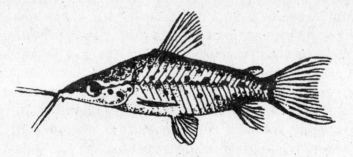

Дианема

местами полумрак. Роются в грунте, могут сильно взмутить воду. Рекомендуемые условия содержания: жёсткость — до 20°, кислотность — 6–7,5, температура — 20–28 °C.

Стимулом к нересту служит понижение атмосферного давления и понижение температуры на 2–3 °C. Самец строит гнездо из пузырьков воздуха под большим листом плавающего растения, куда позже самка откладывает до полутысячи икринок.

Другие виды панцирных сомиков, которые можно встретить в аквариумных условиях: сомик Мета, элегантный, агасина, Коча, барбатус, сомик-панда и другие.

СЕМЕЙСТВО ХАРАЦИДОВЫЕ, ИЛИ АМЕРИКАНСКИЕ ТЕТРЫ (CHARACIDAE)

Общая характеристика

Представители его встречаются в водоёмах Африки и Америки. Большинство американских харацидовых живут в озёрах, медленно текущих реках, расположенных среди дремучих лесов. Северной границей ареала считается бассейн Рио-Гранде-дель-Норте. Воды рек и озер, где водится большинство аквариумных харацидовых, отличаются мягкостью и имеют кислую реакцию.

Размер рыб колеблется от 5 до 15 см.

Общими условиями содержания харацидовых можно считать мягкую (до 8–10°), регулярно подменяемую небольшими порциями воду, имеющую слабокислую реакцию (pH 6,5–6,8). Для большинства видов подходит температура воды в пределах 23–26 °C. Также необходима пышная растительность наряду со свободным

пространством для плавания. Полезно включать в рацион немного трубочника, коретры и растительных комбикормов.

Для разведения многих представителей этой группы надо использовать цельностеклянные сосуды со специально приготовленной водой. Кристально чистая, янтарного цвета вода с уровнем pH 6–6,8, индивидуально подобранный размер нерестовика, субстрат — мелколистные растения, ивовые корешки, широкий лист эхинодоруса. Рекомендуемая температура 24–27 °C. За 10–15 дней до предполагаемого нереста самцов отделяют от самок непрозрачной перегородкой, чтобы они осязали, но не видели друг друга. Для икрометания большинства харацинид требуется либо слабый рассеянный свет, либо частичное затенение нерестилища. После нереста икру многих харацинид необходимо затенять, а уровень воды снизить до 5–8 см. После выклева личинок медленно увеличивают жесткость воды. Для выращивания молоди требуется мельчайший корм: личинки ракообразных, коловратки, инфузории.

Род моенкаузия (Moenkhausia)

Бриллиантовая тетра

Обитает в Венесуэле в водах прибрежной зоны озера Валенсия и рек Бус и Тиквирито.

Окраска серовато-серебристая с небольшим золотистым отливом. Ее мелкие чешуйки при верхнем и переднем освещении переливаются блестящими искорками. У самцов спинной плавник удлиненной формы. Окраска тела латунно-жёлтая, спина темнее, брюшко жёлто-белое.

Моенкаузия

Мирные рыбки. Для содержания необходим просторный, негусто засаженный растениями аквариум с чистой, богатой кислородом водой. Рыбки любят яркое освещение. Наиболее подходящая температура воды 22–26 ˚С. Всеядные.

Перед нерестом кормление должно быть разнообразным и качественным. Нерестовик — 15–30 л. Вода отстаивается 4–5 суток. Оптимальные условия для нереста: жёсткость — 4–6˚, кислотность — 6–6,8, температура — до 27 ˚С. После нереста обоих производителей следует отсадить. Молодь очень крупная. Стартовый корм: науплии артемии и циклопа.

Филомена

Рыбы распространены в водоёмах Парагвая. Общий фон тела серебристо-стальной. Плавники прозрачные. Верхняя половина радужной оболочки глаз ярко-красная. Самки полнее самцов.

Любит свободные места для плавания и яркое освещение. Температура воды — 22–25 °C.

Наиболее подходящие условия для нереста: жёсткость — 1,5–3°, кислотность — 6–7, температура — 25°. Предохранительная сетка обязательна. Выкармливание мальков не представляет сложности.

Род парахеиродон (Paracheirodon)

Красный неон

Места обитания — лесные ручьи и заводи Иту и Юфари, Риу-Негру, Ориноко.

Самка крупнее и полнее самца, к тому же край анального плавника у неё вогнутый, а у самца слегка выпуклый. Красная окраска распространяется на всё брюшко.

Мирная стайная рыбка. В аквариуме необходимо создать сильно затенённые участки, в которых неоны предпочитают держаться. Из растений подходят таиландский папоротник, перистолистник.

Парахеиродон

Оптимальные условия: жёсткость — до 5°, кислотность — 6–6,5, температура — 23–25 °C. Рыбы эти не очень чувствительны к колебаниям температуры и пересадке. С удовольствием поедают куколок комаров, циклопа, мелкую дафнию, коретру, хуже — мотыля, трубочника. Не отказываются и от сухого и комбинированного корма.

Нерестятся в основном с октября по апрель и, как правило, при повышении атмосферного давления. Оптимальные условия для размножения: температура воды — 23–25 °C, жёсткость — около 2–3°, кислотность — 6,2–6,5, она должна быть мягкой. Освещение должно быть очень слабым. За сутки до посадки в нерестилище не кормить вообще. Воду нужно продезинфицировать озонатором или ультрафиолетовой лампой. Красные неоны рассеивают клейкие икринки по кустистым растениям. Икрометание не всегда происходит в течение первых суток, иногда задерживается на 5–7 дней. В этот период производителей не кормят. По окончании нереста производителей рассаживают. Стартовый корм: инфузория, коловратка.

Род пристелла (Pristella)

Пристелла

Пристеллы водятся на севере Южной Америки в небольших стоячих и медленно текущих водоёмах.

Тело желтоватое с серебристым отливом. Позади жаберной крышки расположено небольшое тёмное пятно. Основной цвет

Пристелла

от молочного до бледно-розового, глаза красные, хвостовой плавник — красноватый. Самка крупнее и полнее самца.

Рыбки стайные, держатся в средних слоях воды. Эти рыбки отличаются неприхотливостью в содержании: вода чистая, жёсткость — 8–20°, температура — 24–26 °С, кислотность — 6,8–7,5.

Нерестовик — 10–20 л, наполненный отстоявшейся в течение недели дождевой водой, к которой добавляют немного марганцовки до появления слабо-розовой окраски, уровень воды — 12–20 см. В одном конце нерестовика высаживают пучок узколистных растений, температуру воды доводят приблизительно до 27 °С. Оптимальные условия для нереста: жёсткость — 6–8°, кислотность — 6,5–7. После нереста производителей следует удалить. Нерестовик нужно затенить дня на три, пока не выклюнутся и не повиснут на всех стенках аквариума личинки, сильно восприимчивые к колебаниям температуры. Личинки выводятся через сутки, спустя 4 дня они превращаются в мальков, начинают плавать и питаться. Их следует кормить «живой пылью».

Род хемиграммус (Hemigrammus)

Общая характеристика

Южноамериканский род ярко окрашенных, подвижных рыбок с вытянутым в длину, стройным, сплющенным с боков телом. Для всех хемиграммусов характерна неполная боковая линия. Местом обитания этих быстрых рыбок служат воды богатых кислородом лесных тропических ручьев.

Оптимальная температура — 23–25 °C. Рекомендуется чередование густо засаженных участков, служащих для укрытия, со свободными от растений, хорошо освещёнными местами. Желательна частая (1–2 раза в неделю) подмена воды. Пища — растительная.

Нерестовик — 10–30 л. Для нереста употребляется вода мягкая или средней жёсткости с нейтральной или слабокислой реакцией (pH 6,1–7,2). На нерест помещают пару производителей либо одну самку с двумя самцами. Нерест обычно происходит рано утром. Сразу после нереста производителей необходимо отсаживать. Мальков можно кормить мелкими циклопами.

Хемиграммус

Экзотические рыбы

Зелёный неон, или неон костелло

Общий фон тела серебристо-зеленоватый, от головы до хвоста проходит светло-зелёная полоска. Выше боковой линии расположено красновато-золотистое блестящее пятно, ниже его — более крупное чёрное пятно, на жаберных крышках — красноватые пятна. Самец мельче и стройнее самки.

Оптимальные условия содержания: температура — 21–25 °С, жёсткость — 5–18°, кислотность — 6,5–7,5.

Нерестовик — 10–30 л, слой воды — 20 см. Рекомендуемые условия для нереста: жёсткость — 1,5–5°, кислотность — 6,2–6,8, температура — 26–28 °С. Предохранительная сетка обязательна. После окончания икрометания производителей следует удалить. Икру следует затенять. Стартовый корм: коловратки. Кормить следует малыми порциями, но часто.

Фонарик

Фонарики широко распространены в Гвиане и в бассейне Амазонки. Основная окраска серебристая, спинка темнее, брюшко светлее. У основания хвостового плавника расположено блестящее пятно ярко-оранжевого цвета. Второе, менее яркое пятно, расположено за жаберной крышкой. По переднему краю спинного, анального и брюшных плавников имеется белый кант, спинной плавник бледно-красный.

Рыбки предпочитают держаться в средних и верхних слоях воды. Рекомендуемые условия содержания: жёсткость — 5–18°,

кислотность — 6,5–7,5, температура — 20–25 °С. Самки очень быстро набирают икру, поэтому в момент подготовки к нересту важно их не перекармливать и поддерживать температуру на уровне 20–21 °С.

Нерестовик — 10–20 л, уровень воды не более 20 см. Засыпьте дно 20-литрового аквариума чистой галькой. Жёсткость воды большого значения не имеет (от 2 до 15°), вода должна быть слегка кислой (6,2), отстоявшейся, температура 25–27 °С. Нерест парный или групповой. Часть икринок попадает в кустистые растения, но большинство проваливается между галькой на дно. Родителей надо отсадить после завершения нереста. Икру следует затенять. Стартовый корм: инфузории, коловратки, науплии циклопов. Мальки растут быстро и с месячного возраста начинают окрашиваться.

Пульхер

Пульхеры водятся в бассейне верхнего и среднего течения Амазонки. Основной цвет тела от золотисто-жёлтого до цвета червонного золота с красноватым отливом. Спинной и хвостовой плавники бесцветные, брюшной и анальный — ярко-жёлтые. Вся окраска в очень большой степени зависит от условий освещения и содержания.

Желателен светлый просторный аквариум. Мирные, подвижные рыбки держатся стайкой, больше в верхних и средних слоях воды. Рекомендуемые условия содержания: температура — 23–26 °С, жёсткость — до 15°, кислотность — 6–7. Разнообразное кормление — залог дальнейшего успешного разведения этого вида.

Для нереста отберите экземпляры постарше и обильно кормите их до тех пор, пока самец не станет переливаться яркими красками, а самка будет буквально лопаться от переполняющей её икры. Перед нерестом самцов и самок желательно содержать раздельно. После посадки рыб в нерестилище самец обычно бурно преследует самку. Температура воды в нерестилище 22–28 ˚С. На дно следует поместить прокипяченный, чисто промытый кварцевый песок и посадить куст перистолистника. Нерестилище — 10–30 л, уровень воды до 20 см. Оптимальные условия для нереста: кислотность — 6,5–6,8, температура— 25–28 ˚С. Освещение слабое, рассеянное. Икру надо затемнить. Первые 5–7 дней молодь кормят инфузорией или коловраткой, затем в течение 2–3 недель — мельчайшей «пылью». Необходимо своевременно переходить от одного корма к другому, более крупному. Качественных производителей рекомендуется содержать отдельно.

Род хифессобрикон (Hyphessobrycon)

Общая характеристика

Представлен мелкими стайными рыбками, которые широко распространены в различных районах Южной Америки. Относящиеся к этому роду рыбы характеризуются четырёхугольным вертикальностоящим спинным плавником. Почти все представители этой группы отличаются великолепием своей окраски, подвижностью и миролюбием. Хифессобриконы имеют либо стройное, несколько вытянутое в длину, либо относительно высокое, сплющенное с боков тело. Боковая линия прерывистая, имеется жировой плавник.

Хифессобрикон

Большое значение имеет состав воды. Обычно необходима слабокислая, мягкая (1–8°), слегка кислая вода (pH 6,8–7,0), по возможности долго не сменяемая. Температура 23–25 °C удовлетворяет большинство видов. Для разведения большинства хифессобриконов необходим слабый рассеянный свет. Их можно кормить различными рачками, мотылем, энхитреусами, мелкими насекомыми и сухим кормом.

Большое внимание следует уделить обеззараживанию нерестилища. На дне обязательна защитная сетка. Производителей помещают в нерестилище с вечера, и самка обычно мечет икру на другой же день утром. После завершения нереста производителей сразу отсаживают, а нерестилище затеняют. Через 4–5 дней после выклева мальки принимают горизонтальное положение и начинают охотиться за мельчайшим кормом. Сразу после выклева личинок и по мере роста мальков из общего аквариума малыми порциями добавляется более жесткая вода.

Простой орнатус

Место обитания — внутренние районы бассейна Амазонки. Они окрашены в красноватый цвет с фиолетовым оттенком, спина от головы до спинного плавника тёмно-красная, на жаберных крышках голубоватые пятна с металлическим блеском. Спинной плавник самца серповидной формы, конец его чёрный, но не такой контрастный, как у самки. Хвостовой плавник желтоватый, с двумя вытянутыми красными пятнами.

Оптимальная температура воды 23–26 ˚C; вода по возможности мягкая. Лучший корм: дафния, коретра, трубочник, мотыль.

Рекомендуемые условия для нереста: жёсткость — от 3 до 7˚, кислотность — 6,2–6,8, температура — 26–28 ˚C. Нерестовик — 10–30 л, уровень воды — 12–15 см. После приготовления вода должна постоять 10–12 дней. Стартовый корм: коловратки, науплии циклопа.

Светлый минор

Окраска тела рубиново-красная, достаточно устойчива и слабо изменяется в зависимости от условий содержания. Среди более ярких рыб встречаются розовые экземпляры.

Содержать миноров довольно просто. К химическому составу воды нетребовательны. Лучшая вода — «старая», жёсткость — 15˚, температура — 22–24 ˚C, не ниже 18 ˚C.

Нерестовик — 6–15 л, уровень воды — 12–15 см, должны быть кустистые растения или их заменитель. На дно устанавливается

предохранительная сетка. Вода используется «старая», мягкая, жёсткость — до 6°, кислотность — 6,2–6,6.

Откармливайте рыб перед нерестом преимущественно живыми дафниями. В нерестовик с вечера сажается пара производителей, нерест начинается в предрассветные часы и заканчивается с первыми лучами солнца. По окончании нереста производителей удаляют. Первые 3–4 дня мальков кормят инфузорией, а затем дают коловраток, микрочервя, «живую пыль».

Тетра фон Рио

Окраска рыб в очень большой степени зависит от обстановки, только при хороших условиях, при верхнем освещении, в спокойном состоянии они ярки и красивы, при малейшем испуге и при неправильных условиях содержания окраска теряет большую часть своей прелести. В хорошо озеленённом аквариуме она особенно красива. Тело коричневатых тонов, с красноватым оттенком, брюшко —

Тетра

желтоватое. Все плавники, кроме бесцветных грудных и жирового, ярко-красные, почти карминные. Окраска самца более интенсивна, по нижнему краю анального плавника тянется чёрная полоска, отсутствующая у самки.

Рекомендуемые условия содержания: жёсткость — 8–12° до 20°, кислотность — 6,4–7,5. Необходима ежемесячная подмена 1/3 объема воды на свежую. Оптимальная температура воды для них 20–25 °С. Рыбы поедают все виды живых кормов, лишь бы он не был слишком крупным.

Для разведения можно употреблять воду мягкую или средней жёсткости с нейтральной или очень слабокислой реакцией среды, отстоявшуюся в течение 2–3 дней. Температура воды в нерестилище 21–24 °С. Слой воды в аквариуме 20–25 см. Нерестовик — 3–15 л, растения, защитная сетка обязательны. Производителей с вечера сажают в нерестовик. С одной самкой обычно помещают 2–3 самцов, но можно и одного. Нерест, как правило, начинается в утренние часы и протекает бурно. Самец неоднократно загоняет самку в гущу растений, где она каждый раз вымётывает около 10 икринок. На четвертые сутки мальки начинают плавать и питаться. Мальки довольно требовательны к содержанию кислорода.

Тетра Грими

Отличием от тетры фон Рио является блестящее голубоватое пятно на боку, с двух сторон ограниченное тёмными пятнами меньшего размера, и анальный плавник, окантованный молочно-белой полосой.

Содержат и разводят их в тех же условиях, что и тетру фон Рио.

Аквариумные рыбы

В качестве нерестилищ можно использовать цельностеклянные сосуды объёмом 7–10 л. Вода должна быть сравнительно мягкой. В нерестилище следует поместить небольшой куст мелколистных растений и установить его на светлом месте.

Чёрный неон

Красивая рыба, особенно при правильных условиях содержания. Вдоль оливково-желтоватого тела проходят две полосы: верхняя — узкая, с зеленоватым отливом, нижняя — широкая, угольно-чёрная. Плавники прозрачные, спинной и анальный желтовато-розовые. Самцы значительно стройнее и мельче самок.

Стайная рыбка. Грунт желателен тёмный, освещение комбинированное. Предпочитают держаться в верхних и средних слоях воды.

Нерест парный, но лучше в соотношении 2 самца — 1 самка. Рекомендуемые условия для нереста: вода отстоянная в течение 2 недель, жёсткость — 2–12°, кислотность — 6,2–6,6, температура — 24–26 °C. Нерестовик — 10–30 л. Предохранительная сетка обязательна.

СЕМЕЙСТВО ЦИХЛОВЫЕ (CICHLIDAE)

Общая характеристика

Семейство цихловые входит в обширный отряд окунеобразные и насчитывает более 1000 видов рыб. За разнообразие окраски и формы тела цихловые получили название «пёстрые окуни».

Экзотические рыбы

В естественных условиях эти необычайно красивые рыбки обитают в тропических зонах Азии, Афики и Америки. Многие виды живут в Больших африканских озёрах — Виктории, Малави и Танганьике. Их среда обитания — стоячие и медленно текущие водоемы, хорошо насыщеные кислородом. Эти рыбы могут жить в воде любого состава, в том числе и солоноватой.

Размеры рыбок семейства цихловые колеблются от 2 см (апистограмма крошечная) до 1 м (некоторые виды цихл). Тело сжато с боков, высокое. Отличие цихловых от других рыб: имеется две боковые линии. Спинной плавник довольно больших размеров. Самцы крупнее и ярче окрашены.

Окраска очень сильно отличается в зависимости от конкретного вида. В любом случае большинство цихловых очень красивы, и это делает их желанными обитателями каждого аквариума.

Главное, что должен знать про цихловых каждый любитель: это очень агрессивные рыбки, которых во избежание несчастных случаев нужно содержать в отдельном видовом аквариуме. Сосуд должен быть просторным, оборудованным укрытиями и растениями. Желательно высаживать стойкие растения с хорошо развитой корневой системой (типа криптокорины). Необходима аэрация и фильтрация.

Рекомендуемые условия содержания: температура — 22–28 °C, жёсткость — 8–15°, кислотность — 7–8,5. Цихловые всеядны, но предпочитают живой корм, который нужно давать в достаточном количестве.

Пол цихловых можно определить по форме генитальной папиллы: у самцов она мечевидная, у самок — грушевидная. У многих

видов наблюдается «супружеская верность», когда размножение происходит при постоянных партнёрах. Стимулом к нересту является повышение температуры и мягкости воды на несколько градусов. Икра мечется в укрытия или на стенки аквариума. Родители ухаживают за кладкой, отгоняя других рыб. Есть виды цихловых, которые вынашивают икру во рту до появления мальков. У таких цихлид нерест обычно проводят в том же аквариуме, где они живут, а не в специальном нерестовом аквариуме, однако самку, откладывающую икру, часто пересаживают в специальный маленький аквариум.

После появления мальков родители продолжают заботиться о потомстве. Начальный корм: инфузории, яичный желток. Цихловые становятся половозрелыми в возрасте 1–1,5 года.

Цихлиды отличаются чрезвычайным разнообразием в поведении, диете и требованиях к составу воды, поэтому прежде чем приобрести хотя бы одну цихлиду, очень важно побольше узнать об этих рыбах.

Род апистограмма (Apistogramma)

Общая характеристика

В этот род входит около 40 видов. В природных условиях населяют тропики и субтропики Южной Америки. Их среда обитания — медленно текущие водоёмы с мягким грунтом.

Самец крупнее самки. Тело имеет удлинённую форму, сжато с боков. По бокам находятся продольные тёмные полосы. У самца плавники заострены, у самки закруглённой формы.

Апистограмма

В аквариумных условиях рыбы занимают каждая свою территорию, причём территория самца состоит из нескольких территорий самок. Если аквариум невелик по размерам, то между самцами происходят стычки.

Апистограмм можно содержать в общем аквариуме вместе с другими небольшими и подвижными рыбами. Преимущества этих рыб перед другими цихлидами — мирный, уживчивый характер и относительно небольшая величина. Засаживать аквариум лучше крупнолистными растениями, также необходимо множество укрытий. Содержать апистограмм не очень сложно. Аквариум, по возможности, должен иметь большую площадь дна, уровень воды 30–35 см. Рекомендуемый грунт — галька или крупнозернистый песок. Раз в неделю нужно заменять 1/3 воды. Необходима аэрация и фильтрация. Апистограммы очень чувствительны к различным ядам и лекарствам.

Рекомендуемые условия содержания: температура — 22–26 °C, жёсткость — 5–10°, кислотность — 6,5–7,0. Можно кормить как живым, так и сухим кормом.

В период размножения апистограммы проявляют агрессивность. Нерест может проходить в общем или в нерестовом аквариуме, который должен быть снабжён грунтом, растениями и укрытиями. Температуру поднимают на 2–4 °C и ежедневно сменяют 1/5 объёма воды на более мягкую и кислую. Самка откладывает от 100 до 300 икринок на предварительно очищенные ею поверхности камня или черепка, листа растения или стенки аквариума. После откладки икры самца следует удалить. Инкубационный период продолжается от 3 дней до 1 недели. Начальный корм для мальков: инфузории и коловратки. Апистограммы становятся половозрелыми в 6–8 месяцев.

Апистограмма факельная (апистограмма Агассиза)

В естественных условиях живёт в бассейне. Амазонки на территории Бразилии и Боливии.

Достигает в длину 8 см. В боковой линии 22–24 чешуйки.

Тело удлинённое, сжатое с боков.

Общая окраска зеленовато-коричневая, возможно преобладание жёлтых или голубых тонов. Спина темнее брюшка. От глаз до хвоста проходит тёмная полоса. Плавники оранжевые с вкраплениями голубого и зелёного. У самца хвост заострен, у самки он округлой формы. Самка в период нереста и ухаживания за потомством меняет окраску. Основным становится жёлтый фон, на котором расположены тёмные полосы.

Условия содержания и размножения совпадают с общими рода, описанными выше.

Апистограмма Рейтцига
(апистограмма Борелли)

В природе встречаются в водоёмах центральной части Южной Америки.

Достигает в длину 7–8 см. В продольной боковой линии 22–24 чешуйки. Тело удлинённое, сжатое с боков.

Основная окраска сине-голубая. Спина темнее брюшка. На боках имеются тёмные полосы. Голова, грудь и хвостовой плавник жёлтого цвета. Остальные плавники голубоватые с каймой желто-оранжевого цвета. Самец окрашен ярче самки. Самка в период нереста и ухаживания за потомством меняет окраску на ярко-жёлтую с черными продольными полосами на боках и чёрной каймой на плавниках.

Мирные территориальные рыбы. Аквариум — от 25 л, в 100-литровом можно содержать 4–6 пар. Рекомендуемые условия содержания: жёсткость — 5–25°, но лучше до 10°, кислотность — 6,5–7,5, температура — 21–25 ℃. Отмечается, что при pH 5,8 в потомстве бывает около 91% самцов, а при pH 7,1 — около 9%.

Апистограмма-какаду

Рыба получила своё название благодаря характерным удлинённым и загнутым назад наподобие хохолка у попугая какаду передним лучам спинного плавника. Вид распространён в западной части бассейна Амазонки в пределах Перу, Бразилии и Колумбии. Апистограмма средних размеров с довольно мощным телосложением. Длина тела самцов достигает 8–12 см, самок — около 5–7 см.

Характерной особенностью, помимо формы спинного плавника, является массивная нижняя челюсть. Окраска тела черезвычайно разнообразна. Помимо многочисленных природных цветовых форм в последнее время появилось большое количество исскуственно выведенных пород.

Какаду является наиболее простым из всех остальных видов апистограмм и поэтому идеально подходит для начинающих любителей. Без проблем живёт и размножается как в мягкой, так и в жёсткой воде с температурой 24—27 °C и уровнем кислотности 6—8. Вид миролюбивый в отношении других рыб.

Апистограмма-какаду разводится черезвычайно легко. Внутри убежища откладываются около 80 икринок. Икра и потомство охраняются самкой, самец занимается охраной территории.

Кроме вышеописанных видов, в аквариумных условиях содержится множество других разновидностей апистограмм: зебра, панда, Рамиреза, Ипполлиты, Пиауи, Ритенсе, Рондона, Макмастера, Люменга, Линке, Рупунума, Ортмана, Стека, Вейзе, Уаупеса, крошечная, фантом, ленточная, цветная, глянцевая, пунктирная, полосатая, голубая, трёхполосая и другие.

Род акара (Aequidens)

Общая характеристика

Род включает в себя около 30 видов, обитающих в водоёмах Южной Америки.

Тело имеет удлинённую форму, сжато с боков. Особенность акар: крупная голова и большие глаза. Хвостовой и спинной плавники крупные, удлинённые. Самцы крупнее самок.

Экзотические рыбы

Акара эквиденс

Это мирные рыбы, держащиеся в аквариуме парами. Становятся агрессивными во время нереста и ухаживания за потомством. Их можно держать в общем аквариуме, оборудованном укрытиями. Лучше высадить крупнолистные растения.

Рекомендуемые условия содержания: температура — 22–26 °C, жёсткость — 3–20°, кислотность — 7–8. Желательно раз в неделю заменять 1/3 воды. Кормить акар нужно в первую очередь живым кормом.

Нерест может проходить и в основном, и в нерестовом аквариуме. Температуру поднимают на 2–4 °C и ежедневно сменяют 1/5 объема воды на более мягкую и кислую — это стимулирует нерест. Пара перед нерестом выбирает территорию, которую потом охраняет от других обитателей аквариума. Самка вымётывает 200–400 икринок на камни или на крупные листья растений, после чего через 1–2 суток инкубирует икру во рту. Мальки появляются через неделю, но на ночь и при опасности ещё некоторое время прячутся во рту у родителей. Их следует кормить инфузориями и коловратками.

Акара Мери

В естественных условиях распространены в бассейне Амазонки и других водоёмах северной части Южной Америки.

В аквариуме размеры рыбок составляют 8–12 см, в природе акара Мери вырастает до 20 см. На жаберных крышках узорчатый рисунок. Самцы крупнее, имеют более длинные плавники.

Основная окраска тела оливково-серебристая. Спина темнее брюшка. От глаз до хвоста тянется заметная тёмная полоса. По всему телу разбросаны блестящие голубые пятна и штрихи. Радужная оболочка глаза жёлто-золотистого цвета. Спинной плавник окрашен в цвет морской волны. Остальные плавники красного цвета.

Рекомендуемые условия содержания: жёсткость — 4–15°, кислотность — 6,8–7,2, температура —23–25 °C, аэрация, фильтрация и подмена воды. Икру откладывают на камень, цветочный горшок, листья растений. Мальки питаются науплиями артемии и циклопа. Прислучае самец может нереститься с 2–3 самками.

Акара парагвайская

В природе обитают в центральной части Южной Америки.

Достигает длины 12 см. Самцы массивнее, имеют более заострённые непарные плавники.

Основная окраска желтовато-коричневая. По всему телу разбросаны блестящие зелёные пятнышки. По бокам проходят тёмные полосы, есть одна продольная полоса. На плавниках имеются пятнышки зелёного цвета.

Уживчивые, но в тесных аквариумах у них проявляется внутривидовая агрессивность. Рекомендуемые условия содержания: жёсткость — до 15°, кислотность — 6,5–7,8, температура — 23–26 °C. В аквариуме живут около 5 лет.

Акара голубая

В природных условиях населяет водоёмы Южной Америки.

В аквариуме вырастает до 10–12 см, в естественных условиях достигает больших размеров. Общая окраска оливково-серая с голубоватым отливом. По всему телу разбросаны голубые и зелёные блестящие точки. Их особенно много на голове и передней части туловища. Имеются поперечные тёмные полосы. Плавники окаймлены красной лентой. Самки в период нереста и ухода за потомством окрашиваются в более яркие цвета.

Условия содержания и размножения совпадают с описанными выше.

Курвицепс

Курвицепс — одна из привлекательных цихлид. Основная окраска рыб желтовато-зелёная, иногда зеленовато-коричневая с серебристо-зеленовато-голубоватым блеском, в середине тела находится большое тёмное пятно. На зеленовато-жёлтом спинном, хвостовом и анальном плавниках расположены синие пятна. Брюшные плавники синие. Самец бежево-голубой, с красными и голубыми точками по телу и плавникам. Самка мельче, в окраске больше коричневого цвета.

Оптимальная температура воды для них 23–25 °С. Разводить этих рыб лучше в цельностеклянных сосудах. Жёсткость воды большого значения не имеет — до 13°, но рыбы предпочитают слегка кислую реакцию — pH 6,5–6,8. Температура воды при нересте 26–28°. Эти рыбки немного пугливы, поэтому в их жилище должно быть много растений и несколько расположенных в разных местах камней. Закончив нерест, один из родителей располагается около кладки, вентилирует икринки, совершая колебательные движения грудными плавниками, и время от времени очищает икринки от грязи, забирая их по отдельности в рот. Самец переносит молодь ртом в выкопанную им сравнительно большую яму. Самка остаётся у камня, где продолжается выклев молоди. На 7-й день мальки начинают плавать и питаться «пылью» и даже яичным желтком. Родители проявляют особую бдительность, забирая в рот тех, кто слишком далеко отплыл, а затем выплевывая их обратно в стайку.

Кроме вышеописанных видов, в аквариумных условиях содержится множество других акар: круглоголовая, плосколобая, перуанская, моллюсковидная, соточешуйная, красногрудая, вишневая, носатая, губастая, Химанта, Столле, Копе, Пунальпа, Пачитса, Замора, Ортега, Тамбопата, Кордемада и другие.

Род псевдотрофеус (Pseudotropheus)

Общая характеристика

В природных условиях обитают в озере Малави, Африка. Тело немного удлинённой формы, сжатое с боков. Голова крупная, глаза большие. Спинной плавник удлинён.

Экзотические рыбы

Псевдотрофеус

Это агрессивные рыбы, держащиеся территориально. У самцов есть строго соблюдаемая иерархия. Псевдотрофеусов можно содержать в общем аквариуме при условии, что самок будет больше, чем самцов. Территориальные рыбы, в природе, облюбовав какое-нибудь укрытие, редко удаляются от него на большие расстояния. В аквариуме необходимо создать условия, приближенные к естественным. Для этого постройте несколько скалистых горок из камней, таким образом, чтобы оставалось много укрытий и щелей. Создайте местами заросли растений.

Рекомендуемые условия содержания: температура — 24–28 °C, жёсткость — 1–20°, кислотность — 7–8,5. Требуется хорошая аэрация и фильтрация. Обязательна регулярная подмена воды — около 1/3 объёма еженедельно, при необходимости солёность 1–5%. Кормить псевдотрофеусов надо в первую очередь растительным кормом (в том числе водорослями), не забывая и про живой и сухой корм.

Нерест может проходить и в основном, и в нерестовом аквариуме. Самка инкубирует икру во рту. Мальки появляются через 2–3 недели. Их можно кормить «живой пылью», науплиусами циклопов, артемии, дафнии. Половая зрелость наступает в возрасте 1 года.

Псевдотрофеус зебра

Достигает в длину 15 см. В продольной боковой линии 30 чешуек. Лоб, особенно у старых самцов, может выгибаться над глазами. Существует несколько цветовых форм:

- розовая, голубая или оранжевая: общая окраска тела и плавников.
- оранжево-голубая: общий фон оранжевый, испещренный голубыми пятнышками и штрихами. Плавники голубого цвета.

Аквариум — от 150 л. На каждого самца должно приходиться 2–4 самки. Рекомендуемая температура — 22–26 ˚C. Обязательны аэрация, фильтрация и регулярная подмена воды около 1/3 объема еженедельно. Вид подвержен ожирению при слишком калорийной диете.

Условия содержания и размножения совпадают с общими, за одним исключением: самка не ухаживает за икрой, а, наоборот, поедает её. Поэтому после икрометания её надо отсадить либо поместить икру в инкубатор. Продолжительность жизни в аквариуме — около 8 лет.

Псевдотрофеус Ливингстона

Длина рыбки — 7–12 см. Самец крупнее самки. Общая окраска серовато-жёлтая. На боку 5–6 широких вертикальных темных полос. Жабры и губы голубого цвета. Плавники коричнево-голубо-белые. Самец окрашен ярче самки, его горло и грудь окрашены в ярко-жёлтый цвет.

Аквариум — от 60 л на группу рыб. Рыбы склонны к заболеванию водянкой.

Условия содержания и размножения совпадают с общими, описанными выше.

Псевдотрофеус жёлто-голубой

Рыбка имеет размеры 6–10 см. Самец крупнее самки.

Общая окраска самца голубоватая, самки — желтоватая. У самца голубые плавники с чёрной каймой. Спинной плавник с белой окантовкой, брюшные плавники, крайние лопасти хвоста и внешняя оторочка анального — угольно-черные.

Аквариум — от 100 л. Оптимальное соотношение полов — 2 самца и 4–5 самок.

Условия содержания совпадают с общими, описанными выше.

Кроме этих видов, в аквариумных условиях содержат и разводят следующие разновидности псевдотрофеусов: псевдотрофеус Ломбардо, Соколова, золотой, ракушковый, изменчивый, красноватый и другие.

Род скалярия или птерофиллум (Pterophyllum)

Общая характеристика

В природных условиях скалярии населяют спокойные бухты и заводи водоёмов центральной части Южной Америки.

Размеры скалярий в природных условиях достигают 15 см в длину и 25 см в высоту. В искусственных условиях их размеры сильно

Птерофиллум скалярия

зависят от объёма аквариума: чем он меньше, тем мельче рыбки. Тело имеет дисковидную форму, больше в высоту, чем в длину. Благодаря сильно удлинённым спинному и анальному плавникам приобретает форму, напоминающую полумесяц. Спинной и анальный плавники очень больших размеров, грудные плавники нитевидной формы. Хвостовой и грудные плавники заострены на конце. Самка полнее самца. У взрослого самца сильно развит лоб.

Основная окраска тела сильно варьируется, может иметь различные оттенки от зеленовато-серой до оливковой с серебристым отливом. Спина темнее брюшка. По телу проходят вертикальные тёмные полосы, насыщенность которых зависит от состояния рыбы. Плавники могут быть простыми или вуалевыми. Они прозрачные или того же цвета, что и тело рыбы.

Экзотические рыбы

В аквариуме это спокойные и малоподвижные рыбы, которых можно содержать вместе с другими крупными и мирными рыбами. Исключительно интересная манера плавания, неприхотливость и возможность содержания с любыми миролюбивыми рыбами, забота о потомстве характерны для этого вида. Они очень пугливы и при испуге теряют окраску. Важно, чтобы аквариум был достаточно высок (не менее 50 см). Высадите крупнолистные растения так, чтобы местами они образовали заросли, и поместите укрытия, можно создать декоративные скалы и ущелья из камней. Скалярий лучше держать группой — тогда рыбки сами поделятся по парам, и вы в дальнейшем сможете получить потомство.

Рекомендуемые условия содержания: температура — 24–28 °С, жёсткость — 1–15°, кислотность — 6–7,5. Раз в неделю нужно заменять часть воды, так как скалярии не переносят загрязнений. Кормить их надо в первую очередь живым кормом. Важно не перекармливать скалярий — это приведёт к ожирению и бесплодию.

Для размножения отберите создавшуюся пару (в основном аквариуме она будет держаться на своей территории).

В нерестовом аквариуме (объём не меньше 80 л, обязательная аэрация) должны быть высажены крупнолистные растения. Поднимите в нём температуру и мягкость воды на несколько градусов. Вода в нерестилище должна быть нейтральной (рН 7).

Зрелую, хорошо откормленную пару помещают в нерестовик. Пара выбирает себе широкий и прочный стебель или лист, тщательно очищает его от грязи. Самка начинает вымётывать на очищенное место ровными рядами икру, которую оплодотворяет самец, следующий за ней. Нерест продолжается несколько часов. Самка откладывает от 300 до 700 икринок на листья растений, укрытия

или стенки аквариума. Оба родителя вентилируют и чистят кладку. Рыбы ухаживают за икрой, удаляя мёртвые икринки, а потом за мальками. Впрочем, некоторые рыбы поедают икру, поэтому лучше переместить её в инкубатор с постоянной аэрацией и уровнем воды меньше 15 см. Проходит 6—9 дней, и появляются мальки. Родителей к этому времени нужно отсадить. Сроки появления мальков зависят от температуры воды, которая должна быть не ниже 26—30 ˚C. Начальный корм для мальков: «живая пыль», инфузории.

При хорошем уходе скалярии живут в неволе долго, 10—15 лет.

Скалярия обыкновенная

В природных условиях обитает в бассейне Амазонки.

Длина в аквариуме — 12—15 см, высота — до 25 см. Самцы более крупные, лоб их круче и шире, а спинной плавник длиннее. У самки в районе генитального отверстия небольшой бугорок, и брюшко немного более выпукло. В продольной боковой линии от 30 до 40 чешуек.

Оригинальную окраску обыкновенной скалярии сейчас почти нельзя встретить. Известно 5 основных разновидностей окраски этой рыбы:

Скалярия мраморная — по её телу разбросаны чёрные пятна и штрихи.

Скалярия золотая — общий фон окраски золотой с розовым оттенком.

Скалярия-зебра — у неё больше, чем обычно, вертикальных тёмных полос по бокам.

Скалярия шлейфовая — у неё особенно длинные плавники, напоминающие шлейф.

Скалярия чёрная — общий фон окраски бархатисто-чёрный.

Аквариум — от 100 л, высотой не менее 40 см. Рекомендуемые условия содержания: жёсткость — 6–15°, но может быть и до 25°, кислотность — 6,5–7,5, до 8,2, температура — 20, 24–27 °C, при заболевании до 33 °C. Обязательны аэрация, фильтрация и подмена воды — 1/3 объёма еженедельно. Любят яркое освещение.

Нерест стимулирует добавление свежей воды и повышение её температуры. Оптимальные условия для нереста: жёсткость — 6–20°, кислотность — 6,5–7,5, карбонатная жёсткость— до 2°, температура — 27–30 °C. На ночь желательно оставлять слабое освещение. Стартовый корм: коловратки, науплии артемии и циклопов.

Скалярия большая

В природных условиях населяет водоёмы северной части Южной Америки.

В аквариуме достигает в длину до 20 см, но в естественных условиях вырастает до значительно больших размеров. В продольной боковой линии 40 чешуек. На теле кроме традиционных темных полос есть красно-коричневые пятна различной величины.

Условия содержания и разведения совпадают с общими, описанными выше. Самка откладывает более 1000 икринок. Рыбы становятся половозрелыми в возрасте 1,5–2 лет. В аквариуме живут до 8 лет. В аквариумных условиях встречаются также: скалярия Мезонаута, острокрылая скалярия Дюмериля и различные разновидности цихл.

Род дискус или помпадур, симфизодон (Symphysodon)

Общая характеристика

Дискусы, пожалуй, самые крупные аквариумные рыбы — в больших по объёму сосудах они достигают размеров 30 см. Некоторые считают их самими красивыми, но и самими нежными рыбами.

В естественных условиях встречаются в бассейне Амазонки. Их среда обитания — тихие заводи спокойных водоемов.

Тело имеет дисковидную форму. Оно так сильно сжато с боков, что, даже когда рыба повернута хвостом, можно увидеть её глаза. Голова небольших размеров. Глаза большие, выпуклые. Хвостовой плавник имеет веерообразную форму, спинной и анальный

Симфизодон

Экзотические рыбы

плавники больших размеров, брюшные плавники удлинённые. У взрослых самцов заметно выступает лоб.

Окраска сильно отличается у разных форм, но всегда очень эффектна. Рыбы могут сами менять её, в зависимости от состояния, и тогда по всему телу появляются причудливые полоски разных цветов. Плавники прозрачные.

Дискусы — довольно пугливые рыбы, требующие оборудования укрытий и укромных уголков, густо засаженных растениями. Они любят заботливого хозяина и реагируют на его приближение. Дискусам нужны большие аквариумы. Минимальная норма воды на одного взрослого дискуса должна составлять 35–40 л, но желательно 50 л и более. При выборе аквариума предпочтительны аквариумы с большей глубиной. Аквариум для дискусов должен иметь ёмкость не меньше 100 л и уровень воды около 50 см. Почти половина объёма сосуда должна быть отведена под заросли разнообразных растений и укрытия. Необходима непрерывная аэрация. Очень важно, чтобы вода и грунт были чистыми. Обязательно заменяйте раз в неделю 1/4 часть объема воды. Дискусы не переносят резких температурных колебаний и легко заболевают.

Рекомендуемые условия содержания: температура — 27–30 °C, жёсткость — 1–12°, кислотность — 5,5–7,2. Кормить этих рыб безопаснее всего специально разработанными для дискусов сухими кормами, а также самостоятельно приготовленными смесями на основе телячьего сердца, морепродуктов. Кормят взрослых рыб 3 раза в день, подростков — 6 раз, а мальков — каждые 2 ч.

Как и другие цихловые, дискусы размножаются парами. Партнеры хранят верность друг другу до самой смерти. Вы можете понять, что рыбы готовы к нересту, если они начнут чистить камни или листья растений, подготавливая их к откладке икры. Пересадите

пару в нерестовый аквариум (длина — 1 м), оборудованный растениями и укрытиями. Необходима постоянная аэрация и рассеянное освещение. Вода должна быть мягкой, температура — выше на несколько градусов, чем в основном аквариуме.

Самка откладывает на листья растений, укрытия или стенки аквариума 100–300 икринок. Обычно за кладкой, а потом за мальками ухаживают оба родителя, реже — один из них. В это время рыб нельзя часто беспокоить, иначе в испуге они могут съесть икру. Инкубационный период продолжается трое суток. Первое время (2–3 недели) мальки питаются особыми выделениями кожи родителей, а потом — инфузориями, «живой пылью». Когда вы заметите, что молодь больше не питается выделениями взрослых рыб, отсадите родителей.

Дискусы становятся половозрелыми в 1,5 года.

Селекционерами выведено много цветовых разновидностей дискусов, которых с успехом содержат в аквариумах.

Дискус настоящий
(дискус обыкновенный, дискус Хекеля)

В естественных условиях встречается в водоёмах центральной части Южной Америки.

Тело сжато с боков. Длина до 20 см, в аквариуме — не больше 15 см. Форма тела — почти правильный круг, характерно наличие 1–2 поперечных тёмно-синих полос и ещё одной — на голове, проходящей через глаз.

Общий фон окраски бежево-красный или тёмно-красный. По всему телу идут блестящие голубые или изумрудные продольные волнистые полосы. По бокам проходят 3 чёрные вертикальные полосы.

Экзотические рыбы

Между ними имеются другие, плохо заметные полосы. Самец окрашен ярче самки. Условия содержания и размножения совпадают с общими, описанными выше.

Дискус голубой

В природных условиях населяет бассейн Амазонки.

Достигает длины до 20 см, но в аквариуме его размеры редко превышают 10—12 см.

Основной фон окраски коричневый с красным оттенком. Имеется 7—10 поперечных темных полос. По всему телу проходят блестящие волнистые линии цвета морской волны. Плавники жёлтого или красноватого цвета.

Выведены многочисленные цветовые формы голубого дискуса.

Условия содержания и размножения совпадают с общими, описанными выше.

Дискус коричневый

В природных условиях обитает в бассейне Амазонки, в центральной части Южной Америки.

Достигает длины до 20 см, но в аквариуме его размеры редко превышают 12—15 см. Несколько вариантов окраски.

Основной фон окраски светло-коричневый. По бокам проходит 7—10 тёмно-коричневых поперечных полос. Почти по всему телу и плавникам разбросаны блестящие голубые полосы, которые могут исчезать в зависимости от настроения рыбы. Плавники розоватые. Самец отличается немного более тусклой окраской

и множеством волнистых ярко-голубых линий вокруг головы и в области спинки и брюшка, у самки таких линий гораздо меньше.

Существует несколько цветовых форм коричневого дискуса.

Основной цвет жёлто-оранжевый, по лбу, жаберным крышкам, верхней части спинки, анальному и брюшным плавникам проходят голубовато-зелёные полосы; кроме того, на теле имеются 7—9 поперечных тёмно-коричневых штрихов. Красная пигментация у коричневого дискуса появляется в связи с витаминными и гормональными добавками.

Для разведения дискусов понадобится очень большой аквариум, в котором ничто не нарушало бы спокойствия рыб. Нерестовым субстратом и в этом случае может служить кусок шифера, иногда рыбы отдают ему предпочтение перед широколистными растениями. Брачная пара нерестится и ухаживает за икринками, как скалярии. Самое сложное — поддерживать личинок в хорошем состоянии в первые недели жизни. После выклева малыши начинают кормиться слизью, выделяющейся на теле самца.

Кроме описанных видов, вы можете встретиться со следующими видами и формами дискусов: дискус зелёный, красный, бирюзовый, кобальтовый, перламутровый, альбиносный, электрик, Уотлея, Швартца.

Род хемихромис (Hemichromis)

Общая характеристика

Одиннадцать видов рыб этого рода населяют воды Северной, Центральной и Западной Африки. В аквариумах обычно содержат только хромисов-красавцев. Представителей рода характеризуют

Хемихромис

довольно сильно вытянутое в длину тело, длинные спинной и брюшные, особенно у самца, плавники. Рыбы отличаются замечательной окраской, а также образцовой заботой о потомстве. Хемихромисы — хищники, и очень агрессивные.

Для содержания необходим достаточно просторный аквариум с укрытиями. К составу воды особых требований не предъявляют. Оптимальные условия содержания: жёсткость может быть до 25°, кислотность — 6,8–7,8, температура — 20, 22–28 °С. Обязательны аэрация, фильтрация и подмена воды 25–50% еженедельно.

Двупятнистый хромис-красавец

Рыбы широко распространены в водоёмах Африки. Основной цвет оливково-коричневый до бежево-красного, самка ярче, с чёрными пятнами на жаберной крышке, в центре тела и на корне хвоста. Рыбы особенно эффектны во время нереста. Общая окраска их в этот период ярко-красная со светящимися сине-зелёными точками,

Аквариумные рыбы

разбросанными по всему телу, голове, спинному, анальному и хвостовому плавникам.

Условия содержания, кормления и разведения те же, что и для других цихлид.

Полосатый хемихромис, или шахматная цихлида

По строению тела полосатые хромисы напоминают предыдущий вид. Подобно последнему, отличаются великолепной окраской. Спинка оливково-зеленоватая, по телу от жаберных крышек до основания хвостового плавника протягиваются чередующиеся полосы кроваво-красного цвета и блестящие голубовато-зелёные. На теле расположено четыре крупных пятна, первое — под спинным плавником, последнее — на конце хвостового стебля. Голова и нижняя треть тела ярко-оранжевые, до красного цвета. Самцы крупнее, стройнее самок.

Условия содержания, кормления и разведения те же, что и для других цихлид. Полосатые хромисы ещё более агрессивны, чем хромисы-красавцы.

Хемихромис красный

Населяют юго-восток и юг Заира, кроме областей Восточного и Западного Касаи и Шаба. Держатся в мелких прудах, озёрах, оросительных каналах и речках.

Длина до 15 см, в аквариуме меньше.

Тело кроваво-красное с беспорядочно разбросанными блестящими голубыми пятнышками, которые переходят на плавники. Посередине тела крупное, от синего до чёрного цвета, пятно, которое иногда бледнеет. Непарные плавники фиолетовые до красного.

Слабейшие рыбы приобретают серую маскировочную окраску и их трудно различить в зарослях.

Самец окрашен более интенсивно, с возрастом на голове образуется жировая подушка.

У самки меньше голубых пятнышек.

Род цихлазома (Cichlasoma)

Общая характеристика

Этот род объединяет большое количество видов, обитающих в водоёмах Центральной и Южной Америки.

Для цихлазом характерны вытянутое овальное тело, сравнительно большие голова и глаза. Для них нужны достаточно большие аквариумы.

Размеры подавляющего большинства видов колеблются от 10 до 25 см.

Для группового содержания рыб ёмкость аквариума не должна быть меньше 150–200 л. Обязательны аэрация, мощная фильтрация и регулярная подмена воды (30–50% еженедельно). Оптимальные условия содержания: жёсткость — 5–30°, кислотность — 6–8, температура — 15–28, 22–25, 30 °C.

Мелкие виды созревают в 7–12 месяцев, крупные в 1,5–2 года. Для размножения южноамериканских видов необходимы следующие

условия: жёсткость — до 10°, кислотность — 6,5–7,2, температура— 24–29 ℃. Для остальных видов цихлазом приемлема жёсткость до 25°, pH 7,0–8,2, температура 22–28 ℃, солёность — 0,5–3%. Нересту предшествуют брачные церемонии продолжительностью от 3–5 до 24 ч. Стартовый корм для молоди — коловратка, науплии артемии и циклопа. Кроме того, родители перелопачивают грунт и измельчают ртом крупный корм, чтобы он был доступен малькам. Для оптимального роста и правильного развития молоди корма надо постоянно укрупнять.

Цихлазома Меека

Обитает в озёрах, иногда в реках и затопляемых участках суши Гватемалы и Южной Мексики. Тело слегка вытянуто, большая остроконечная голова. Окраска тела голубовато-серая с фиолетовым отблеском. Передняя часть тела снизу красная. Окраска самки менее яркая. Очень эффектно выглядит цихлазома Меека, когда широко раздувает жабры. Самцы крупнее самок.

Уживчивые, территориальные, моногамные рыбы, живут парами. Аквариум — от 50–80 л на пару. Растения предпочтительны жёсткие, крепкие и хорошо укореняющиеся, лучше сажать в горшках, поскольку эти рыбы роющие. Рекомендуемые условия содержания: жёсткость — 8–30°, кислотность — 6,8–8,0, температура — 15, 20–24 ℃. Обязательны аэрация, фильтрация и подмена воды — 50–70% еженедельно. В период нереста самец, приступая к подготовке места для икрометания, становится агрессивным.

Для стимуляции нереста необходимо понизить жёсткость воды (до 10°) и поднять температуру до 25–27 ℃. Когда все предпосылки

Цихлазома северум

Бриллиантовая цихлазома

Чернополосая цихлазома

Радужная цихлазома

Клоун Кларка

Цифотилятия зебра

Зебровая тиляпия

Голубой дельфин

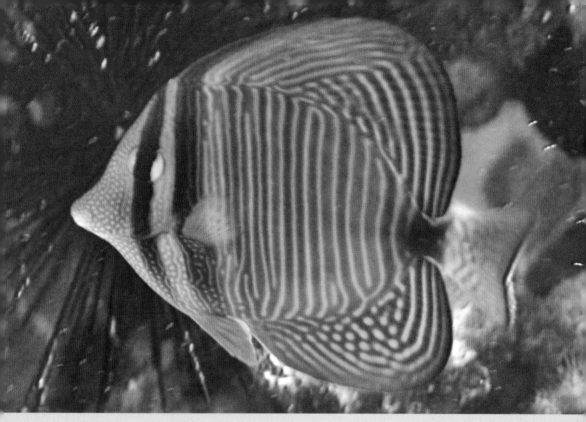

Зебросома полосатая

Зебросома желтая

Пресноводный амазонский
скат моторо

Сетчатый скат

для размножения созданы, самец выбирает плоский камень и усиленно очищает его. Дружная брачная пара даёт многочисленное потомство и очень старательно ухаживает за ним. Нерест происходит, как у всех цихлид, ёмкость нерестовика должна быть не менее 60 л. Инкубационный период — 3–6 суток, а ещё через 4–5 суток молодь плывет. Мальки растут очень быстро. Сначала их можно кормить артемией, позже — мелко нарезанным и тщательно промытым трубочником.

Цихлазома чернополосая

Обитает в озёрах и ручьях Центральной Америки. Серая с 8–9 черными поперечными полосами по телу. Плавники зеленоватые. Самка несколько мельче самца с бронзовоокрашенной задней частью брюшка. Длина рыбки до 10 см. Брюхо самок покрыто оранжевой чешуей.

Аквариум — от 30–40 л с укрытиями. Растения желательно сажать в горшках, так как рыбы роются в грунте. Температура — 15, 20–26 ˚С, жёсткость — 8–30˚, кислотность — 6,8–8,0. Всеядные, но предпочитают листья салата, одуванчика, замоченные овсяные хлопья.

Стимулируют нерест заменой 1/4 объема воды и поднятием температуры на 2–3 ˚С. Самка откладывает икру в какое-нибудь укрытие. Самка ухаживает за икрой и мальками, а самец — за территорией, выдворяя непрошенных «гостей». Иногда самка в нерестовый период бывает немного раздражённой. Поэтому самца, выполнившего свои обязанности, иногда целесообразно отсадить. Стартовый корм для мальков — артемия.

18 Все о современном аквариуме

Цихлазома мезонуата

Населяют бассейны рек Амазонка и Парагвай, а также реки Гайаны.

Длина до 20 см, в аквариуме — до 15 см.

Основная окраска желтовато-серая, латунно-жёлтая, зеленовато-жёлтая или серо-зелёная. На боку иногда появляются состоящие из мелких пятен темные поперечные полосы. На хвостовом стебле чёрное пятно с белой окантовкой. Плавники серо-жёлтые до голубоватых с рядами белых, иногда также коричневых пятен.

Рыбы довольно миролюбивы, можно содержать в аквариуме с другими рыбами семейства. Не роют грунт и не трогают растения, если получают достаточно растительной пищи. При отсутствии укрытий становятся пугливыми. Рекомендуемые условия содержания: температура — 24–28 ℃, жёсткость — 2–25°, кислотность — 6,3–7,5.

Для разведения оптимальны условия: температура — 25–30 ℃, жёсткость — 2–8°, кислотность — 6,5–7,2. Икру откладывают на твёрдые предметы и широкие листья растений. Не всегда ухаживают за потомством. Тогда икру с субстратом переносят в инкубатор. Половая зрелость в 9–10 месяцев.

ДРУГИЕ АКВАРИУМНЫЕ ЖИВОТНЫЕ

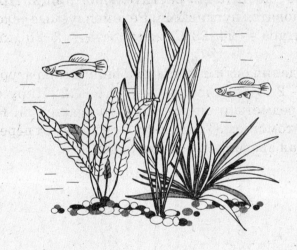

Моллюски

В настоящем аквариуме обязательно должно жить несколько моллюсков. Они играют большую роль в поддержании биологического равновесия вашего водоёма. Моллюски уничтожают налёт из микроскопических водорослей на стенах аквариума и грунте, съедают остатки корма и разные органические образования, обогащают грунт своими экскрементами. И, конечно, многие виды моллюсков очень красивы и способны украсить ваш искусственный водный уголок.

Но количество моллюсков не должно быть слишком велико, потому что они потребляют кислород, содержащийся в воде, и часто объедают растения. Если вы знаете объём аквариума, то можно рассчитать, сколько требуется улиток из соотношения 1 большая улитка на 8–10 л воды. Не так легко контролировать численность моллюсков в аквариуме. Для этого есть несколько способов. Самый простой, но утомительный способ — отлавливать «лишних» моллюсков вручную. Можно удалить из аквариума всех рыб, включить аэрацию и залить специально подготовленный раствор сульфата меди (0,5 г на 10 л воды). Через несколько часов тщательно убрать в аквариуме, сменить воду и посадить рыб обратно. Есть еще один способ избавиться от нежелательного моллюскового потомства. Нужно положить в маленькое блюдечко приманку для улиток — высушенные кусочки банана, скоблёное мясо, тёртые овощи, картофель. Блюдечко с приманкой ставят на ночь на дно. Утром в блюдечке соберётся множество улиток, привлечённых приманкой. Эту операцию нужно повторять, если вы хотите избавиться от значительной части моллюсков.

Нежелательно самостоятельно отлавливать моллюсков в природных водоёмах. Они могут не приспособиться к искусственным условиям содержания. Ещё хуже то, что такие моллюски могут легко перенести на себе в аквариум животных-паразитов, способных повредить рыбам. Лучше приобретать их в зоомагазинах или у аквариумистов.

БРЮХОНОГИЕ МОЛЛЮСКИ

Эти моллюски отличаются наличием мясистой ноги на нижней стороне тела, рта, глаз и щупалец. В ротовом отверстии есть специальная тёрка-радула, которая размягчает пищу моллюска. На спине расположены мантия и раковина, которая защищает тело. Форма раковины может сильно отличаться у разных видов, иметь плоскую, стреловидную или другую форму. Раковина растёт в течение всей жизни моллюска. Она состоит из нескольких известковых слоёв, выделяемых из мантии. Иногда имеется крышка раковины, закрывающая отверстие, когда моллюск находится внутри. Передвигается улитка медленно, по слизи, которую сама выделяет железами ноги. Большинство моллюсков — гермафродиты, то есть сочетающие половые признаки обоих видов. Некоторые виды живородящие. Ниже приведены самые распространённые разновидности брюхоногих моллюсков.

Ампулярия

Так называется род крупных пресноводных улиток, обитающих в тропической зоне Азии и Южной Америки. Эти улитки дышат и атмосферным кислородом, и кислородом, растворённым в воде.

Моллюски

У них есть и жабры, и лёгкие, поэтому улитка может длительное время жить вне воды. 2 глазных усика очень длинные, глаза расположены на стебельках у их основания. Имеется очень длинная дыхательная трубка. Ампулярия откладывает икру в виде гроздей на стены аквариума, выступающие из воды. Икринки имеют сероватый оттенок. Молодые улитки вылупляются примерно через 2 недели после откладки икры. Икру нужно оберегать от высыхания, следить, чтобы лампа не находилась слишком близко. Молодых улиток можно кормить циклопами, мелко рубленными растениями вроде риччии и ряски. Взрослые особи всеядны. Ампулярия нетребовательна к характеристикам воды, но любит быть в тепле. Подходящая температура для неё — 22–30 °C. Нужно следить, чтобы улиткам в аквариуме хватало корма, иначе они возьмутся за водные растения. Можно подкармливать их крошками хлеба, листьями салата, мясом. Если вы содержите ампулярий, нужно обязательно хорошо закрывать сверху. Самые популярные среди аквариумистов виды ампулярии — аустралис, гигантская и золотая (разновидность ампулярии гигантской).

Катушка роговая

Широко распространена в умеренных широтах Европы и Азии, в том числе России. Обитает в медленно текущих и стоячих водоемах. Достигает размеров 4 см в длину. Дисковидная раковина содержит около 5 завитков и окрашена в тёмно-коричневый цвет. Само животное имеет удлинённую коническую форму, нога плоская и широкая. На внутренней стороне длинных рожек-щупалец расположены глаза. Тело красного цвета.

Предпочитает холодноводные аквариумы с температурой не выше 22 ˚С. Если вы содержите роговую катушку, можете не опасаться за свои растения — она не будет употреблять их в пищу. Улитка питается нитчаткой и водорослями со стёкол аквариума, гниющими частями растений. Её можно также подкармливать мясом. Катушка дышит легкими. Набирая атмосферный воздух в лёгкие, она уменьшает свой вес и может передвигаться по поверхности воды раковиной вниз. Весной самки улиток откладывают икру на нижнюю сторону растений в виде студенистой массы бурого цвета. Икру катушки с удовольствием поедают рыбы. Срок жизни этих улиток — 3 года.

Катушка бразильская

Распространена в тропиках Южной Америки. Достигает размеров 2 см. Раковина дисковидная спиральная, красного цвета. Неприхотлива в аквариуме, не объедает растения. Лучше содержать в тепловодных аквариумах.

Мелания

Обитает в тропической зоне Азии. Это улитка средних размеров, вырастающая в длину до 3 см. Раковина имеет конусовидную, спирально-закрученную форму, с крышкой. Она окрашена в серо-зелёный цвет, с продольными тёмными штрихами. Дышит жабрами. Улитка большую часть времени проводит в грунте, поедая различного рода органические остатки, разрыхляя грунт, предохраняет его от загнивания, а на поверхность выходит лишь ночью, но мо-

жет и днём, если в грунте возникает дефицит кислорода. Если в аквариуме нарушено биологическое равновесие, испорчены грунт или вода, все мелании перебираются на стенки. Следя за поведением этих улиток, можно знать, в каком состоянии находится аквариум. Если не хватает корма, мелании принимаются за водные растения. Они могут есть даже замазку. Живородящие.

Живородка речная

Обитает в европейских водах, предпочитая стоячие заросшие водоёмы. Достигает в длину 5 см. Раковина округлой формы с конусовидной верхушкой, содержит до 6—7 завитков, коричнево-зелёного цвета с чёрными полосками. Имеет крышку, о которой говорилось выше. Органы дыхания живородки — жабры. Любит держаться на грунте, как в природе, так и в искусственных условиях. Рождает сразу около 30 маленьких улиток. Они уже сформированы, но первые дни их окружает прозрачная оболочка, защищающая от опасностей подводного мира.

Прудовик

Широко распространён в Европе, Азии и Северной Америке. Раковина имеет округлую, конусовидную форму, сильно заострена к вершине, завита направо. На наружной стороне плоских треугольных щупалец находятся глаза. Нога короткая и широкая. Тело животного серо-зелёного цвета, раковина светло-жёлтая. Эти улитки дышат лёгкими и поэтому время от времени поднимаются за воздухом на поверхность воды. Прудовики очень много едят

и могут добавлять к своему рациону ваши растения. Его икра прикрепляется к нижней стороне листа и представляет собой студенистую массу в виде сосульки. Каждая из сосулек содержит в себе до 100 прозрачных икринок. Выход молодых улиток происходит примерно через месяц. Прудовик может доставлять вам и вашим питомцам неудобства из-за своих солидных размеров. Желательно содержать его в холодноводном аквариуме.

Физа австралийская

Живёт в Австралии и Южной Америке. Раковина имеет округлую форму и содержит около 5 завитков. Улитка имеет красновато-коричневую окраску. Как и другие физы, очень быстро и интенсивно размножается.

Физа заострённая

Распространена в тёплых районах Европы, Азии, а также в Северной Африке. Это небольшая улитка, редко достигающая 2 см в длину. Раковина округлая, заострённая у вершины, имеет 5 завитков, завита влево. Цвет раковины — розовый или красный. В аквариуме может питаться живым кормом, хорошо чувствует себя при температуре не ниже 20 °C. Сильно размножается.

Физа пузырчатая

Обитает в медленно текущих и стоячих водоёмах Азии. Это совсем маленькая улитка, часто не больше 1 см в длину. Раковина округлой формы, заострена на конце. Глаза находятся у основания

длинных щупалец. Длинная нога синего цвета, раковина — жёлто-коричневого. Эта улитка обладает способностью выделять тонкую липкую нить. Нить прикрепляется физой к какому-нибудь предмету, и улитка передвигается по ней. Чем моложе особь, тем больше она выделяет нитей. Старые улитки почти не делают этого. Такие нити сохраняются до 3 недель. Питается и живым кормом. Приносит пользу, уничтожая налёт на поверхности воды. Должна содержаться при температуре не ниже 20 °C.

ДВУСТВОРЧАТЫЕ МОЛЛЮСКИ

В природе эти разнообразные моллюски живут и в пресной, и в солёной воде. Их особенность заключается в том, что все они обладают раковиной, состоящей из двух половинок. Створки раковины соединены друг с другом при помощи эластичной связки и целой системы зубчиков. За створками распологается тело моллюска. На нем можно увидеть и выделить отверстия для приёма пищи и воды, для дыхания и особый орган моллюсков — ногу. Нога может иметь разнообразные формы. С её помощью моллюск передвигается по грунту с очень небольшой скоростью. Некоторые виды умеют передвигаться, приоткрывая и быстро закрывая створки раковины. Именно к двустворчатым моллюскам относятся легендарные жемчужницы — животные, выращивающие жемчуг внутри раковины.

Нужно сказать, что пребывание двустворчатых моллюсков в вашем аквариуме скорее всего принесёт больше забот, чем удовольствия, особенно если вы ещё неопытный аквариумист. Дело в том, что эти животные дышат, как и рыбы, кислородом, растворённым

в воде, и это может причинить неудобства вашим любимцам. К тому же в природных условиях личинки этих моллюсков с помощью клейкого вещества прикрепляются к телу рыбок и паразитируют на них на протяжении всего периода созревания. Этот сценарий может повториться в аквариуме. Не стоит ещё и забывать о том, что двустворчатые моллюски живут на грунте. Передвигаясь по нему или закапываясь, они способны испортить все ваши ухищрения в оформлении искусственного водоема, повредить корни водных растений. Они, в отличие от улиток, малоподвижны, лежат на дне, иногда наполовину закопавшись в грунт, выполняя роль живых биофильтров: пропускают через себя воду, задерживая муть и мельчайшие организмы. Так что если вы решили завести у себя представителя двустворчатых, будьте готовы к разным сложностям.

Перловица обыкновенная

Моллюск, очень распоространённый в пресноводных водоёмах. Вы наверняка находили его в разных речках, где вы купались, или видели его раковины на песке.

У перловицы овальная раковина с выпуклыми створками, окрашенная в зеленовато-бурый цвет с продольными тёмными полосами. В верхней части раковины расположены вводящее и выводящее отверстия. Через вводящее отверстие моллюск получает пищу и кислород вместе с потоком воды. Выводящее отверстие имеет второе название — порошица. Тело (нога) заключено в створки раковины. У перловицы имеется пара очень сильных запирающих мускулов, которые смыкают створки раковины. Органы зрения отсутствуют, слух развит слабо. Размножается перловица ик-

рой, которая мечется в больших количествах, иногда до 100 000 штук. Икринки так малы, что их тяжело увидеть невооруженным глазом. Они имеют шарообразную форму. Кладка икры обычно выглядит как нити паутины в зарослях растений. Личинки паразитируют на рыбах из семейства карповых, прикрепляясь клейкой нитью на их чешую или плавники.

В аквариуме, как и в природных условиях, перловицы малоподвижны, могут лежать без движения в течение целого дня. Они больше склонны к передвижениям в солнечные дни. При пасмурной погоде перловица часто закапывается в грунт, оставляя на поверхности лишь часть раковины с вводящим отверстием. Передвигается крайне медленно, в вертикальном положении. Перловице требуется песчаный грунт, в остальном она неприхотлива к условиям содержания.

Дрейссена речная

Вид двустворчатого моллюска, хорошо подходящий для содержания в аквариуме. Она не портит растения и фильтрует воду, избавляя её от микроскопической мути. В природных условиях она широко распространена в пресноводных водоемах Азии и Европы. Раковина достигает размеров 5 см в длину и 3 см в ширину и окрашена в серо-зелёный цвет с тёмными полосами.

Ракообразные

Ракообразные — это жабродышащие водные членистоногие. У большинства ракообразных различают головогрудь и брюшко. Органы дыхания — жабры, являющиеся выростами конечностей. Известно около 30 000 видов ракообразных. Среди них встречаются мелкие рачки длиной 2–5 мм. Десятиногие раки, куда входят и речные раки, получали своё название по числу ходильных грудных ног. Сюда же относятся креветки, крабы, омары и лангусты, обитающие в морях.

КРЕВЕТКИ

Эти представители ракообразных в последнее время успешно разводятся многими аквариумистами. Для содержания лучше выбирать виды креветок небольших размеров и, разумеется, пресноводных, если у вас, конечно, не морской аквариум.

Тело креветки полупрозрачное, снабжённое длинными усиками и тремя парами небольших клешней. Оно покрыто панцирем, местами лоскутообразным, местами монолитным. Глаза фасеточные, большие, чёрные. Креветки могут восстанавливать утраченные или повреждённые конечности.

Они передвигаются, либо неторопливо перебирая ножками, расположенными на брюшной части, либо делая резкие гребки хвостовой частью. Могут двигаться назад, как и вперёд. Как и другие ракообразные, креветки периодически линяют. Самки вынашивают икру на нижней части брюшка. Инкубационный период при температуре 16–18 °C длится около 30 дней, при 22–26 °C — вдвое быстрее.

В аквариуме креветки совсем не требовательны к условиям содержания. Их устраивает вода комнатной температуры. Им вполне подойдёт температура воды в пределах от 24 до 30 °С, кислотность — 7,5–8, 6. Многим видам рекомендуется добавлять в воду специальную минеральную подкормку. Кормить можно мотылём, трубочником, другим живым кормом. Креветки нормально уживаются с аквариумными рыбками и не обижают их.

КРАБЫ

Краб пресноводный размером до 10 см по панцирю. Широко распространен по бассейнам рек Средиземного, Черного и Каспийского морей. Окраска тёмно-бурая сверху и светлая снизу.

Комфортные условия: жёсткость — 10–20°, кислотность — 7–3, температура — 10–22 °С. Воду обязательно аэрировать и фильтровать. В аквариуме на грунт положить плоский камень (25–30 см), под которым крабик выроет норку. Аквариум сверху лучше закрыть стеклом. Кормить можно мотылём, трубочником, кусочками рыбы, креветками. Крабиков можно содержать совместно с любыми рыбками, за исключением хищных.

РАКИ
Речной рак

Обитает в пресной чистой воде — речках, ручьях и озерах. Тело рака подразделяется на два отдела: массивную головогрудь и более плоское членистое брюшко. Жабры у речного рака расположены

в головогруди в особых жаберных камерах. В конце зимы самка вымётывает икринки, которые прикрепляются к ножкам брюшка. Здесь икринки и развиваются. В начале лета из них вылупляются рачата. Первые 10–12 суток жизни они остаются под брюшком у самки, а затем переходят к самостоятельному существованию.

Рак голубой

Его родина — Куба. Его размер меньше, чем нашего рака; окрашен в красивый голубовато-серый цвет. У самцов голубого рака клешни длиннее, чем у самок.

Оптимальные условия: температура — 24–26 ˚C, pH — 7,5–8,5, жёсткость — 8–12˚. Для нормальной жизнедеятельности в грунте аквариума обязательно должен быть песок, который раки используют в качестве указателя направления силы тяжести. В аквариуме рака голубого можно содержать с любыми миролюбивыми рыбками, за исключением ведущих донный образ жизни, например, сомиков.

Икра вынашивается самками на брюшной части. По мере созревания она становится зеленоватой. После вылупления рачата висят на матери ещё 7–8 дней, а потом постепенно покидают её. Если вы хотите вырастить молодых раков, нужно отсадить самку в отдельный водоём, а после вылупления молоди вернуть в основной аквариум. Молодых раков надо кормить мелко нарезанным мотылём, трубочником, мясом. Будьте внимательны — голубые раки могут употреблять в пищу нежные части ваших растений! В аквариуме им нужно предоставить убежища в виде небольших труб или гротов из камушков.

Земноводные

БЕСХВОСТЫЕ АМФИБИИ

Их можно встретить в лесах и болотах, в любых пресноводных водоёмах, в степях и даже в глубине пустынь, если там есть хотя бы крохотный источник воды. Квакши, лягушки и жабы — существа достаточно миниатюрные, имеют характерную, легко запоминающуюся внешность. У них довольно крупная, широкая голова, которая переходит непосредственно в широкое и короткое тело. Большинство бесхвостых амфибий обладает покровительственной окраской, которая зависит от температуры и влажности воздуха. В холодную погоду кожа темнеет, в жару — светлеет. Тело бесхвостых амфибий покрыто голой, ничем не защищённой кожей. Для нормального существования амфибиям совершенно необходимо, чтобы тело их всегда было влажным. Постоянно влажная, покрытая слизью кожа амфибий является прекрасной почвой для развития всевозможных микроорганизмов. Выделяющаяся из кожных желёзок слизь содержит бактерицидные, убивающие бактерий, и бактериостатические, прекращающие их размножение, вещества. Пищей амфибиям служат черви, моллюски, насекомые, ракообразные.

Жерлянки

Обитают рядом с неглубокими водоёмами, в старицах рек, на берегах озёр, на заболоченных лугах, в лиственном лесу. Они активны в светлое время суток, быстро привыкают к человеку и, кроме всего прочего, приятно «поют».

Другие аквариумные животные

Содержат жерлянок группами по 6–12 особей в акватеррариуме средних размеров с примерным соотношением воды и суши 1:1. В водоём желательно поместить много растительности. Даже при наличии специальных фильтров рекомендуется ежемесячная полная замена воды и частичная — каждую неделю. Глубина водоема — 4–10 см. Кормить взрослых животных лучше всего на суше. Для этого подойдут мелкие тараканы, мухи, сверчки, личинки комаров, дождевые черви.

В качестве нерестового водоема жерлянки отдают предпочтение неглубоким бассейнам с большим количеством водных растений. Развитие головастиков протекает очень быстро — уже за 2 недели они достигают двухсантиметровых размеров. В качестве корма им требуются мелкие беспозвоночные: мушки дрозофилы, сверчки.

Травяная лягушка

Наиболее обычный вид бесхвостых амфибий наших широт. Окраска тела довольно сильно варьирует в зависимости от местообитания, времени года, пола — серая, коричневая, бурая с крупными и мелкими пятнами. В неволе хорошо живёт в палюдариуме и террариумах с большими ваннами с водой, при температуре воздуха 16–18 ˚С.

Кормят лягушек насекомыми с мягкими покровами — мухами, тараканами, бабочками.

Отложенная в воду икра периодически всплывает к поверхности. При выращивании головастиков не надо помещать более 3–4 шт. на 1 л воды. По мере развития у них конечностей и редукции хвоста обеспечивают возможность выхода на сушу.

Квакши

Древесные лягушки. Большинство видов предпочитают тёплый климат влажных тропических лесов. Отличаются окраской, которая поражает своей яркостью и замысловатостью рисунка. Для содержания используют террариумы вертикального типа, высокие палюдариумы, оборудованные ветками и корягами. Водоём может быть небольшим. Яркое освещение и обогрев обязательны. Если в террариуме имеется достаточно большой водоём, следует предусмотреть и подогрев воды. Необходима также вентиляция воздуха. Лучший грунт — смесь песка с торфом. Древесные лягушки хорошо переносят неволю, если их правильно кормить. В террариумах эти животные поедают практически всё, что движется: мух, тараканов, сверчков, пауков, гусениц.

Наибольшее распространение в террариумах получили обыкновенная, австралийская и кубинская квакши.

СЕМЕЙСТВО ПИПОВЫЕ

В это семейство входит 12 видов лягушек, обитающих в Южной Америке и Африке. Пиповые почти всю свою жизнь проводят в воде, не выходя на сушу. Поэтому их легко и интересно содержать в аквариуме — появление в воде животных, сильно отличающихся от рыб, внесёт заметное разнообразие в жизнь вашего искусственного водоёма. Представители семейства пиповых могут жить в сильно загрязнённых, обеднённых кислородом водоёмах, но в аквариумах не переносят даже небольшой концентрации растворённого в воде свободного хлора или хлораминов. Лягушки любят

прятаться в укромных местах, активно роются в грунте и гораздо больше, чем рыбы, загрязняют воду своими выделениями. В качестве грунта в аквариуме лучше использовать мелкий речной гравий или гранитную крошку размером 4–6 мм. Растения подходят достаточно крупные, с крепкими стеблями и листьями, с мощной корневой системой. При хорошей фильтрации или частой замене воды лягушки прекрасно себя чувствуют и в абсолютно пустом аквариуме с парой глиняных черепков-укрытий на дне. К качеству воды лягушки менее чувствительны, чем самые неприхотливые виды рыб. Аквариум обязательно должен быть закрыт стеклом или сеткой. Едят лягушки много и жадно, толстея на глазах. Лягушка нормальной, средней упитанности выглядит плоской.

Лягушка шпорцевая

Обитает в водоёмах Южной Африки. В длину эта лягушка достигает почти 10 см. Она имеет маленькую приплюснутую голову, закруглённую морду, на верхней части которой расположены глаза. Задние конечности хорошо развиты. Между пальцами есть перепонки, а на пальцах — сильные когти. Передние конечности значительно короче, на пальцах нет перепонок, лапы вывернуты внутрь. Вдоль туловища заметны углубления, поросшие волосками. Эти волоски, реагирующие на малейшее колебание воды, помогают лягушке ориентироваться в водной среде, находить добычу и спасаться от врагов. Тело окрашено в бурый цвет с тёмными пятнами и разводами по бокам. Широко распространена искусственно выведенная альбиносная разновидность шпорцевой лягушки. У неё красные глаза, и она розоватого цвета.

Земноводные

Для пары половозрелых лягушек нужно не менее 8 л. На три головастика нужно не менее 1 л. Оптимальная температура воды при содержании — 20–22 ˚C. На дно аквариума нужно насыпать крупный гравий или гальку и поместить несколько горшков с растениями. В брачный период у самца меняется окраска: на лапах появляются продольные черные полосы. Брачная песня самца напоминает мелодичное тиканье часов. После оплодотворения икра развивается около двух суток. Появившись на свет, головастики начинают дышать лёгкими и периодически поднимаются за воздухом к поверхности воды. Головастики шпорцевой лягушки необычно выглядят: у них большая голова с парой тонких усов и длинный хвост до 5 см. Они абсолютно прозрачные и передвигаются вертикально головой вниз. В природе головастики питаются отцеженными микроскопическими водорослями. В аквариуме их можно кормить кашицей из отваренного салата или шпината. Через 60–80 дней головастики начинают походить на лягушку: тело перестаёт быть прозрачным, появляются конечности, но остаётся хвост. В этот период их нужно кормить живой дафнией. По мере вырастания к рациону можно добавлять струганное мясо. Взрослых особей можно кормить тем же кормом, что и рыб. Они с удовольствием едят кусочки сырого мяса, пользуясь пальцами на передних конечностях.

Шпорцевая лягушка проводит всю свою жизнь в воде, поэтому её можно содержать в обычном аквариуме. Кожные выделения шпорцевых лягушек очищающим образом действуют на аквариумную воду. Она приносит пользу рыбам, выделяя слизь, убивающую бактерий. Некоторые инфекционные болезни у рыбок даже можно лечить, запуская к ним шпорцевую лягушку. Однако следите,

чтобы с лягушкой не жили вместе мелкие рыбки, иначе это может закончиться для них печально. Эти амфибии могут также сожрать икру, отложенную вашими рыбами, и привести оформление водного уголка в беспорядок. Нетребовательна к условиям содержания, в хороших аквариумных условиях шпорцевые лягушки доживают до 15 лет. Не забывайте накрывать аквариум с лягушками стеклом!

Гименохирус

Эта маленькая лягушка тоже относится к семейству пиповых. Она вырастает не более 4 см в длину и обитает в водоёмах Африки. Тело удлинённое, конечности тоньше, морда заострённая. Гименохирус окрашен в тёмно-серый цвет с бурыми пятнами и светлым брюхом. Самки выглядят упитаннее, чем самцы. В природных условиях эти лягушки много времени проводят на грунте, роясь в нём в поисках корма.

В аквариуме гименохирусы приступают к размножению при повышении температуры до 25—28 °С и усиленной освещенности. Оплодотворённые икринки плавают на поверхности воды, они заключены в студенистую оболочку. Если вы хотите вывести молодых лягушек, то икру нужно поместить в отдельный водоём. Через пару суток появляются чёрные головастики размером около 4 мм. Первое время они неподвижно висят на стенках аквариума и на листьях растений. Через 5 дней они начинают плавать и кормиться инфузориями. В этот период их можно подкармливать так же, как и мальков рыб. Головастик превращается в лягушку за месяц. Взрослые экземпляры питаются тем же кормом, что и ваши

рыбы. Гименохирусы предпочитают неглубокие аквариумы с различными укрытиями на дне. Они могут обходиться без суши и жить всё время в воде. Не забывайте накрывать аквариум с лягушками стеклом.

Пипа Корвальо

Эти интересные лягушки живут в стоячих водоёмах северной части Южной Америки. Они могут жить и на высоте до 1000 м. Предпочитают водоемы с илистым дном и зарослями растений. Тело достигает в длину 8 см, плосковатой формы, голова треугольная. Самки больше самцов. Пипа Корвальо, называемая ещё карликовой пипой, имеет серо-бурую окраску, на брюхе темные пятна. От гименохируса эта лягушка отличается большей быстротой передвижения в воде. Кормить ее в аквариуме не сложно — она с удовольствием поедает и живой, и сухой рыбий корм, а также кусочки мяса и рыбы. Лягушат в первые два месяца жизни надо кормить только живым кормом — мотылём, трубочником.

У пипы очень интересно протекает процесс размножения. За ним стоит понаблюдать. После оплодотворения икринок самец вдавливает их своим брюшком в спину самки, укладывая рядами. Интересно, что икринки, прилипшие к растениям или выращиваемые искусственно, не развиваются и погибают. Они могут выжить только на спине у самки пипы. Всего в кладке от 50 до 200 икринок. Через несколько часов после откладки на спине у самки образуется серая пористая масса, в которой утапливаются икринки, затем происходит линька. Головастики при комнатной температуре созревают за 2 недели. Этот процесс можно ускорить, если повысить

температуру. Из своей оболочки головастики выходят неравномерно. В это время спина самки напоминает разбитую булыжную мостовую. Головастики в момент рождения имеют в длину 1 см, шаровидное тело и прозрачный хвост. Они питаются бактериями и инфузориями. Важно, чтобы вода в аквариуме с головастиками была чистой. Вообще, их лучше отсадить от остальных обитателей, в том числе от взрослых пип. Превращение в маленькую лягушку произойдёт через два месяца после рождения. После выхода всех головастиков лягушка вторично линяет и снова готова к спариванию.

Пипа нетребовательна к условиям содержания, но не любит жёсткую воду. Нежелательно также содержать самцов вместе — они могут подраться и поранить друг друга. Не вредит рыбам и растениям.

ХВОСТАТЫЕ АМФИБИИ

Свыше половины хвостатых амфибий постоянно живут в водоёмах или проводят там большую часть года. Это существа малоподвижные, ведут осёдлый образ жизни и прочно привязаны к своему дому. Все хвостатые амфибии прекрасно плавают, змееобразно изгибая тело и поджимая лапы, которые не принимают участия при плавании. Хвостатые амфибии проводят свою юность в воде и в это время пользуются жабрами. Однако, становясь взрослыми, они их утрачивают. У немногих примитивных видов амфибий жабры или жаберные щели остаются на всю жизнь. Но и лёгкие у них весьма примитивны. У многих представителей класса амфибий кожа стала главным дыхательным органом. Кроме того, все амфибии умеют извлекать кислород с помощью слизистой оболочки рта. Тем-

пература тела амфибий зависит от температуры окружающей среды. Перегрев для них гораздо опасней охлаждения. В еде хвостатые амфибии не привередливы, лишь бы пища была «мясной». Они убеждённые хищники.

Тритон обыкновенный

Представитель хвостатых амфибий. В природных условиях он живёт в умеренной зоне Евразии. Размеры достигают 12 см, из них на хвост приходится половина. Сверху тритон обыкновенный окрашен в бурый цвет, нижняя часть желтоватая. По всему телу разбросаны мелкие темноватые пятна. Самцы окрашены ярче самок. В брачный период внешний вид самца изменяется: у него появляется зубчатый гребень оранжево-голубого цвета, идущий от головы до кончика хвоста. Самка в это время тоже становится ярче. В ходе нереста она откладывает от 150 до 500 икринок. Каждая икринка прикрепляется самкой к отдельному листику, который она загибает крючком.

Личинки появляются через 3—4 недели. Их нужно кормить циклопами, дафниями, мотылём. Половозрелости тритоны достигают к 2—3 годам. Тритон питается живым кормом. На суше это гусеницы, личинки, черви, насекомые, в воде — соответствующие водные животные. Эта амфибия проводит 5—6 месяцев в году в зимней спячке. Весна у тритона проходит в брачных играх. Остальное время он проводит на суше, предпочитая укромные и тенистые места. В аквариумных условиях тритон обыкновенный может жить без суши и при хорошем уходе доживать до 30 лет. В аквариуме, где содержат тритонов, необходимо делать вывод на сушу в виде декоративно

устроенной площадки с лесенкой. Подходящая температура для него — 20–24 °C, но в период зимовки она должна быть постепенно понижена до 5–10 °C. В это время можно затемнить аквариум. Кормить тритона нужно только живым кормом. Лучше делать это вручную или при помощи пинцета, потому что эти амфибии плохо видят, и более проворные рыбы могут съесть их корм.

Тритон гребенчатый

Похож на своего родственника, обыкновенного тритона, но больших размеров. Достигает в длину 20 см, кожа не гладкая, а с маленькими бородавками. Верхняя часть тела окрашена в тёмно-бурый цвет, брюхо обычно оранжевое, чёрные пятна разбросаны по всему телу. Зубчатый гребень самца как бы разделён на две части в области основания хвоста. Во время брачного периода хвост самца украшает бело-голубая полоса. Самки выглядят скромнее самцов. Гребенчатый тритон также прикрепляет свою икру к листьям растений, но не заворачивает листики, как это делает тритон обыкновенный. Условия жизни в природе и содержания в аквариуме у обоих тритонов схожи.

Малоазиатский тритон

Самый яркий и красивый представитель тритонов. Тело тритона окрашено в бронзово-оливковый, реже бурый цвет и как бы расписано причудливыми тёмными узорами. Брюхо кирпично-красного или огненно-оранжевого цвета. В период размножения у самцов появляется высокий зазубренный гребень. По образу жизни животное тесно связано с водой.

Огненная саламандра

Взрослые животные достигают в длину 31 см, обычно меньше. Саламандра окрашена в блестящий чёрный цвет с крупными ярко-желтыми пятнами неправильной формы, разбросанными по всему телу. Огненная саламандра — ночное животное, не любит жары и прямых солнечных лучей. Для содержания огненных саламандр необходим террариум горизонтального типа. Водоём очень мелкий, устроенный так, чтобы саламандры, попав в него, могли оттуда выбраться. Питается червями, слизнями, мокрицами, насекомыми, как и большинство других саламандр. Она не откладывает икру, а целые 10 месяцев вынашивает её в своём теле, пока для личинок не наступит время вылупиться из икринок.

Аксолотль

Если вы решите содержать этого родственника тритона, то не сажайте его ни в коем случае с рыбами! Аксолотль — хищное животное, и поэтому должно содержаться в гордом одиночестве. Внешне он напоминает тритона. Главное отличие — наружные жабры на шее. Аксолотли вырастают до 25 см в длину. В переводе с греческого языка аксолотль — водяная игрушка, что вполне соответствует его внешнему виду. Их естественная окраска — чёрная, но среди аквариумистов широко распространена альбиносная форма. Не нуждаются в суше и могут всю жизнь проводить в воде, но может дышать одновременно и жабрами, и лёгкими — если вода плохо насыщена кислородом, то аксолотль переходит на лёгочное дыхание. В аквариуме не требует особых условий содержания,

нетребователен к характеристикам воды и температуры. На одну взрослую особь приходится около 7 л воды. Вода должна быть чистой и хорошо насыщенной кислородом, что легко достигается при помощи обычного компрессора. Очень опасен для них перегрев, оптимальная температура воды в аквариуме — 18–21 °C. Охотно употребляют в пищу земляных червей, кусочки мяса и обыкновенный аквариумный корм. Аксолотли часто размножаются в неволе. Самка выметывает от 600 до 1000 икринок, и уже через 2 недели из икринок, прикреплённых к листьям растений, выводятся маленькие аксолотли.

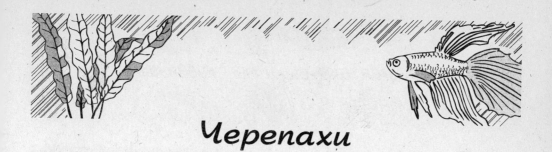

Черепахи

Черепахи — один из четырёх отрядов рептилий. Их не спутаешь ни с какими другими животными из-за характерной внешности. Все черепахи носят на себе свою защиту — роговой или кожаный панцирь. Эти с виду неказистые и неуклюжие существа таят немало загадок. Вполне возможно, что они являются самым долгоживущим животным на Земле. Точно установлено, что некоторые особи прожили полтора столетия. Внешний облик черепах не изменился на протяжении 200 миллионов лет, то есть ещё со времён динозавров. За это огромное время они освоили и море, и реки, и сушу, и горы.

Для содержания в аквариуме подходят только пресноводные черепахи. В искусственных условиях им нужно достаточно простора. Для них необходимо оборудовать «остров» подвесной конструкции так, чтобы черепахам было удобно на него забираться. В период размножения черепахам нужно предоставить ёмкость с чистым песком для откладки яиц. Воду в водоёме с рептилиями нужно часто фильтровать и часто заменять. Нельзя сажать черепах в хлорированную воду. К грунту они нетребовательны. Аэрация тоже не важна, потому что черепахи дышат атмосферным воздухом. Температура желательна не ниже 25 ˚С. Активность черепах зависит от температуры воздуха и воды. Поэтому лучше установить два термометра: один на берегу под обогревателем, другой — в воде.

Кормить пресноводных черепах можно и животным, и растительным кормом. В рацион могут входить: земляные черви, мотыль, дафния, сверчки, мелкие рыбы, головастики, кусочки мяса, мягкие и сочные части капусты, салата, одуванчика, ряски. Полезной добавкой могут быть кусочки кальмара, мясо улиток.

Любителям можно выбрать для содержания один из следующих видов пресноводных черепах: болотной, каспийской или американской красноухой.

Черепаха болотная

В естественных условиях обитает в тёплой зоне европейской части России. Она населяет спокойные неглубокие водоёмы. Часто выходит на сушу, быстро передвигается в воде и вне её. Холодное время года проводит в спячке на дне. Болотная черепаха имеет размеры до 20 см в длину и 16 см в ширину. Цвет панциря может быть от чёрного до светло-серого. Нижняя часть панциря всегда светлее. На тёмном фоне разбросаны небольшие жёлтые пятна и черточки. Голова, шея и конечности тоже покрыты жёлтыми точками.

Спаривание у болотной черепахи происходит в воде. Самка за сезон может сделать 3 кладки по 5–10 яиц в каждой. Подходящая среда для выращивания яиц — рыхлый влажноватый песок температурой около 30 ˚С. Черепашата вылупляются примерно через 2 месяца. При хорошем уходе болотная черепаха может прожить в аквариуме очень долго. Следите, чтобы она не могла сбежать из него.

Красноухая черепаха

Для этой черепахи необходимо приблизительно 15–20 л воды. Акватеррариум необходимо оборудовать островком, который должен дать черепахе возможность находиться как на суше, так и на мелководье, чтобы она могла, легко подняв голову, дышать. Темпера-

тура должна быть не ниже 25—28 ˚C. Полную замену воды в акватеррариуме необходимо осуществлять по мере надобности, вода должна быть обязательно в течение 2—3 дней отстоянной. Большинство кормов, предлагаемых черепахам (мясо, мотыль, кальмар), хорошо подходят лишь по количеству белка. Эти корма не решают проблему недостатка кальция. Наиболее простой способ пополнения запасов кальция — кормление черепах мелкой нежирной рыбой вместе с костями. Живой корм — земляные черви, мотыль, трубочник, каретра — очень хорош как кормовая добавка для молодых черепах.

Спариваются черепахи в течение всего года, но наиболее активно — с февраля по май, яйца откладывают с июля по сентябрь. Яйца черепахи откладывают в песок или торф, поэтому в акватеррариуме необходимо поставить кюветку достаточных размеров с песком и удобным входом, чтобы черепаха могла закопать свои яйца. Для сохранения молодняка незадолго до появления черепашат важно сделать укрытие, в которое не могли бы проникнуть взрослые черепахи.

Приобретая нового питомца, ни в коем случае нельзя помещать его в акватеррариум к прежним жильцам. Срок карантина — не менее двух месяцев.

Змеиношейная, или длинношейная черепаха

Змеиношейная, или длинношейная черепаха населяет заросшие прибрежные участки пресноводных проточных прудиков и небольших озёр восточной части австралийского континента. Большую

часть жизни змеиношейная черепаха проводит в воде, хотя в состоянии передвигаться и по суше.

Для содержания змеиношейной черепахи подходит аквариум вместимостью от 200–300 л с большой площадью дна и высотой 40–50 см. От поверхности воды до бортика аквариума должно быть не менее 15–20 см свободного пространства. В качестве грунта используют крупный песок или гравий, уложенные слоем толщиной 10–15 см. Растения помещают в аквариум лишь в качестве растительной подкормки. Оптимальная температура воздуха и воды — 25–30 °C. При 20–22 °C черепахи становятся малоподвижными, теряют аппетит. Содержат черепах поодиночке. Соседями черепах могут быть крупные панцирные сомы, астронотусы, акары. Черепахи постоянно линяют; чтобы предотвратить помутнение и порчу воды, аквариум необходимо оснастить мощным механическим фильтром и раз в неделю в полном объеме подменивать воду.

Черепахи едят живую или мороженую рыбу, которую лучше давать черепахам кусочками с костями, которые будут служить источником кальция, необходимого черепахам для построения панциря. Взрослой черепахе достаточно от 5–6 до десятка средних креветок 2–3 раза в неделю.

Аквариумные вредители

Иногда вместе с кормом в аквариум попадают организмы, которые если не наносят рыбам непосредственного вреда, то их присутствие является предупредительным сигналом, и его нельзя игнорировать. Но нередко попадают и опасные вредители.

Рыбья вошь — жаброхвостые рачки, питаются кровью рыб, паразитируя на их коже. Очень подвижны, легко отделяются от рыбы и свободно плавают в воде при помощи плавательных ножек. Для борьбы с ним нужно оставить аквариум без рыбы и поднять температуру до 26 °C, хорошо осветить и продержать так неделю. Очень важно внимательно просматривать, сортировать выловленный и купленный на рынке корм.

Планария — плоские черви, попадая в аквариум с живым кормом, уничтожают икру, личинок и мальков рыб. В аквариумах, предназначенных для содержания рыб, планарии, уничтожая корм, могут стать их конкурентами. Тело планарии покрыто ресничками, и движения выглядят плавными. Планарии необыкновенно живучи. Губительно для планарий повышение температуры воды до 30–32 °C, которое могут выдержать многие тропические рыбы. Также применяют медный купорос (1,5 мг на 1 л воды) и нитрат аммония (25–50 мг на 1 л воды с двукратной обработкой).

Жук-плавунец — рвёт добычу на части и жадно поедает. Личинки плавунца на ранней стадии развития малы, и поэтому могут быть не замечены аквариумистом и занесены в аквариум с мотылём,

рачками. При определённой осторожности, сортируя и внимательно просматривая живой корм, можно избежать попадания вредителей в аквариум.

Гидра — прикрепившись к стёклам аквариума, растениям, другим предметам подошвой, гидра нападает при помощи стрекательных нитей-щупалец на личинок и мальков. Гидра может очень быстро размножаться путём почкования. Избавиться от гидр непросто. Применяют перекись водорода из расчёта 2 чайные ложки 3%-ного раствора перекиси водорода на 10 л воды. Расчётное количество разводят в 100—150 мл воды и вносят в аквариум. При использовании раствора медного купороса (0,05 г на 1 л воды) гибель гидр наступает в течение часа, ещё через 3—4 ч производят частичную чистку и полную подмену воды. Рыб и растения на время этих операций из аквариума удаляют. Некоторые виды рыб питаются гидрами, особенно гурами, а также некоторые молодые цихлиды.

Мшанки — колониальные сидячие, некоторые могут медленно ползать, животные, внешне похожие на мхи, почему они и имеют такое название. Питаются в основном инфузориями и в небольшом количестве. Их присутствие свидетельствует о благоприятных условиях.

Кольчатые черви — различные виды пиявок. В условиях аквариума они относятся к числу врагов, уничтожающих рыб и моллюсков. Плавают пиявки с помощью волнообразных движений всего тела в вертикальной плоскости. В аквариуме они могут жить в слое грунта или на его поверхности. Их присутствие в значительном количестве является показателем плохой гигиены аквариума.

Алфавитный указатель

АКВАРИУМНЫЕ РАСТЕНИЯ

Алфавитный указатель

АКВАРИУМНЫЕ РЫБЫ

Алфавитный указатель

Алфавитный указатель

Алфавитный указатель

Алфавитный указатель

Алфавитный указатель

Алфавитный указатель

Алфавитный указатель

Алфавитный указатель

ДРУГИЕ АКВАРИУМНЫЕ ЖИВОТНЫЕ

Алфавитный указатель

Содержание

Содержание

Содержание

Содержание

Содержание

Содержание

Содержание

Содержание

Содержание

Содержание

Содержание

Содержание

Содержание

Содержание

Содержание

Содержание

Содержание

Содержание

Содержание

Содержание

Содержание

Содержание

Е. Пыльцына

Всё о современном аквариуме
Все виды аквариумных рыб и уход за ними

Обложка Д. Зорин
Фотографы И. Саянов, М. Лукоянов
Редактор С. Рублёв
Цветные вклейки Ю. Феданова
Корректоры Ю. Давыдова, Е. Барыбин
Вёрстка Е. Турова

Издательский дом «Владис»
благодарит за помощь в подготовке книги к изданию
А. В. Зятикова, Л. Зайцеву
и сотрудников аквариума Ростовского зоопарка

Подписано в печать с оригинал-макета 16.09.2008
Формат 70x100 $^1/_{16}$. Гарнитура «Times»
Тираж 6000 Заказ № 6285

ООО ИД «Владис»
344064, г. Ростов-на-Дону, пер. Радиаторный, 9
vladis-book@aaanet.ru
www.vladisbook.com

ООО Группа Компаний «РИПОЛ классик»
109147, г. Москва, ул. Большая Андроньевская, д. 23
www.ripol.ru

Отпечатано с готовых файлов заказчика в ОАО «ИПК
«Ульяновский Дом печати». 432980, г. Ульяновск, ул. Гончарова, 14